May Ayim, Katharina Oguntoye, Dagmar Schultz (Hg.)

Farbe bekennen

May Ayim,
Katharina Oguntoye,
Dagmar Schultz (Hg.)

Farbe bekennen.

Afro-deutsche Frauen
auf den Spuren
ihrer Geschichte.

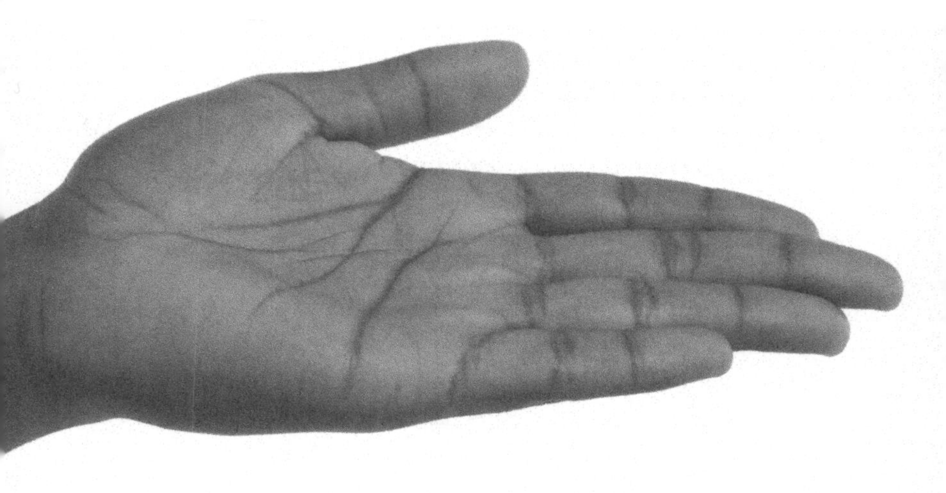

orlanda

Inhaltsverzeichnis

Danksagung

Wir danken allen Frauen, die durch Gespräche und Texte dieses Buch ermöglicht haben. Nur durch ihren Einsatz, ihre Bereitschaft und Offenheit konnte *Farbe bekennen* so viele Teile unseres Lebens und unserer Geschichte offenlegen.

Unserer Lektorin Claudia Koppert ein besonderes Dankeschön. Sie hat in mühevoller Kleinarbeit einfühlsam unsere Texte redigiert und uns darüber hinaus wichtige Hinweise und Denkanstöße gegeben.

Wir danken den Autorinnen, dass sie uns Photos aus ihrem Privatbesitz zur Verfügung gestellt haben.

Vorwort zur Neuauflage 2020

„Farbe bekennen. Afro-deutsche Frauen auf den Spuren ihrer Geschichte" wird erneut aufgelegt und erscheint im Frühjahr 2020. Nachdem es seit Längerem nicht mehr erhältlich war, ist das eine aufregende Sache.

34 Jahre nach seinem ersten Erscheinen, wird „Farbe bekennen" immer noch nachgefragt und gelesen. Es war das erste Buch seiner Art, welches die afro-deutsche Erfahrung aufzeigte und zur Inspiration für die Anfänge der afro-deutschen Bewegung wurde. Wir erkannten bald, dass „Farbe bekennen" ein Handbuch sein würde, welches für die Community und Interessierte lange Zeit eine wichtige Referenz sein würde. May Ayim und ich haben viele Interviews gegeben und Lesungen gemacht, denn verkauft hat sich „Farbe bekennen" zunächst nicht. Auch wenn die Verkaufszahlen nie hoch waren, war doch immer deutlich, wie wichtig dieses Buch für seine Leser*innen war und ist.

Wir konnten damals aber nicht vorhersehen, dass es kontinuierlich über drei Jahrzehnte eine solch hervorragende Bedeutung für die Entwicklungsprozesse der Community und vieler Einzelpersonen haben würde. Auch seine historische und gesellschaftspolitische Relevanz ist weiterhin super aktuell. Sowohl für Interessierte als auch für betroffene Personen, die sich über den Themenkomplex der Schwarzen deutschen Bevölkerung informieren möchten, ist „Farbe bekennen" nach wie vor ein wichtiger Einstieg.

In den Jahrzehnten hat sich viel verändert, in Deutschland ist eine vielfältige Schwarze Bewegung entstanden (auch in der Schweiz und in Österreich), das zeigt sich unter anderem an der großen Vielfalt der Projekte, Initiativen und Vereine – in Berlin und vielen weiteren Städten. Tief berührt sind wir jedoch von den bewegenden Berichten junger oder älterer Afro-Deutscher, die „Farbe bekennen“ erst vor kurzem in die Hand bekommen und gelesen haben.

In der Zusammenstellung von historischen Hintergrundtexten zur afro-deutschen Erfahrung in der Zeit des nationalsozialistischen Gewaltherrschaft, zur davorliegenden Kolonialzeit und der Nachkriegszeit, verbunden mit eindringlichen biografischen Berichten von Frauen aus unterschiedlichen Generationen, sowie einer Anzahl ganz großartiger Gedichten, bietet „Farbe bekennen“ einen einzigartigen Zugang zum Verständnis der Lebenswirklichkeiten von Schwarzen Menschen in Deutschland.

Das Buch „Farbe bekennen. Afro-deutsche Frauen auf den Spuren ihrer Geschichte“ wird weiterhin gebraucht und erreicht Menschen, für die es einen großen Wert hat und die es für ihre persönliche Entwicklung nutzen. Das ist der Grund, warum wir „Farbe bekennen“ gemacht haben und das ist auch ausschlaggebend für diese Neuausgabe. Der Orlanda Verlag und die Autorin Katharina Oguntoye möchten, dass „Farbe bekennen“ nach langer Pause wieder erhältlich ist und der Community und einer interessierten Öffentlichkeit zur Verfügung steht.

Wir möchten May Ayim, deren Recherche für die historischen Teile von „Farbe bekennen“ genutzt wurde, ehren, indem wir ein May-Ayim-Förderstipendium für Schwarze deutsche Autor*innen ins Leben rufen. Näheres dazu findet sich in Kürze auf der Website von Orlanda.

Katharina Oguntoye, Berlin Januar 2020

Vorwort zur Neuauflage 2006

Wie alles begann

Der Anfang war die gemeinsame Initiative von Audre Lorde, einer großen Dichterin, Aktivistin und Kämpferin gegen Unterdrückung, und eines kleinen Verlages der Frauenbewegung, vertreten durch die Verlegerin Dagmar Schultz. Erstere forderte uns auf, unsere Existenz und Erlebnisse einander und der Welt bekannt zu machen, Letztere setzte dieses Projekt mit ihrem Know-how und Engagement um, indem sie den Entstehungsprozess von *Farbe bekennen* als Herausgeberin begleitete. Großzügig unterstützte sie uns, die jungen Mitherausgeberinnen, und während des intensiven, zwei Jahre andauernden Arbeitprozesses wurden wir zu einer gleichberechtigten Herausgeberinnengruppe, zu der außer May Ayim und mir auch die Lektorin Claudia Koppert gehörte.

Audre Lorde hat uns nicht nur zu dieser Arbeit ermutigt, sondern uns auch in den Jahren danach bis zu ihrem viel zu frühen Tod im Jahre 1992 empathisch begleitet. Es ist ein glücklicher Umstand für uns, die Schwarze Community in Deutschland, dass ihr weltweites Engagement in der Frauenbewegung sie auch an diesen Ort führte. Einmal stieß sie mit der Anregung zu *Farbe bekennen* die Schwarze Bewegung in Deutschland mit an und auf der anderen Seite setzte sie den Diskurs über Rassismus in der weißen deutschen Frauenbewegung in Gang und brachte ihn voran. Ich bin dankbar für das Geschenk, welches sie uns mit ihrem Einsatz, ihrer politischen Intelligenz und Integrität gemacht hat. In den vergangenen Jahren sind nun zwei biographische Bücher (Die Anthologie *Conversations with Audre Lorde*, Hg. J. W. Hall und die Biographie *Warrior Poet* von *Alexis De Veaux)* erschienen, so dass Audre Lordes Stimme und ihr Wirken für kommende Generationen erhalten bleiben.

Zwanzig Jahre sind vergangen seit *Farbe bekennen* veröffentlicht wurde. Zwanzig Jahre, in denen sich vieles verändert und doch so vieles noch unverändert Bestand hat. Afrodeutsche/Schwarze Deutsche sind aus ihrer einst isolierten Situation herausgetreten, denn inzwischen leben immer mehr Menschen afrikanischer Herkunft aus den unterschiedlichsten Gründen in diesem Land und das erhöht unsere Sichtbarkeit.

Als wir 1984 mit dem Buchprojekt *Farbe bekennen* begannen, war unsere Situation als Schwarze Menschen in Deutschland noch von Vereinzelung geprägt. Wir waren in einem Land aufgewachsen, das sich nicht als Einwanderungsland sah und das die bereits vorhandene Multikulturalität seiner Bevölkerung leugnete. In Deutschland wurde heftig darüber gestritten, ob Antisemitismus und/oder Ausländerfeindlichkeit hier überhaupt existieren. Das Thema Rassismus wurde meist tabuisiert und war noch nicht im allgemeinen Diskurs angekommen. Das änderte sich erst nach und nach durch die Auseinandersetzungen Ende der 1980er Jahre.

Als May Ayim ihre Magisterarbeit zum Thema Rassismus in Deutschland schreiben wollte, stieß sie an ihrer Fakultät auf entschiedene Ablehnung. Im Verlauf des Buchprojektes hat sie das Thema ihrer Arbeit mit der historischen Aufarbeitung der Präsenz afrikanischer Menschen in Deutschland und dem Umgang der Institutionen mit dieser Minderheit verbunden. May Ayims Diplomarbeit bildete damit den historisch-soziologischen Hintergrund für die persönlichen Lebensberichte in *Farbe bekennen*. Die historischen Teile des Buches waren später einen wichtiger Ausgangspunkt für die Erforschung der Geschichte Schwarzer Menschen in Deutschland.

Bei den Recherchen für *Farbe bekennen* hatten wir das Glück, Doris Reiprich und Erika Ngambi zu begegnen. Diese beiden älteren afrodeutschen Frauen gaben uns mit ihren Berichten über ihre Kindheit während des Kaiserreiches, der Weimarer Republik und ihrer Jugend im Nationalsozialismus Einblick in die Lebenswirklichkeit Schwarzer Menschen dieser Zeit. Mandenga Diek, der Vater der beiden Schwestern, war 1891 mit seinem Bruder aus Kamerun nach Deutschland eingewandert. Ebenso wie der Vater von Astrid Berger, Gottlieb Kala Kinger, der 1895 nach Deutschland kam.

Astrid Berger, eine ganze Generation jünger als Erika Ngambi und Doris Reiprich, hatte uns mit ihren beiden »Tanten« bekannt gemacht. Denn die Afrikaner/innen, die damals in Deutschland lebten, kannten einander und nannten sich untereinander »Landsleute«. Beide afrodeutsche Familien können heute bereits auf vier bzw. fünf Generationen in Deutschland zurückblicken. Erika Ngambis Enkelin Abenaa Adomako, heute selbst Mutter, ist auch eine der Autorinnen in *Farbe bekennen* und wirkte über viel Jahre aktiv in der ISD - Initiative Schwarze in Deutschland mit.

Auch die *Farbe bekennen*-Autorin Eleonore Wiedenroth ist in der ISD aktiv und hat zu rassistischen Bildern in der deutschen Kinderliteratur veröffentlicht. Sie war auch eine der Initiatorinnen des ersten afrodeutschen Gruppentreffens im Raum Wiesbaden/Frankfurt a. M., das 1985 stattfand und 1986 zur Gründung der Berliner ISD führte. Ich traf sie 2005 wieder, auf dem von ihr mitorganisierten Bundestreffen der ISD in München. Ihre nun schon fast erwachsene Tochter sagte in einem Rückblick zum 20. Bundestreffen, dass die ISD-Bundestreffen und die Altersgenossen, die sie dort traf, ihr Leben und ihre Entwicklung stark geprägt hätten. Sie hat an fast allen Treffen der letzten 17 Jahre teilgenommen und über die Jahre sind Freundschaften gewachsen. Ich war beeindruckt von der Kontinuität, die dieses Community-Forum bietet. Keineswegs eine Selbstverständlichkeit.

Die ersten zehn Jahre nach dem Erscheinen von *Farbe bekennen* waren geprägt vom Elan und der Energie der ersten Generation von Afrodeutschen, in der es eine große Gruppe von Menschen um die Zwanzig gab, die sich auf die Suche nach ihrer Identität und ihrem Platz in der Welt machten. *Farbe bekennen* wurde zum Auslöser, Katalysator und zur Inspiration für diese Generation. In kurzer Folge bildeten sich die Organisationsformen und Projekte, in denen die Schwarze Community in Deutschland einen Ausdruck fand und heranreifte: ISD (Initiative Schwarze Menschen in Deutschland), seit 1985/86. Es bildeten sich Gruppen in fast allen großen Städten der Bundesrepublik. Diese organisierten sich unabhängig und nach ihren jeweiligen Bedürfnissen. Sie gaben sich aber alle den Namen ISD; ADEFRA (seit 1986 bundesweiter Verein afrodeutscher/Schwarzer Frauen mit Gruppen in München, Hamburg, Berlin); AFRO LOOK (Zeitschrift der ISD, 1987-1997); AFREKETE (Zeitschrift der ADEFRA-Frauen, 1988-1990); ein jährliches Bundestreffen (seit 1986); BHM - Black History Month (jeweils Februar in Berlin, 1988-1998).

Dies war eine intensive Zeit voller Aktivitäten, Begegnungen und Vernetzungsarbeit. Die Bedeutung dessen, worum wir uns bemühten, war mit Händen zu greifen. Wir fanden so viele Antworten, suchten nach Wegen, wie wir uns in Deutschland und in der Welt einbringen konnten. Es gab auch erste Kontakte mit Schwarzen Communitys in anderen Ländern. Wir waren voller Hoffnung, etwas bewegen zu können. Wir nahmen die zahlreichen Einladungen zu Lesungen und Diskussionsveranstaltungen an, auf denen wir *Farbe bekennen* vorstellten. May Ayim und ich gaben außerdem zahlreiche Interviews in Presse und Rundfunk.

In der ISD ging es uns bei der Öffentlichkeitsarbeit zunächst darum, über die Existenz von Schwarzen Menschen in Deutschland zu informieren und die Lebensumstände dieser Bevölkerungsgruppe publik zu machen. Gespräche mit Weißen begannen immer mit der Begriffsklärung. Wir erklärten, warum es die neuen Begriffe »afro-deutsch« und »Schwarze Deutsche« gibt und warum die alten Bezeichnungen als Fremdzuschreibungen und Herabsetzungen abzulehnen sind und aus unserer Sicht nicht mehr verwendet werden sollten. Es ist ein großer Erfolg, dass es uns gelungen ist, neue Bezeichnungen für Schwarze Menschen einzuführen und dass sie in der Breite angenommen wurden. Immerhin geschah dies sozusagen vom Graswurzel-Level aus, ohne dass wir über eine gut organisierte oder einflussreiche Lobby verfügt hätten.

Was aus uns geworden ist

Die *Farbe bekennen*-Autorinnen Helga Emde und Miriam Goldschmidt gehörten auch zur Generation von Afrodeutschen, die in der Nachkriegszeit aufwuchsen. Helga Emde verließ Deutschland nach mehrjährigem Engagement in der Rassismus-Aufklärungsarbeit und Mitwirkung an TV-Dokumentationen über Schwarze Deutsche und ging in die USA. Wie sie in einem offenen Brief schrieb, brauchte sie für ihre Selbstfindung als Schwarze Frau die Vielfalt und Stärke einer Schwarzen Gemeinschaft. Das ständige Infragestellen ihres Deutscheseins und die wiederholte Erfahrung von Ausgrenzung und Rassismus in Deutschland zermürbten sie langsam. Sie hat in der Karibik inzwischen einen Platz für sich gefunden.

Miriam Goldschmidt ist auch heute noch eine der bekanntesten Vertreterinnen des modernen deutschsprachigen Theaters und lebt nach mehrjährigem Aufenthalt in der Schweiz wieder in Berlin. Ihre beiden Kinder sind erwachsen und ihr Sohn beginnt zurzeit eine Schauspielausbildung.

Die Dichterinnen in *Farbe bekennen*, die später weitere Werke veröffentlichten, sind May Ayim und Raja Lubinetzki. May Ayim hat mit mehreren Gedichtbänden u.a. *blues in schwarz weiss* viel Aufmerksamkeit und Anerkennung bekommen. Sie war Mitbegründerin der ISD und über viele Jahre national und international in Sachen Afrodeutsche unterwegs. Mit ihrer lebendigen Ausdruckskunst und performance-artigen Vortragsform gab sie den Empfindungen vieler

Schwarzer eine Stimme. Sie wurde in Deutschland zunehmend von einer breiten Öffentlichkeit wahrgenommen, als sie 1996 überraschend den Freitod wählte. Dass die junge und begabte Frau, die am Beginn einer viel versprechenden Karriere stand, sich nach kurzer schwerer Erkrankung das Leben nahm, war ein unerwarteter Schock. Und doch muss ihr Schicksal auch als Symbol für viele unbekannte Schwarze Deutsche gesehen werden, die dem Druck und den Anfeindungen einen frühen Tod entgegensetzen.

Seit den Anfängen der Schwarzen Bewegung in Deutschland gehören die schwere physische und psychische Erkrankung Einzelner und Erfahrungen von Verlust zur gemeinsam erlebten Realität. May Ayim bleibt unvergessen und ihr Tod schmerzt weiterhin tief. Noch heute kann ich ihn emotional nicht wirklich begreifen. Eine Zeile aus einem ihrer Gedichte muss uns Trost sein: »Hoffnung im Herz«. »Hoffnung im Herz« heisst auch der Dokumentarfilm von Maria Binder über die Lyrikerin, der Ausschnitte aus Interviews und Lesungen zeigt. Und im Oktober 2004 wurde der »erste schwarze deutsche Literaturpreis« in Erinnerung an die Dichterin ausgelobt, der May Ayim Award.

Die Gedichte von Raja Lubinetzki in *Farbe bekennen* verwiesen bereits auf ihr großes Talent. 2001 erschien auch endlich ihr erster Gedichtband: *Der Tag ein Funke* (Gerhard Wolf Janus press). Für die Zusammenstellung von Gedichten, die sie in zwanzig Jahren immer wieder überarbeitete, erhielt sie einen Begabtenpreis mit Stipendium. Zurzeit arbeitet Raja Lubinetzki an ihrem zweiten Band, der hoffentlich nicht wieder so lange auf sich warten lässt. Die Autorin ist auch als Malerin sehr produktiv und da ich mit ihr befreundet bin, bekomme ich ihre Arbeiten auch manchmal zu sehen. Leider ist sie nur selten auf Ausstellungen vertreten.

Vieles hat sich auch nach zwanzig Jahren noch kaum verändert. Meiner Ansicht nach war es sehr wichtig, dass wir uns erstmals zu Wort meldeten und unsere Bewegung sich zu formen begann, *bevor* die Welle rassistischer Übergriffe Anfang der 1990er über uns hereinbrach.

So konnten wir von einer aktiven Position aus agieren und über uns selbst nachdenken, anstatt nur zu reagieren und uns unter dem Druck drohender Gewalt zusammenzuschließen. So haben wir unsere Identität positiv formuliert, uns als Teil der deutschen Gesellschaft definiert und unsere Rechte eingefordert. Was zunächst eher einfach klingt, stellte für die Mehrheitsgesellschaft und dominante, monokulturelle Denkstrukturen eine enorme Herausforderung dar.

In den ersten Jahren machte ich bei Lesungen immer wieder die Erfahrung, dass junge weiße Deutsche nicht verstehen konnten, warum wir uns als Afrodeutsche bezeichneten. Für sich selbst lehnten sie ihr Deutschsein ab. Lieber bezeichneten sie sich als Berlinerin, Frankfurter usw. Unsere Entgegnung war, dass ihnen ja auch niemand ihre deutsche Herkunft streitig mache und sie selbstverständlich alle Vorteile wahrnehmen könnten, die mit dem deutschen Pass verbunden seien - angefangen mit der Reisefreiheit bis hin zu Aufenthalts- und Arbeitsrecht. Und wir forderten, dass, wer die Vorzüge einer bestimmten nationalen Herkunft in Anspruch nimmt, sich auch mit der Geschichte auseinandersetzen und sich diesbezüglich seiner Verantwortung stellen muss.

Das Buch *Farbe bekennen* fand zunächst keinen reißenden Absatz, trotz des großen Medieninteresses, auf welches May Ayim und ich umfassend reagierten. Eine Leserin erzählte, dass sie das Buch in einem Geschäft in die Hand genommen habe, sich aber scheute, es zu kaufen, weil sie begriff, dass es etwas mit Rassismus zu tun hatte. Erst als die Häufung rassistischer Übergriffe die deutsche Öffentlichkeit schockierte, stieg der Verkauf von *Farbe bekennen* an. Wir konnten das aktuelle Interesse von Presse und Radio nutzen, um die Inhalte des Buches einer breiteren Öffentlichkeit zugänglich zu machen. Dies wurde dadurch unterstützt, dass das Buch 1992 im Taschenbuch erschien (Fischer Taschenbuch Verlag). Durch die Arbeit mit den Medien und in Workshops erwarben wir in den folgenden zwei Jahren vielfältige Kompetenzen.

Sensibilisierungsworkshops führe ich bis heute durch. Aber auch nach zwanzig Jahren ist es oft noch so, als begännen wir von Null. Auch heute noch sind WorkshopteilnehmerInnen oder Interviewpartner überrascht zu erfahren, dass es Schwarze Deutsche gibt. Es gibt auch noch viele Schwarze Menschen, die sehr vereinzelt aufwachsen und noch nie etwas von der ISD oder ADEFRA erfahren haben. Obwohl es so etwas wie einen »afrodeutschen Babyboom« gibt, ist das Bewusstsein der neuen Generation weißer Mütter über Schwarzsein oft kaum größer als das unserer Mütter. Die Schwarze Community hat mit ihren Aktivitäten jedoch tolle Selbsthilfearbeit geleistet und eine hervorragende Breitenwirkung erzielt. Nach dem Motto: Steter Tropfen höhlt den Stein.

Die Professionalisierung unserer eigenen Organisationen und eine Anerkennung durch die Politik oder gesellschaftliche Institutionen, seien es Schulen oder Behörden, konnte bisher noch nicht erreicht werden. Unsere Projekte und Organisationen erhalten nur marginale finanzielle Unterstützung, ganz zu schweigen von einer staatlichen Förderung, wie sie vielen anderen Minderheiten in Deutschland zuteil wird. Der längst fällige Durchbruch in der Erforschung von Rassismen und deren Auswirkungen unter Einbeziehung internationaler Forschungsergebnisse hat in Deutschland bisher nicht stattgefunden. Nach zwanzig Jahren Anti-Rassismus-Arbeit gibt es inzwischen kritische Weißseinsforschung (Berlin) und begleitende Literatur zum Thema (*Mythen, Masken und Subjekte*, hg. von Eggers/Kilomba/Piesche/Arndt) sowie ein dreijähriges interdisziplinäres Forschungsprojekt zur Geschichte Schwarzer EuropäerInnen: BEST (Black European Studies, Mainz/Amherst). Was noch immer fehlt, sind Studien über die sozialen und psychosozialen Lebensbedingungen von Schwarzen Menschen in Deutschland. Und es gibt nur vereinzelte Selbsthilfeprojekte zur Unterstützung von Schwarzen Kindern und afrodeutschen Familien, zu denen u.a. der von mir mitinitiierte Verein JOLIBA (seit 1996 in Berlin) und das Gesundheitsprojekt für AfrikanerInnen (Frankfurt a.M.) gehören, die ohne jegliche staatliche Förderung auskommen müssen und daher ständig in ihrer Existenz bedroht sind.

In den Medien und im Sport sind Afrodeutsche seit einigen Jahren zwar stark vertreten, denken wir zum Beispiel an TV-ModeratorInnen und Journalisten wie Cherno Jobatai, Arabella Kiesbauer und Ademola Adebisi oder den Fußballer David Odonkor, der bei der WM 2006 Furore machte, aber die politische Anerkennung von Schwarzen Deutschen und eine gesellschaftliche Selbstverständlichkeit unserer Existenz stehen noch aus. Dies sind für die Zukunft die wichtigsten Ziele, von deren Verwirklichung wir noch weit entfernt zu sein scheinen.

Farbe bekennen ist das einzige Buch seiner Art im deutschsprachigen Raum. Ergänzend sind eine Reihe von afrodeutschen (Auto-)Biografien erschienen, die das Schicksal von Schwarzen Deutschen von der NS-Zeit bis heute dokumentieren. Dazu gehören u. a. die Geschichten von Hans J. Massaquoi und Fasia Jansen, von Ika Hügel-Marshall, Bärbel Kampmann, Abini Zöllner, Olumide Popoola, Detlef Soost und Thomas Usleber. Dazu kommen die Forschungsarbeiten u.a. von Yara-Colette Lemke Muniz de Faria, Fatima El-Tayeb, Paulette Reed-Anderson und mir selbst, die allesamt historische Aufarbeitungen darstellen.

Für ein besseres Verständnis, eine Analyse und die Bereitstellung praktischer Hilfsangebote für Schwarze Menschen in Deutschland brauchen wir meines Erachtens dringend Literatur über die Erfahrung afrodeutscher Männer, über die psychosoziale Entwicklung von Schwarzen Kindern in Deutschland oder die Rolle von Müttern und Vätern in afrodeutschen Familien.

Um die Zukunftsperspektiven Schwarzer Menschen in Deutschland zu verbessern, sind noch zahlreiche Hürden zu meistern. *Farbe bekennen* war ein Anfang und ist nach wie vor ein aktuelles Handbuch zum Verständnis afrodeutscher Lebensrealitäten sowie ein nützliches Werkzeug zur Vernetzung und Aufklärung.

Ich bin dankbar, dass ich an diesem Projekt mitwirken durfte und möchte allen Autorinnen sowie den Orlanda-Verlagsfrauen herzlich danken, die *Farbe bekennen* durch ihre Beiträge und Engagement ermöglicht haben. Dank und Anerkennung auch allen Lesern und Leserinnen, die *Farbe bekennen* in den vergangenen zwanzig Jahren genutzt haben, um Afrodeutsche kennenzulernen, unsere Erfahrungen in die Gesellschaft hineinzutragen und sich in der Schwarzen Community zu vernetzen. Ich glaube an die Kraft meiner Schwestern und Brüder in der Community und wünsche uns den Erfolg, den unsere ausdauernden Bemühungen verdient haben.

Katharina Oguntoye
Berlin, September 2006

Vorwort der Herausgeberinnen

Beinahe jede von uns afro-deutschen Frauen zwischen 20 und 30 Jahren war es gewohnt, sich allein mit ihrer Herkunft und ihrer Identität auseinanderzusetzen. Intensiven Kontakt zu anderen Afro-Deutschen hatte kaum eine zuvor gehabt. Wenn wir Freunde und Freundinnen mit unseren Gedanken und Problemen konfrontieren, müssen wir immer befürchten, jemanden zu verlieren oder für »zu empfindlich« gehalten zu werden. Uns als Afro-Deutsche zu begegnen und aufeinander einzulassen, war ein völlig anderes Erlebnis. Gemeinsam war uns fünfen unsere andere Sozialisation, ansonsten waren wir sehr verschieden: durch unser Leben in Berlin, der DDR und Westdeutschland, unsere Erfahrungen in Familie und Beruf, als lesbische oder heterosexuelle Frauen, und in unseren Bezügen zum afrikanischen bzw. afroamerikanischen Teil unserer Herkunft. Spontane Sympathie erleichterte es uns, über diese an sich sehr verschiedenen Lebenssituationen hinweg, uns auf einen gemeinsamen Prozess einzulassen: unsere subjektiven Erfahrungen auszutauschen und gemeinsam weiterzudenken, andere Afro-Deutsche anzusprechen und in diesen Prozess einzubeziehen, uns auf die Suche nach unserer Geschichte zu begeben und schließlich – was mit diesem Buch geschieht – an die Öffentlichkeit zu gehen.

Es war alles sehr aufregend und setzte gleichzeitig so viel Energie und Mut frei, dass wir unsere vielfältigen Ängste und Widerstände überwanden. Letztlich war der Wunsch stärker, an anderen Afro-Deutschen nicht wie bisher mit einem kurzen Blick aus dem Augenwinkel vorbeizugehen.

Mit diesem Buch wollen wir in Verbindung mit persönlichen Erfahrungen gesellschaftliche Zusammenhänge von Rassismus offenlegen. Bei den Recherchen lernten wir afro-deutsche Frauen kennen, die während des Kaiserreichs, der Weimarer Republik und während des Nationalsozialismus in Deutschland gelebt hatten. Einige waren sofort bereit, sich mit uns Jüngeren zu treffen und aus ihrem Leben zu erzählen. Es fällt heute schwer – zwei Jahre später – die Berührtheit und Aufregung zu beschreiben, die wir bei diesen Treffen empfanden: Plötzlich entdeckten wir, dass unsere Geschichte nicht erst nach 1945 begann. Vor unseren Augen stand unsere Vergangenheit, die eng verknüpft ist mit der kolonialen und nationalsozialistischen deutschen Geschichte.

Unser unbekannter Lebenshintergrund und unsere Nichtbeachtung als Afro-Deutsche sind ein Zeichen für die Verdrängung deutscher Geschichte und ihrer Folgen.

Unser Leben wird leichter sein, wenn wir nicht mehr immer von neuem unsere Existenz erklären müssen. Indem wir unsere Spuren in der Geschichte Afrikas und Deutschlands entziffern und mit unseren subjektiven Erfahrungen verbinden, werden wir uns unserer Identität sicherer und können sie nach außen offensiver vertreten. Vielleicht werden wir dann von der mit Unwissenheit und Vorurteilen durchdrungenen Öffentlichkeit nicht mehr einfach übersehen. Vielleicht verändert unser Sichtbarwerden auch die Ausgangsposition derjenigen, die heute Kinder sind und die dadurch weniger als wir in dem Gefühl von Einsamkeit, Draußenstehen und Ausnahmesein aufwachsen.

Mit Audre Lorde entwickelten wir den Begriff »afro-deutsch« in Anlehnung an afro-amerikanisch, als Ausdruck unserer kulturellen Herkunft. »Afro-deutsch« schien uns einleuchtend, da wir fünf eine deutsche Mutter und einen afrikanischen oder afro-amerikanischen Vater haben. Inzwischen lernten wir Afro-Deutsche kennen, deren Eltern beide aus Afrika stammen oder deren einer Elternteil afro-deutsch ist und der andere aus Afrika kommt. Dadurch wurde uns klar, dass unsere wesentliche Gemeinsamkeit kein biologisches, sondern ein soziales Kriterium ist: das Leben in einer weißen deutschen Gesellschaft.

Mit dem Begriff »afro-deutsch« kann und soll es nicht um Abgrenzung nach Herkunft oder Hautfarbe gehen, wissen wir doch allzu gut, was es heisst, unter Ausgrenzung zu leiden. Vielmehr wollen wir »afro-deutsch« den herkömmlichen Behelfsbezeichnungen wie »Mischling«, »Mulatte« oder »Farbige« entgegensetzen, als einen Versuch, uns selbst zu bestimmen, statt bestimmt zu werden.

Für mich als weiße deutsche Frau bedeutet die Arbeit an diesem Buch, in einen Teil deutscher Geschichte einzutauchen, den ich bisher nur auf einer sehr abstrakten Ebene kannte. Ich lernte Frauen der älteren Generation kennen, von deren Existenz ich nichts gewußt hatte, und wieder einmal wurde mir klar, wie viel uns von unserem »Erbe« vorenthalten wird. Als Kinder spielten wir mit einem alten Quartett, das Episoden aus der deutschen Kolonialzeit darstellte – ein Kapitel deutscher Geschichte, das jedoch in meiner Schulzeit nie behandelt wurde, schon gar nicht im Ausmaß seiner Brutalität. Ich kam mit Frauen meiner Generation zusammen und dachte an die afro-deutsche Mitschülerin und die Freundin, deren Großvater ein amerikanischer Indianer gewesen war, zurück. Doch ich fand nur wenige Anhaltspunkte in meinen Erinnerungen, die mir etwas darüber gesagt hätten, wie sie und wie wir weißen Schülerinnen ihr »Anderssein« erlebten. Die Gespräche mit den Frauen, die etwas für dieses Buch schreiben wollten, ließen mich die an Bewusstsein dürren 50er Jahre neu erleben.

In den 60er und frühen 70er Jahren, die ich in den USA verbrachte, machte ich mich mit der Geschichte von Afro-Amerikaner/innen vertraut. Meine Erfahrung, dass Rassismus in Deutschland nur selten benannt wird, selbst in der Frauenbewegung, veranlasste mich dazu, das Buch *Macht und Sinnlichkeit* mit Texten von Audre Lorde und Adrienne Rieh herauszugeben. Aber die direkte Konfrontation mit dem Rassismus, den Afro-Deutsche erlebt haben und erleben, ergab sich für mich erst durch die Arbeit an diesem Buch. Mit den jüngeren Frauen, die ich kennenlernte, und zu denen auch Katharina Oguntoye und May Opitz gehören, teile ich vieles in meinen politischen Vorstellungen, obwohl es viele Unterschiede in unseren Erfahrenswelten gibt. Rassenvorurteile, Stereotypen, Liberalismus und auch die oft rücksichtslose oder gedankenlose Vereinnahmung von »Minderheiten« seitens politischer Gruppen – all dies kannte ich aus den USA und auch von hier.

Im Austausch mit den Mitarbeiterinnen nahmen diese Begriffe, Einstellungen und Verhaltensweisen jedoch Konturen an, die mir das Spezifische an den deutschen Zuständen aufzeigten. Vieles, was ich von afro-amerikanischen Freundinnen und Schriftstellerinnen und durch meine politische Arbeit in den USA gelernt hatte, wurde jetzt in unserer Arbeitsgruppe in einer neuen Weise wirksam, so das Bedürfnis danach, die Unterschiede zu benennen und die Brücken zwischen unseren Welten zu finden und zu bauen. 1 1/2 Jahre intensiver Zusammenarbeit brachten mich den anderen Frauen sehr nahe. Die Gespräche und Diskussionen, die mit der Konzipierung des Buches, den Kontakten mit anderen afro-deutschen Frauen und der Textbearbeitung verbunden waren, beinhalteten einen ständigen Lernprozess. Ich bin durch diese Zusammenarbeit und die daraus entstandenen Freundschaften wieder ein Stück gewachsen, und meine Distanz zu Deutschland, die ich nach meinem Leben in den USA nie ganz abgelegt habe, hat sich um ein Stück verringert.

Die anfängliche Absicht, ein Buch mit Gesprächen, Texten und Gedichten der Gruppe jüngerer Frauen, die sich im Sommer 1984 zusammenfand, zu veröffentlichen, erweiterte sich bald zu der Vorstellung, so viele Generationen wie möglich zu Wort kommen zu lassen. Der Entschluss von May Opitz, Afro-Deutsche und ihre Geschichte zum Thema ihrer Diplomarbeit zu machen, ermöglichte es uns, den vielfältigen Texten einen Rahmen und den notwendigen historischen Hintergrund zu geben.

Ein Großteil unserer Teamarbeit bestand darin, die Autorinnen zum Schreiben zu ermutigen und ihre Texte mit ihnen zu besprechen. Manchen fiel es leichter, ihre Erfahrungen in Gesprächen offenzulegen, die wir dann in Erzählform umgearbeitet haben. (Auf Wunsch einiger Autorinnen wurden Pseudonyme verwendet.)

Sowohl als afro-deutsche Frauen wie als weiße Frauen empfanden wir die Zusammenarbeit in der Gruppe der Herausgeberinnen und mit der Lektorin als einen konstruktiven Prozess, der immer wieder zu einer Entdeckungsreise wurde.

Katharina Oguntoye, May Ayim/Opitz, Dagmar Schultz
Berlin, 1986

Audre Lorde
»Gefährtinnen, ich grüße euch«

1984 hielt ich in Berlin drei Monate lang einen Workshop über Dichtung und ein Seminar über schwarze amerikanische Dichterinnen ab. In dieser Zeit wollte ich bestimmte deutsche Frauen kennenlernen, von deren Existenz ich wusste, über die ich jedoch in New York nichts erfahren konnte: schwarze deutsche Frauen.

Wer waren diese Frauen der afrikanischen Minderheit, die Afro-Deutschen? Wo kreuzten sich die Wege von uns farbigen Frauen über die Abweichungen unserer Unterdrückung hinaus, wenn auch sicher nicht außerhalb dieser Abweichungen? Wo trennten sich unsere Wege? Wichtiger noch, was konnten wir von unseren verwandten Unterschieden lernen, das beiden nützte, den Afro-Deutschen und den Afro- Amerikanerinnen?

Afro-deutsch. Diesen Ausdruck hatte ich bisher nie gehört. Eine Frau antwortete mir auf meine Frage, mit welcher Vorstellung von sich sie aufgewachsen sei: »Die positivste Bezeichnung für uns war ›Kriegsbabys‹.« Aber die Existenz vieler schwarzer Deutscher hat nichts mit dem Krieg zu tun, sie reicht bis vor den 2. Weltkrieg zurück. Afrodeutsch, das bedeutet für mich die leuchtenden Gesichter der jungen schwarzen Frauen, mit denen ich angeregte Gespräche über ihre Väter, Heimat, Gemeinsamkeiten, Freuden und Enttäuschungen führte. Es bedeutet mein Glücksgefühl beim Anblick einer Schwarzen, die in meine Vorlesung kommt. Es bedeutet das allmähliche Schwinden ihrer stummen Zurückhaltung, als sie neue Ebenen ihres Selbstbewusstseins zu entdecken, als sie Fragen und Werte ihres Schwarzseins als greifbaren, nutzbaren Bestand ihrer Identität zu formulieren begann. Es bedeutet ihre afrikanische Freundin, die ein neues Selbstverständnis in bezug auf andere Frauen der Minderheit gewann. »Afro-deutsch war für mich bisher nie ein positiver Begriff«, sagte sie. Es bedeutet die schwarze deutsche Dichterin, die die deutsche Sprache nach ihrem Verständnis von »Black German« umgestaltet; ihre leuchtenden

Augen an dem langen Tisch, an dem wir Frauen saßen und unser Bestes taten, um uns über die Sprach-, Orts- und Zeitbarrieren hinweg zu verständigen. Sie sprach mit mir und Gloria Joseph, einer anderen Afro-Amerikanerin, über ihr Erbe und die namenlose Qual der Andersartigkeit, aber auch über die wachsende Macht, die diese Andersartigkeit durch Nachforschung erringen kann. »Ich habe mein ganzes Leben unter Weißen verbracht«, sagte sie, »und in Afrika würde ich unter Schwarzen leben. Ich würde gern irgendwohin gehen, wo ich gemeinsam mit anderen alle Bereiche meines Seins erforschen kann.«

Das habe ich, so oder anders formuliert, von allen schwarzen deutschen Frauen gehört. »Wir wollen wir selbst sein, so wie wir uns definieren. Wir sind kein Fragment eurer Fantasie oder eurer Wünsche. Wir sind nicht das Salz in der Suppe eurer Sehnsucht.«

Alle Frauen, die in diesem Buch mit ihren persönlichen Erfahrungen zu Wort kommen, haben eine unsichtbar-blutige Kindheit hinter sich. Sie galten als befleckte oder unvollkommene Deutsche. Jede dieser afro-deutschen Frauen musste sich ihren Weg zur Selbstbestimmung und Erhebung suchen, indem sie das zweifache Bewusstsein ihres doppelten Erbes als Afrikanerin und als Deutsche genau erforschte. Und weil dieser Weg durch Rassen-, kulturelle und nationale Zugehörigkeit führt, ist er mit emotionalen Fragen wie Loyalität und Ablehnung, Patriotismus und Rassismus vermint. Der Weg durch Selbsterforschung zu Selbsterhebung heisst Komplexität und Courage einsetzen gegen eine Flut von Intoleranz und Hass auf die, die anders sind.

Diese Erhebung kann eine wachsende Macht zur Herbeiführung einer nationalen Veränderung im Verein mit anderen, ehemals schweigenden Afro-Deutschen, männlichen wie weiblichen, alten wie jungen, darstellen. Eine wachsende Macht zur Herbeiführung einer internationalen Veränderung im Verein mit anderen Afro-Europäern, Afro-Asiaten, Afro-Amerikanern, allen »Bindestrich-Menschen«, die ihre Identität bestimmt haben, ist kein schamhaftes Geheimnis mehr, sondern die Machterklärung einer wachsenden vereinigten Front, von der die Welt noch nichts gehört hat.

Trotz der in ihrer Kindheit erlittenen Grausamkeit und Isolation scheinen viele dieser Frauen freier von dem emotionalen Dilemma, in dem viele progressive weiße deutsche Feministinnen und Nicht-Feministinnen stecken. Wie kann man nach seinen Wurzeln greifen, wenn diese durch ein so tiefes, unvermeidliches Grauen wachsen, dass die erste Frucht, die sie tragen, oftmals ein schlecht kaschierter Selbstekel ist, der sich zuweilen als unerträgliche Arroganz verkleidet?

Dieses Buch ist auch als Aufforderung der hier schreibenden Frauen an alle Bürgerinnen und Bürger ihres Landes gedacht, sich einem neuen Aspekt des deutschen Bewusstseins zuzuwenden, über den die meisten weißen Deutschen noch nicht nachgedacht haben. Ihre Worte dokumentieren ihre Weigerung, die Verzweiflung lediglich mit Blindheit oder Stillschweigen abzuwehren. Solange wir unsere Unterdrückung nicht artikulieren, können wir sie nicht bekämpfen. Deshalb: Erhebt euch und schweigt nicht mehr!

Dieses Buch ist für mich aufregend, weil es Möglichkeiten aufzeigt. Es ist der erste gemeinsame Versuch afro-deutscher Frauen, ihre Lebensrealität mit weißen Deutschen und anderen zu teilen. Sie gehen voran, im Interesse einer gemeinsamen Zukunft.

Frauen der Minderheit, Kampfgefährtinnen, ich grüße Euch.

Audre Lorde *18. Februar 1986*

Porträt eines Äthiopiers, der als Angestellter in einem der großen Handelshäuser Augsburgs tätig war. Albrecht Dürer, 1508.

Rassismus, Sexismus und vorkoloniales Afrikabild in Deutschland

Vorkoloniales Afrikabild, Kolonialismus, Faschismus

Die ersten Afrikaner/innen in Deutschland

Es gibt keine genauen Anhaltspunkte, wann die ersten Afrikaner/-innen nach Deutschland kamen und wann die ersten Afro-Deutschen geboren wurden. In der Literatur tritt das erste »Mischlingskind« bei Parzival in Erscheinung.[1] Aus der Zeit ab dem 12. Jahrhundert sind einige Gemälde erhalten geblieben, auf denen in Deutschland lebende Afrikaner/innen abgebildet sind. Bis weit in das 19. Jahrhundert beschränkten sich die deutschen Kontakte zu Afrika auf finanzielle Handelsbeteiligungen. Besonders die großen Handelshäuser Fugger, Welser und Imhoff finanzierten einige der ersten Flotten, die seit dem Mittelalter unter portugiesischer und spanischer Flagge Handel betrieben.[2] Über diese Handelsbeziehungen kamen zunächst vor allem Gold, Elfenbein, Gewürze und andere Rohstoffe nach Europa; später wurden zunehmend auch Menschen als »Mitbringsel« nach Europa verschifft, die erhandelt oder als Pfand für die Einhaltung von Vertragsbestimmungen verschleppt wurden. Nach Historiker J. Ki-Zerbo wurden die Menschen damals vor allem deshalb entführt, um zu beweisen, dass man wirklich in Afrika gewesen war und um die Neugier der Landsleute zu befriedigen, die schwarze Menschen zu Gesicht bekommen wollten.[3]

Ich konnte nirgends Zahlen finden, wie viele Schwarze zur Zeit des Mittelalters in Deutschland lebten. In der Hauptstadt Portugals waren Mitte des 16. Jahrhunderts ein Zehntel der Bevölkerung schwarze Sklaven, und wie in Frankreich und England gehörte es wohl auch in Deutschland – wenn auch weniger verbreitet – zum »guten Ton«, »in seiner Equipage, in seiner Karosse, in seinem Salon und in seinem Pferdestall solch eine exotische Figur zu haben«.[4]

Aus dem 18. Jahrhundert ist der für seine Zeit ungewöhnliche Lebensweg des A.W. Amo überliefert, der 1703 als ein Präsent an den Herzog Anton Ulrich von Wolfenbüttel nach Deutschland gelangte.[5] Der Ghanaer war ein Geschenk der holländisch-westindischen Gesellschaft, einem der größten Sklavenhandelsunternehmen jener Zeit.[6] Der Herzog und sein Sohn übernahmen die Patenschaft für Amo und sandten ihn zur Ausbildung auf die damals führende Universität Halle, wo bedeutende Aufklärer lehrten. Für die damalige Zeit war es äußerst ungewöhnlich, dass der Herzog und sein Sohn »den Jungen nicht in eine Dienerlivree steckten und als Prunkspielzeug verwandten«.[7]

Amo wurde einer der bedeutendsten Vertreter der Wolffschen Philosophie, und als Anhänger John Lockes und Descartes' mechanistischer Philosophie vertrat er den Kampf gegen die alt-lutherischen und pietistischen Klerikalen. Seine erste wissenschaftliche Arbeit befasste sich mit dem »Recht der Mohren« in Europa und wurde 1729 unter dem lateinischen Titel »de jure mauro in Europa« veröffentlicht. Die Arbeit ging später aus ungeklärten Gründen verloren.

Später lehrte er als Dozent an den Universitäten in Halle, Wittenberg und Jena. M. Paeffgen erwähnt, dass Amo von Friedrich Wilhelm I. zum Staatsrat der preußischen Krone am Hof zu Berlin ernannt wurde.[8]

Zur gleichen Zeit gab es einen zweiten Afrikaner, der als »Mohr Peters des Großen« unter dem Namen Ibrahim Petrowitsch Hannibal in Rußland »Karriere« machte, sowie ein Jahrhundert später (1847/48) einen Königssohn, Aquasi Boachi, Prinz von Aschantiland, der als Pfand für ein Vertragsabkommen nach Deutschland gebracht wurde und als erster Afrikaner an der Bergbauakademie Freiberg studierte.[9]

Amo kehrte 1743 nach Ghana zurück, als sich die Rassenideologen immer stärker durchsetzten und er den Angriffen nicht mehr standhalten konnte. In Ghana, der damaligen »Goldküste«, geriet er jedoch bald wieder in die Hände von Sklavenhändlern. Er »war sicher einer der wenigen Afrikaner in Westafrika, die vom schweren Geschick der Sklaven wussten und persönlich betroffen waren. Deshalb veranlasste man ihn, das Fort San Sebastian[10] zu beziehen, in dem er unter Kontrolle der Sklavenjäger war. Er ist bald darauf gestorben und liegt vor dem Fort begraben«.[11]

Im Mittelalter: »Mohren« und weiße Christen

Die sprachlichen Veränderungen im Gebrauch der Bezeichnungen »Mohr« und »Neger« spiegeln den Wandel der deutschen bzw. europäischen Beziehungen zu Afrika.

»Mohr« ist die älteste deutsche Bezeichnung für Menschen anderer Hautfarbe und diente im Hochmittelalter zur Unterscheidung der schwarzen und weißen Heiden. Mor, aus dem lateinischen Mauri, erhielt seine Prägung durch die Auseinandersetzung zwischen Christen und Moslems in Nordafrika. Physische Andersartigkeit und fremde Glaubensvorstellungen charakterisieren somit diesen Begriff.[12]

Poliakov et. al. machen darauf aufmerksam, dass auf mittelalterlichen Bildern einer der drei heiligen Könige als Schwarzer abgebildet ist und schließen daraus, dass Vorurteile gegen andere zu dieser Zeit noch nicht mit Hautfarbe verbunden waren.[13] Als weiteren Beleg verweisen sie auf die Vorliebe der Menschen im Mittelalter für phantastische Erzählungen, die im Orient spielten.[14] Es fällt mir schwer zu beurteilen, welche Bedeutung dem beigemessen werden muss, zumal etwa H. Pleticha die Darstellung von Schwarzen in diesen Erzählungen als Fabelwesen zwischen Mensch und Tier kritisiert:

> »Sie rangieren auf der Stufe von exotischen Pflanzen und Tieren. Entscheidend dabei, dass ihnen der Hauch des Wilden, Unheimlichen anhaftet«.[15]

Eindeutige Hinweise für eine Abwertung der Menschen schwarzer Hautfarbe finden sich im Kirchenvokabular der damaligen Zeit, wo der Begriff Ägypter teilweise als Synonym für Teufel gebraucht wurde.[16] Des weiteren lassen sich in der Literatur einige Quellen finden, wo Menschen mit eigentlich weißer Hautfarbe mit der Schwärze der Mohren belegt wurden, weil sie von den gewünschten Normvorstellungen abwichen. Ein Beispiel hierfür ist die Version der »Iweinlegende«, wie sie Hartmann von Aue um 1200 schrieb (»Was weit ir daz der tore tuo?«). Der »Tor« wird an seinem ganzen Leibe schwarz wie ein »Mor« und verbreitet Schrecken, wo immer er erscheint.[17]

In allen Hexenbeschreibungen wurde Schwarz zur Kennzeichnung des Bösen verwandt, aber auch in anderen Zusammenhängen wurde die Andersartigkeit des Weibes/der Frau aus männlicher Sicht oftmals »angeschwärzt«. So wird in Wirnt von Grafenbergs »Wigalois«[18] der Held mit einem weiblichen Monster konfrontiert: Schwarz, hässlich und ohne gute Manieren, ein »ungehuire«.[19] Das gleiche gilt für das folgende anonyme Gedicht aus der Mitte des 13. Jahrhunderts: »Die Sage von Wolfdietrich«

> »Ain ungefuge fraw geporn von wilder art,
> Ging uff für alle paume: kain grösser wip nie wart Da dacht in sinem synne der edel rytter gut:
> »O werder Christ von himel, hab mich in diner hut!«
> Zwu ungefuge bruste an irem üb si trug.
> »Wem du nu wurst zu taile«, so sprach der rytter klug
> »Der hat des tufels muter, das darff ich sprechen wol«.
> Ir lip der waz geschaffen noch schwarczer dann ein kol,
> Ir nas ging für daz kine, lanck, schwarcz so waz ir har.«[20]

Die *wilde Frau,* die aus den Wäldern (»für alle paume«) auf den *edlen Ritter* zugeht, bedroht diesen durch ihre unermessliche Größe, die durch ihre überdimensionalen (»ungefuge«) Brüste hervorgehoben wird. Der Ritter bittet in seiner Not Gott um Schutz, denn er glaubt an den Lippen, die noch schwärzer sind als Kohle, der Nase, die weit über das Kinn hängt, und den langen schwarzen Haaren die eindeutigen Merkmale der Mutter des Teufels (des »tufels muter«) zu erkennen.

In der christlichen Farbensymbolik verkörpert »schwarz« den Inbegriff des Unerwünschten, somit Hässlichen und Verwerflichen. Religiös motivierte Vorurteile konnten daher schnell dazu führen, im schwarzen Menschen, der/die den eigenen christlich-patriarchalischen Vorstellungen entgegentrat, den Prototyp des »Bösewichts« zu sehen, was sich in der Projektion von schwarzer Hautfarbe auf Weiße (s.o.) ja bereits andeutet. Bis zum 18. Jahrhundert waren Vorurteile gegen Schwarze weitgehend frei von Vorstellungen über die Existenz unterschiedlicher Rassen. Erst im Zeitalter der Aufklärung vollzog sich ein deutlicher Wandel, der mit der raschen Kolonialisierung der afrikanischen Länder südlich der Sahara einherging.

Von »Mohren« zu »Negern«

Im 18. Jahrhundert wurde »Neger« zu einem deutschen Begriff. In Ergänzung und Ablösung der Bezeichnung »Mohr« wurde er zur Beschreibung der Menschen südlich der Sahara verwandt und diente »darüber hinaus zur Bezeichnung der schwarzen Rasse schlechthin.«[21] Während mit »Mohr« keine Unterscheidung in hellere und dunklere Afrikaner vorgenommen wurde, implizierte die neue Bezeichnung die ideologische Trennung Afrikas in einen weißen und einen schwarzen Erdteil[22] mit der zunehmenden Kolonialisierung des Kontinentes. Fanon charakterisiert die Teilung wie folgt:

> »Man teilt Afrika in einen weißen und einen schwarzen Teil. Die Ersatzbezeichnungen: Afrika südlich oder nördlich der Sahara, können diesen latenten Rassismus[23] nicht verschleiern. Auf der einen Seite versichert man, dass das Weiße Afrika die Tradition einer tausendjährigen Kultur habe, dass es mediterran sei und Europa fortsetze, dass es an der abendländischen Kultur teilhabe. Das Schwarze Afrika bezeichnet man als eine träge, brutale, unzivilisierte – eine wilde Gegend.«[24]

»Neger« (aus dem lat. niger=schwarz) wurde im Laufe kolonialer Ausbeutung, Versklavung und Fremdbestimmung zu einem ausgesprochen negativen Etikett. Die Denkweise, die diesem Etikett zugrunde liegt, versuchte körperliche und geistig-kulturelle Eigenschaften miteinander zu verbinden.

Während Carl von Linné, der erste Anthropologe, der die Stellung des Menschen zum Tierreich veranschaulichte, in seinem »Systema naturae« (1837) jahrzehntelang nur somatische Kriterien zur Unterscheidung anführte, wurden in der 10. Auflage seiner Veröffentlichung

(1858) erstmals Verbindungen zur Psyche hergestellt:

> »In der nun primates genannten Ordnung ist der homo sapiens durch varians cultura, loco gekennzeichnet. Die Schilderung seiner Varietäten bezieht sich jetzt sowohl auf Hautfarbe, Haare, Augen, Nase, wie Körperhaltung, Charakter, Temperament und Geist, als auch auf die Kriterien tegitur und regitur, Kleidung und Sitte.[25] Gleichzeitig erhält sie dadurch eine deutliche Wertung, ob es das galligte, cholerische Temperament des Amerikaners, der zu Erfindungen geschickte,... durch Gesetz regierte Europäer, der melancholische ..., Pracht, Hoffart und Geld liebende Asier, oder der Afrikaner mit boshafter, fauler und lässiger Gemütsart ist, der durch Willkür regiert wird.«[26]

Winckelmanns ästhetische Anthropologie orientierte sich in der Typenlehre an den klassischen Schönheitsidealen der Griechen. Er behauptete, Griechenland sei der Ort, wo das gemäßigte Klima den Idealtyp des Menschen hervorgebracht hätte. »Missbildungen« nähmen dementsprechend mit der Entfernung zum klimatisch günstigen Mittelpunkt zu.

> »Die gepietschte Nase der Kalmücken, der Chinesen und anderer entlegener Völker ist (...) eine Abweichung: denn sie unterbricht die Einheit der Formen (...). Der aufgeworfene schwülstige Mund, welchen die Mohren mit den Affen in ihrem Lande gemeinsam haben, ist ein überflüssiges Gewächs (...), welches die Hitze ihres Klimas verursacht.«[27]

Mit dem Niedergang des mittelalterlichen Weltbildes, in dem Gott als der unmittelbare Schöpfer alles Seienden angenommen worden war, mehrten sich Diskussionen um Entstehung und Bestimmung des Menschengeschlechts. Zentral wurde die Frage nach einem gemeinsamen oder verschiedenen Ursprung aller Menschen. Waren die Unterschiede zwischen Menschen auf genetische Verschiedenheit oder auf veränderbare Umwelteinflüsse zurückzuführen? George Louis Leclerc, Comte de Buffon, entwarf als erster, ausgehend von anatomischen Kenntnissen, eine vollständige Evolutionstheorie. Er ging von der Einheit des Menschengeschlechts aus und brachte die unterschiedlichen Rassen mit Klimazonen in Verbindung. Bei seinen Überlegungen

> »erwog Buffon sehr ernsthaft, ob man Schwarze nicht nach Dänemark verpflanzen und sie von der übrigen Bevölkerung isolieren könne, um festzustellen, wieviele Generationen sie dazu brauchten, bis sie wieder weiß würden, um daraus schließen zu können, wie lange es gedauert habe, bis sie schwarz wurden.«[28]

Dass er nicht auf den Gedanken kam, Europäer nach Afrika zu senden, um zu sehen, ob sie auf Dauer schwarz würden, mag damit zusammenhängen, dass auch er die »weiße, europäische Rasse als die schönste und beste vor den Rassen der schwarzen, roten und gelben Menschen in Afrika, Amerika und Asien hervorhob.«[29]

Die sich im Europa des 19. Jahrhunderts durchsetzende Idealvorstellung eines schönen Menschen, der emotionslos, rational und leistungsorientiert sein sollte, orientierte sich an den Bedürfnissen des aufkommenden Industriekapitalismus. Andere Lebensweisen, Kulturformen und Produktionstechniken erfuhren zu dieser Zeit eine ebensolche Abwertung, wie körperliche Ausdrucks- und Erscheinungsformen, die nicht den nüchternen Schönheitsidealen des Klassizismus entsprachen.

> »Mit der Gleichsetzung von Zivilisation und Arbeit (die in ihrer eingeschränkten oder modernen Bedeutung als differenzierte Warenproduktion für den individuellen Profit begriffen wird) identifiziert die evolutionistische Anthropologie des ausgehenden 19. Jahrhunderts die Zivilisation mit dem industriellen Abendland und erstellt eine Typologie der

Gesellschaft auf der Grundlage ihres jeweiligen technischen Niveaus«[30]

Das äußere Erscheinungsbild der Afrikaner/innen (insbesondere ihre Hautfarbe) und ihr Leben in Subsistenzwirtschaft[31] machten sie zum idealtypischen Gegenpart des »schönen«, »modernen« Menschen. Im allgemeinen wurde im 18. Jahrhundert in afrikanischen Menschen die niederste Menschenart gesehen, die noch mit der höchsten Tierart, den Affen, verwandt sein sollte.[32] »Die Europäer schienen ... im Gegensatz zu den Primitiven, die in einem Zustand rückständiger Unvernunft verharrten, an der Spitze der kulturellen und technologischen Evolution der Menschheit zu stehen.«[33]

Aus dieser Haltung heraus wurde im 19. Jahrhundert die Ethnologie als Gegenpol zur Geschichtswissenschaft konzipiert: als Wissenschaft, die sich die »geschichtslosen Völker« zum Gegenstand machte.[34]

Wenn ethnologisch Reisende Kontakt zu anderen Völkern suchten, standen dabei weniger persönliche Beziehungen im Vordergrund, als das Interesse an abstrakter Beobachtung, Klassifizierung der Menschengruppen und die Sammlung bzw. Aneignung von Kunstgegenständen. Dazu ein Auszug aus den Aufzeichnungen des ethnologisch Reisenden Adolf Bastian:

> »Man spricht vielfach vom Aussterben der Naturvölker.
> Nicht das physische Aussterben, soweit es vorkommt, fällt ins Gewicht, weil ohnedem von dem allmächtigen Geschichtsgang abhängig, der weder zu hemmen noch abzuwenden ist.
> Aber das psychische Aussterben, der Verlust der ethnischen Originalitäten, ehe sie in Literatur und Museen für das Studium gesichert sind –, solcher Verlust bedroht unsere künftigen Induktionsrechnungen mit allerlei Fälschungen und könnte die Möglichkeit selbst einer Menschenwissenschaft in Frage stellen.«[35]

Andere Menschen waren nur im Hinblick auf die Interessen der eigenen Gruppe von Bedeutung und wurden über diese definiert, bewertet und für »primitiv« befunden.

Es wurden Begriffsbezeichnungen geprägt, die andere Völker und Kulturen beschreiben sollten, während sie gleichzeitig in der eigenen Gruppe zum Schimpf- und Schmähvokabular gehörten oder dazu missrieten: Barbarisch, primitiv, nicht- oder unzivilisiert, drücken den ethnozentrisch konstruierten Gegensatz zu einer Welt aus, die sich allenfalls mit zurückliegenden und überwundenen Zeiträumen und Lebensumständen (so z.B. des »finstersten Mittelalters«) in Bezug setzen ließ. Auch die gebräuchliche Unterscheidung in »Natur-« und »Kulturvölker« diffamiert Ausdrucksformen anderer Menschen zu eher naturhaft Gegebenem, im Gegensatz zu selbständig erbrachter Leistung. Hinter dieser Trennung verbirgt sich eine Auffassung, wie sie von Hegel im 19. Jahrhundert deutlich formuliert wurde:

> »Sowie der Mensch auftritt, steht er im Gegensatz zur Natur; dadurch wird er erst Mensch. Sofern er sich aber bloß von der Natur unterscheidet, ist er auf der ersten Stufe, ist er beherrscht von Leidenschaft, ist er ein roher Mensch. In der Roheit und Wildheit sehen wir den afrikanischen Menschen, solange wir ihn beobachten können; er ist noch jetzt so geblieben.«[36]

Rasse« – Die Konstruktion eines Begriffs

Der Begriff Rasse lässt sich im romanischen Sprachraum bis in das 13. Jahrhundert zurückverfolgen. Erst im 16. Jahrhundert wurde er jedoch zu einer gebräuchlichen Bezeichnung, um Zugehörigkeit und Abstammung zu beschreiben.

> »Besonders zwei historische Vorgänge haben den frühen Rassebegriff entscheidend beeinflusst: Die spanische Reconquista und die Adelsdiskussion in Frankreich. Mit dem spanischen Zwangsbekehrungsedikt von 1492 traten die Juden

> als ›race‹ ins europäische Bewusstsein, und ihre Sonderstellung wurde zusätzlich noch durch die Forderung nach »Reinheit des Blutes«, *limieza de sangre,* besiegelt, die sie über die Konversion hinaus als mächtige Gruppe aus der spanischen Gesellschaft ausschließen sollte.«[37]

In Frankreich versuchte der Adel mit dem Rassebegriff seine Privilegien als durch Abstammung rechtmäßig abzuleiten und damit gegen den aufsteigenden Amtsadel zu sichern.

Arthur Graf de Gobineau (1816-1882) war einer der führenden Rassentheoretiker, der erstmals *jede* Ungleichheit im kulturellen, sozialen und politischen Bereich biologisierte. Für ihn mussten die Egalitätsbestrebungen der Aufklärer zwangsläufig unannehmbar sein, da er als Adliger zu denen gehörte, die von den statischen Verhältnissen der feudalen Ordnung profitierten. Seine Rassentheorien waren dementsprechend ein spiegelbildlicher Gegenentwurf, in dem jeder gesellschaftliche Wandel als Zerfallserscheinung gedeutet wurde. Ausgehend von der von vornherein angenommenen Ungleichheit der Menschenrassen, führte er fast jede soziale Schichtenbildung auf Rassenunterschiede zurück.[38]

> »Von nun an ging die Einteilung der Menschheit in ›Rassen‹ weit über den Rahmen der im 17. und 18. Jahrhundert vorgeschlagenen Klassifikationen hinaus. Man stellte nicht allein Weiße, Schwarze, Indianer und Gelbe einander gegenüber. Innerhalb der europäischen Gruppe gab es ›historische‹ Rassen, die so sehr voneinander verschieden waren, wie es die weiße und die schwarze Rasse nur sein konnten. Die weiße ›Rasse‹, bis dahin ein Beispiel monolithischer Vollkommenheit, ließ sich in ›Unterrassen‹ zerlegen.«[39]

»Rasse« wurde also im Laufe seiner Anwendungsgeschichte zu einem politischen Schlagwort, in dem sich sozialer Stand und Verwandtschaft

miteinander verband. Für Traber ist »Rasse« »Sichtvermerk einer vielschichtigen Polarisierung«:
1. der geistlichen Polarisation »Erwählte-Verworfene«,
2. der standesmäßigen Polarisation »Aristokraten-Gemeine«,
3. der klassenmäßigen Polarisation »Bourgeoisie-Proletariat« und
4. der politischen Polarisation »Herrscher-Untergebene«.«[40]

Dass Rassentheorien ausschließlich im kontinentalen Europa entwikkelt und verbreitet wurden, macht deutlich, dass »Rasse« ein sozialer Sichtvermerk ist, der wenig mit biologischer Andersartigkeit zu tun hat. Wo immer in der Folge von »Rassen« die Rede sein wird, ist »Rasse« als Beziehungsbegriff verstanden, der aus Abgrenzungen zwischen Eigengruppe (in-group) und Fremdgruppe (out-group) besteht, wobei die zugeschriebenen Merkmale wie Hautfarbe, Verhalten, Religion etc. als »Rassenmerkmale« interpretiert werden.

Sexismus und Rassismus

Ich habe darauf hingewiesen, dass zur Klassifizierung anderer Völker die Qualitäten zum Maßstab genommen wurden, die idealtypisch den modernen Europäer charakterisieren sollten. Bei näherer Betrachtung muss eine Einschränkung gemacht werden. »Die Juden, aber auch die Italiener, Franzosen und Slawen galten den Deutschen als weiblich.«[41] Gustav Klemm (1802-67) trifft in seiner zehnbändigen Veröffentlichung zur »Allgemeinen Kulturgeschichte« die Unterscheidung in »aktive männliche« und »passive weibliche« Völker. Die ersteren seien die Völker der Entdeckungen, Erfindungen und Rechtssysteme, die letzteren diejenigen, »die seit jeher selbstgenügsam und zufrieden mit ihrem Lebensunterhalt und ohne politische Ansprüche hingelebt hätten.«[42]

Die rassistische und sexistische Unterdrückung und Herabwürdigung anderer Völker und Kulturen steht im Zusammenhang mit den Ereignissen in Mitteleuropa seit dem 15. Jahrhundert: Der Beginn der Neuzeit – also nicht das »finstere« Mittelalter – stand unter dem Zeichen von Glaubenskriegen und brennenden Scheiterhaufen. Mindestens 9 Millionen Frauen – manche Quellen nennen bis zu 32 Millionen – wurden für die neue, aufgeklärte, von düsteren Ahnungen und fremden Mächten bereinigte Zeit als »Hexen« verbrannt. Der Siegeszug der Wissenschaft, der entfremdeten Industriearbeit und des neuen Weltbildes war offenbar in der erstrebten Form nur durch die Vernichtung alles Eigentümlichen, Widerspenstigen, vor allem von Frauen möglich. Zu Beginn des 18. Jahrhunderts schließlich, nach 300 Jahren Verfolgung und Mord, setzte das aufstrebende Bürgertum ein neues Ideal der Frau durch, das mehr denn je durch Passivität bestimmt war.

> »Er (der Mann) ist ihr natürlicher Repräsentant im Staate und in der ganzen Gesellschaft. Dies ist ihr Verhältnis zur Gesellschaft, ihr öffentliches Verhältnis.«[43]
> »Nur auf den Mann und auf ihre Kinder kann eine vernünftige und tugendhafte Frau stolz seyn; nicht auf sich selbst, denn sie vergisst sich in jenen«.[43]

Erst im 18. Jahrhundert wurde »Familie« zum Binnenraum außerhalb der bezahlten, öffentlichen Produktionssphäre, die im wesentlichen auf den Kreis der engsten Verwandten (Eltern und Kinder) beschränkt blieb. Sie entwickelte sich mit Aufkommen der Lohnarbeit und den Mobilitätsanforderungen der kapitalistischen Wirtschaft in bezug auf Arbeitsplatz und Wohnort. In den Jahrhunderten zuvor war »Familie« Produktions- und Wirtschaftseinheit gewesen, die außer Eltern und Kindern auch Verwandtschaft und Dienstvolk umfasste und weitgehend marktunabhängig lebte.[44] Auch wenn die Familie bereits im Mittelalter patriarchalisch gegliedert war und dem Mann als Hausvorstand rechtliche und soziale Privilegien einräumte, bildeten sich erst mit den veränderten Produktionsbedingungen wirtschaftliche und ideologische Strukturen, die nichterwerbstätige Frauen in die ökonomische und emotionale Abhängigkeit von Männern drängten. Mit der Trennung in Privatsphäre und außerhäusliche Produktion kam der – von der beruflichen und politischen Lebenswelt ausgeschlossenen – Bürgersfrau die Rolle der treusorgenden Gattin, Hausfrau und Mutter zu.[45] Diese Entmachtung wurde verklärt und idealisiert, wobei im 18. Jahrhundert die Mehrzahl der deutschen Frauen dem neuen Frauenideal nicht entsprechen konnte, weil sie in Manufakturen und Fabriken Schwerstarbeit leistete.

> »Die Gedanken der Ehe als einer geistigen und gefühlsmäßigen Gemeinschaft, der Familie als Ort für die Erziehung des Menschen zu einem sozialkulturellen Wesen waren Produkte jener Epoche. Auf ihrem Grunde wuchs das 19. Jahrhundert-Leitbild der Bürgerfamilie als gutsituierte Kleinfamilie, in welcher der Vater die gesellschaftliche Stellung bestimmte, die Mutter die Häuslichkeit gestaltete, beide verbunden in ehelicher Liebe (was immer das auch sein mochte), verbunden im Interesse an der Aufzucht wohlgeratener und wohlerzogener Kinder, die sich bei Berufs- und Gattenwahl nach den Wünschen der Eltern zu richten hatten.«[46]

Die bürgerliche Frau wurde so Schritt für Schritt als »Nicht-Arbeitende« auf den Bereich der fürsorgerischen Reproduktions*arbeit* verwiesen (Gebären, Erziehen, Schaffen einer häuslichen Atmosphäre), der Mann hingegen verkörperte immer mehr die Rolle des autonom Handelnden, der im öffentlichen Bereich wirkte und als Geldverdiener die Besitz- und Abhängigkeitsverhältnisse kontrollierte.

Die bürgerlichen Theoretiker der Aufklärung forderten zwar, dass nicht mehr Tradition und Brauchtum menschliches Handeln bestimmen sollten, sondern Verträge, die aus freiem Willen gleichberechtigter Partner geschlossen werden; in Wahrheit vertraten sie jedoch vornehmlich männliche Interessen. Frauen und Kinder wurden in der Regel unter den »Schutz« des Mannes gestellt und somit entmündigt. Der englische Philosoph John Locke (1632-1704) ist dafür ein Beispiel.

> »Rechte von Frauen und Kindern am Familienbesitz tauchen bei Locke nur dann auf, wenn es darum geht, die Rechte Dritter, insbesondere des Staates oder anderer politischer Mächte, abzuwehren. Im Innenverhältnis der Familie, dem Ehemann und Vater gegenüber, haben Kinder und Frau keinerlei Ansprüche.«[47]

Der untergeordnete Status der Frauen wurde nicht mehr als gottgewollt und durch Erbsünde besiegelt gerechtfertigt, sondern aus der »natürlichen Wesensbestimmung« als Gattin und Mutter abgeleitet. Auf diese Weise wurde gesellschaftliche Ungleichheit aus der Biologie der Menschen abgeleitet und erschien aufs Neue unabänderlich: Frauen waren »von Natur aus« passiv und emotional, so dass man ihnen mit Selbstverständlichkeit repetitive Tätigkeiten und ein Hausfrauendasein zumuten konnte, das als »natürliche Pflicht« nicht einmal einer Bezahlung bedurfte.

Für Fichte konnte eine Frau nur neben der Vernunft des Mannes bestehen, wenn sie imstande war, ihre sexuellen Triebe zu vergeistigen und auf die Bedürfnisse des Mannes auszurichten:

> »Im unverdorbenen Weibe äußert sich kein Geschlechtstrieb, sondern nur Liebe; und diese Liebe ist der Naturtrieb des Weibes, einen Mann zu befriedigen …
> So nur erhält der Trieb, sich hinzugeben, den Charakter der Freiheit und Tätigkeit, den er haben muss, um neben der Vernunft bestehen zu können. Es ist wohl kein Mann, der nicht die Absurdität fühle, es umzukehren, und dem Manne einen ähnlichen Trieb zuzuschreiben, ein Bedürfnis des Weibes zu befriedigen, welches er weder bei ihr voraussetzen, noch sich als Werkzeug desselben denken kann, ohne bis in das Innerste seiner Seele sich zu schämen.«[48]

Von der idealen Frau wurde zutiefst widersprüchliches Verhalten verlangt. Sie sollte sich begehrenswert machen, aber nicht verführen, sollte gebildet sein, aber nicht selbst bestimmen. Zwar wurden auch dem Mann durch den konstruierten Widerspruch von Vernunft und Sinnlichkeit Triebunterdrückungen abverlangt, seine Sozialisation mündete jedoch viel eher in einem selbstbewussten, selbstverantwortlichen und eigenständigen Leben. So forderte der Philosoph J.J. Rousseau zwar für seinen männlichen Zögling Emile eine Erziehung, die ihn unabhängig von der Meinung anderer machte, in bezug auf Sophie hatte er jedoch gänzlich andere Vorstellungen:

> »Von Natur aus hängen sie und ihre Kinder vom Urteil der Männer ab: Es genügt nicht, schön zu sein, sie müssen auch gefallen; es genügt nicht, sittsam zu sein, sie müssen auch dafür gehalten werden. Ihre Ehre liegt nicht nur in ihrem Betragen, sondern auch in ihrem Ruf, und es ist unmöglich, dass eine Frau, die den Ruf der Ehrlosigkeit hinnimmt, jemals ehrbar sein kann. Ein rechtschaffener Mann hängt nur von sich selbst ab und kann der öffentlichen Meinung trotzen. Eine rechtschaffene Frau hat damit nur die Hälfte ihrer Aufgaben gelöst: Das, was man über sie denkt, ist nicht weniger wichtig als das, was sie wirklich ist. Daraus folgt, dass ihre Erziehung in dieser Hinsicht das Gegenteil von unserer sein muss. Die öffentliche Meinung ist für die Männer das Grab ihrer Tugend, für Frauen aber deren Thron.«[49]

In diesem Sinne wurden Frauen in eine geschlechtsspezifische Rolle hineinsozialisiert, und das »Produkt« dieser Erziehung wurde als das wahre Wesen der Frau erklärt.

So behauptet Scheler, dass

> »die Frau das erdenmäßigere, pflanzlichere, in allem Erleben einheitlichere und durch Instinkte, Gefühl und Liebe weit stärker als der Mann geleitete Wesen ist – Hüterin der Tradition, der Sitte, aller älteren Denk- und Willensformen, und die ewige Bremskraft eines nach den Zielen bloßer

Rationalität und bloßen ›Fortschritts‹ dahinstürzenden Zivilisations- und Kulturwagens«.[50]

Die Projektionen, die das Herrschaftsverhältnis von Männern gegenüber Frauen als verfügbare Natur rechtfertigen, entsprechen dem stereotypen Bild der Zuschreibungen, das auf die für primitiv befundenen »Naturvölker« projiziert wird. So etwa das angebliche Überwiegen der »Affektivität über die Ratio, der Instinkte über den Intellekt, der unmittelbaren Empfindung über die Abstraktion; eines geistigen und kulturellen Immobilismus über die Dynamik der Geschichte«.[51]

VI. Jahrg. — Nr. 38. Ausgabe A — Preis 10 Pf

Kolonie und Heimat

Unabhängige koloniale Wochenschrift

Organ des Frauenbundes der Deutschen Kolonialgesellschaft

Nachdruck des Inhalts nur nach besonderer Vereinbarung gestattet.

Dem Kaiser!

Dein Tag wird nicht nur in Berlin
Und nur im Reich begangen!
Wo immer Deine Schiffe zieh'n,
Soll heut Dein Name prangen!

Der soll heut stolz und überall
Klingen vor allen Nationen!
Dein Name ist wie ein fester Wall;
Darunter läßt's gut sich wohnen!

Von vielen Stämmen in mancherlei Tracht,
In vielen Farben und Zungen
Wird heute Dir ein Hoch gebracht
Und Dein Kaiserlied gesungen!

M. M.

Die Deutschen in den Kolonien

Die Geschichte und gegenwärtige Situation von Afro-Deutschen ist mit der Kolonialgeschichte Deutschlands eng verknüpft: Die ersten Afrikaner/innen in Deutschland kamen aus den Kolonien hierher – zu Menschen, die sich als Angehörige der weißen »Herrenrasse« verstanden.

Ebensowenig wie die imperialistische Vergangenheit in den Köpfen der Menschen bewältigt ist – denn sie endete nicht durch Einsicht, sondern militärische Niederlagen – sind die damit verbundenen Ideologien über »Schwarz« und »Weiß« überwunden. Zum Verständnis heutiger Ausdrucksformen von Rassismus ist es daher unerlässlich, die vielfach verdrängte Kolonialgeschichte und das deutsche Kolonialbewusstsein in Erinnerung zu rufen.

Seit den sogenannten »Entdeckungsreisen« im 15. Jahrhundert kolonisierten europäische Großmächte Länder Afrikas. In den 30 Jahren vor dem Ersten Weltkrieg, als mehr Länder einverleibt wurden als in den Jahrhunderten zuvor, war auch Deutschland direkt beteiligt. Reichskanzler von Bismarck war zunächst Kolonialbestrebungen gegenüber zurückhaltend geblieben, weil er sich davon keinen nennenswerten wirtschaftlichen Nutzen versprochen hatte. Seine Einstellung änderte sich, als er einsah, dass Kolonialbesitz sich als wirtschaftspolitisches Instrument einsetzen ließ, um von den sozialen, politischen und ökonomischen Problemen innerhalb Deutschlands abzulenken.

> »Der Mittelstand sollte im Imperialismus eine Zielsetzung finden, durch die die vorhandene wirtschaftliche Existenzgefährdung überwunden werden könnte. Die Arbeiterschaft sollte im Erwerb von Kolonien ein für die gesamte Nation anzustrebendes, für alle Schichten des Volkes gleichermaßen nützliches Ziel sehen und durch die Ausrichtung auf dieses Ziel von der Durchsetzung der berechtigten Interessen im Lande selbst abgelenkt werden. Die ›staatstragenden‹ Parteiungen, die sich durch

> ihre landwirtschaftliche oder industrielle Interessenlage hätten spalten können, was zu einer Infragestellung der überkommenen, vorindustriell geprägten Staats- und Gesellschaftsordnung geführt hätte, wurden durch das innen- wie außenpolitisch verlockende Ziel des Imperialismus zusammengekittet.«[1]

Schon früh waren in konservativen Kreisen Stimmen laut geworden, die für die Abschiebung politisch links engagierter Arbeiter und Gewerkschaftler die Einrichtung von Kolonien forderten. In diesem Sinne äußerte sich neben Friedrich Fabri, dem Inspektor der Barmer Missionsgesellschaft, u.a. der Kolonialpropagandist v. Weber. 1897 schrieb er in einem Brief an den Fürsten Hohenlohe-Langenburg:

> »Die sozialistische Gährung in den Köpfen unserer im Denken ungeübten, vermögenslosen Massen wird umso gefährlicher, je mehr sie fortdauernd Zuwachs von intelligenten Elementen aus den gebildeten Ständen erhält, die in Folge der allgemeinen, schlechten wirtschaftlichen Lage immer zahlreicher ihre Reihen verstärken werden. Um den deutschen Staatsorganismus in eine gesunde Blutzirkulation zurückzuführen und die Auswanderung als Sicherheitsventil für all die bösen Gase und Dämpfe wirken zu lassen, die den Mechanismus unseres Staates mit Zersprengen bedrohen, müssten eigentlich jährlich wenigstens 200.000, besser 300.000 Menschen auswandern.«[2]

Koloniale Machtergreifung lenkte von notwendigen innenpolitischen Veränderungen und wirtschaftlichen Umstrukturierungen ab. Ähnliche Funktion übernahmen die Auswanderungen nach Amerika und Australien, die Deutschlands Wirtschaft ab Mitte des 18. Jahrhunderts – als zunehmende Liberalisierung der Ausreisebeschränkungen und verkehrstechnische Entwicklungen die Reisekosten senkten – von dem Teil der Bevölkerung entlastete, dem sie keine Beschäftigung bieten konnte.[3] Zur gleichen Zeit kam der Sklavenhandel zur Hochblüte, denn reiche Europäer in der Neuen Welt suchten für Plantagen und Industrie billigste Arbeitskräfte. Aufschwung und Bereicherung der einen Hälfte der Welt basierte so zu einem großen Teil auf der Behinderung und Versklavung der anderen Hälfte. »Man darf annehmen, dass Afrika seit dem 15. Jahrhundert mindestens 50, wahrscheinlich aber um 100 Millionen Menschen verloren hat.«[4] Dem Geschichtsprofessor Heinrich Loth zufolge förderten direkt oder begünstigten indirekt auch deutsche Behörden Sklavenhandel und Sklaverei. »In Togo und Kamerun wurde die Sklaverei sanktioniert, ... durch das Kolonialsystem noch stabilisiert und die Ausnutzung der Institution der Sklaverei hatte auch die Förderung des Sklavenhandels zu Folge«.[5] Togo, Kamerun, Deutsch-Ostafrika (heute Tanzania) und Deutsch-Südwest- afrika (heute Namibia) waren der Kolonialbesitz, auf den das deutsche Kaiserreich seit der von Bismarck einberufenen Kongo-Konferenz international (europäisch) anerkannten Anspruch erhob. Die damaligen Grenzziehungen während der vom 15. 11. 1884 - 26. 2. 1885 tagenden Konferenz, die durch die wirtschaftlichen und militärischen Interessen der europäischen Staatsmänner bestimmt wurden, behielten bis heute ihre Gültigkeit.

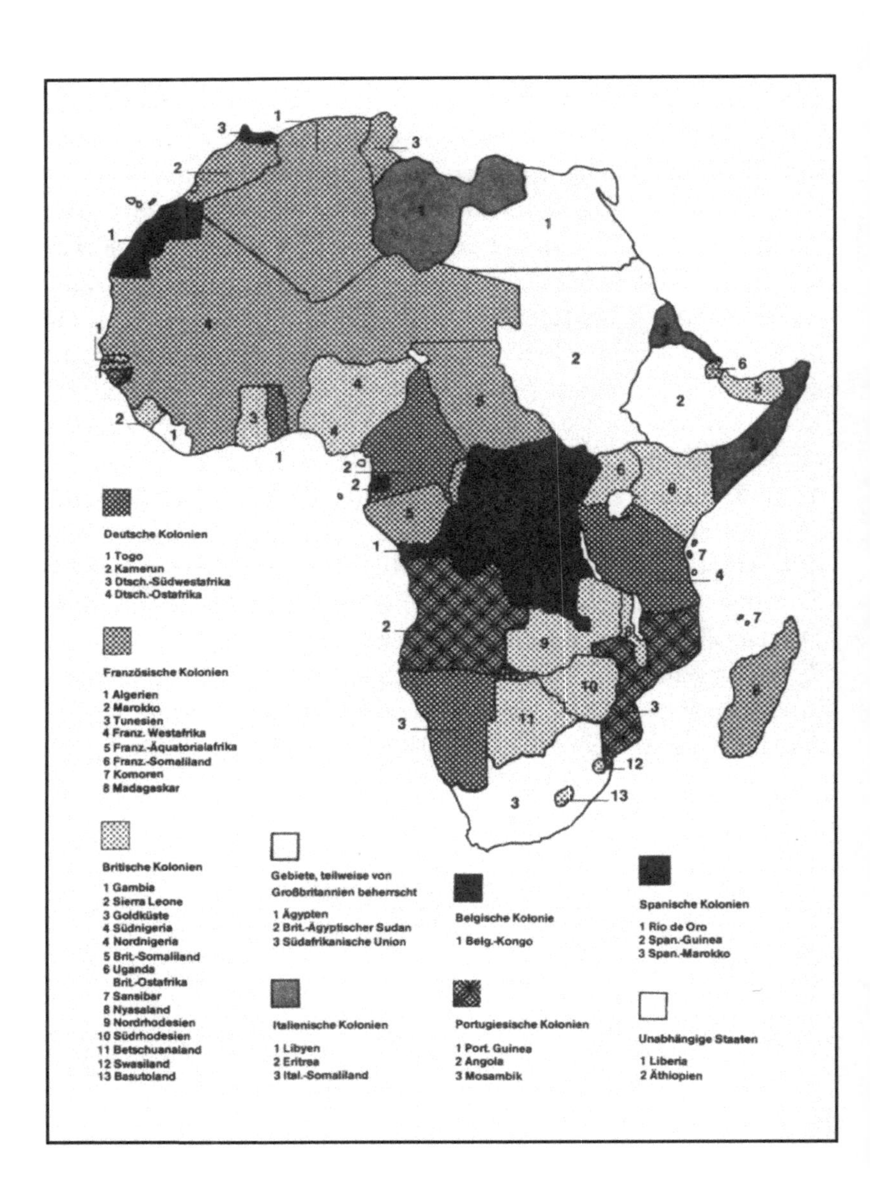

Afrika Kolonien 1914

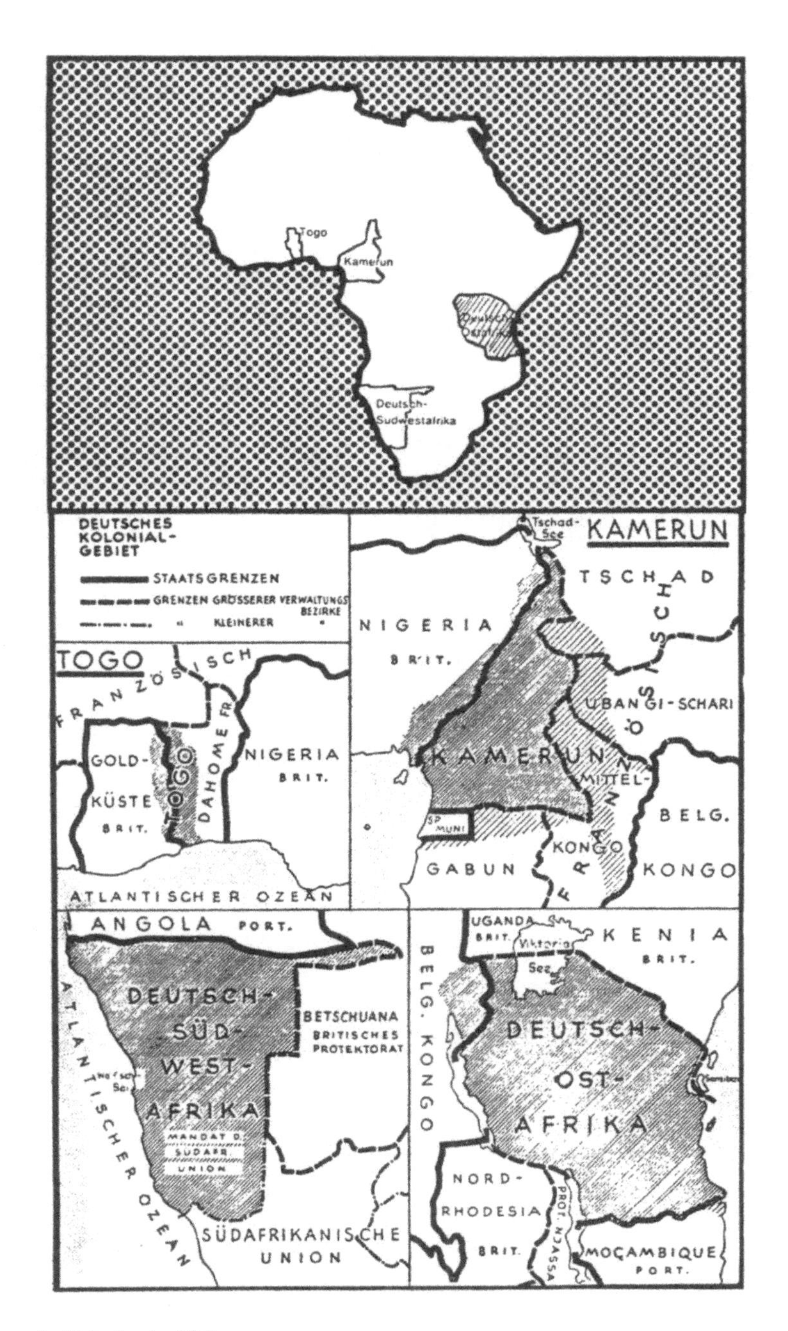

Deutsche Kolonien in Afrika

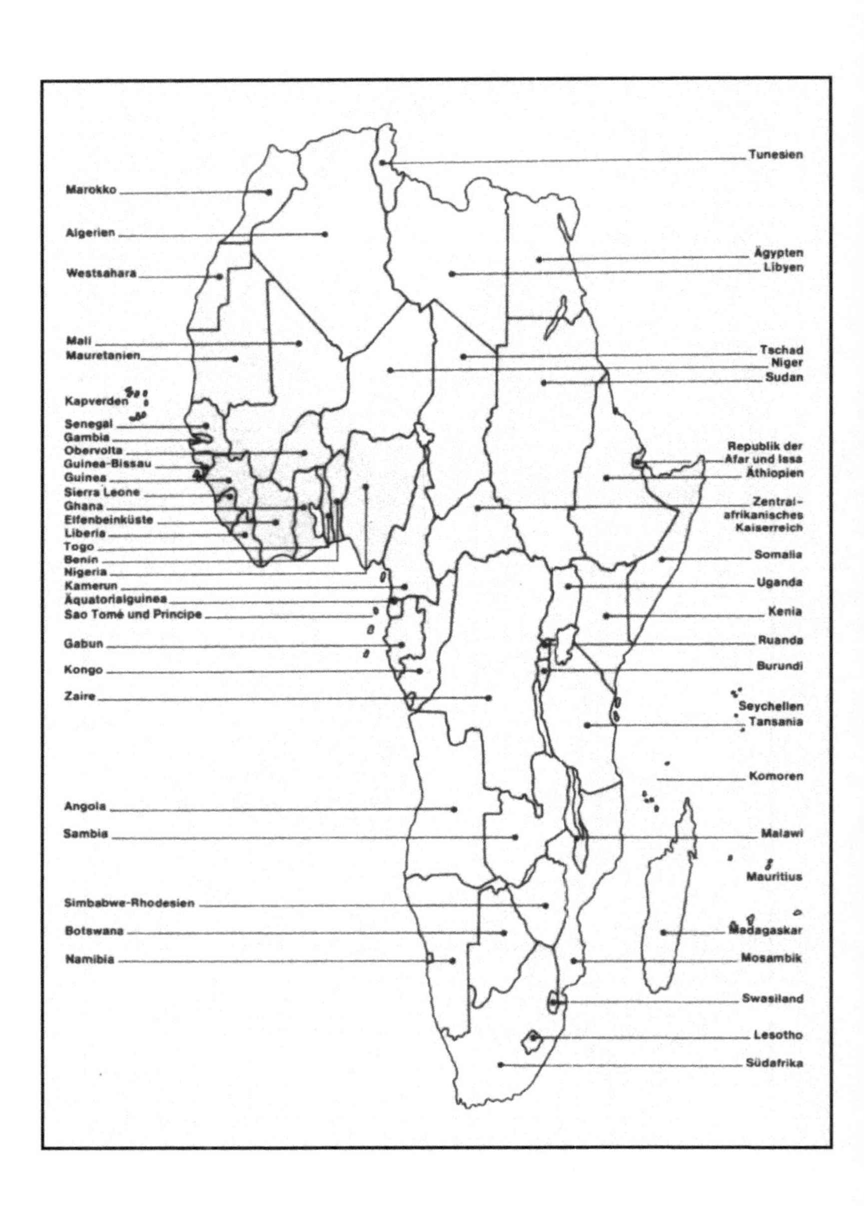

Nationalstaaten Afrikas

»Kulturauftrag« und »Heidenmission« – Das Sendungsbewusstsein der Auswanderer

Die sozialdarwinistische Herrschaftsideoiogie vom »Recht des Stärkeren« zur Machtdurchsetzung in Natur und Gesellschaft bildete die Legitimationsgrundlage, afrikanische Völker und Länder durch diplomatisches Geschick und militärisch erzwungene Vertragsabkommen unter den »Schutz des Mutterlandes« zu stellen.

Der Eroberungseifer der Auswanderer äußerte sich in einem entsprechend deutsch-nationalen Sendungsbewusstsein, das sich die Erziehung der »Eingeborenen« zu deutschen Untertanen zur Pflicht setzte. Der Erziehungsauftrag hieß: die »niedere Rasse« auf eine »höhere Kulturstufe« emporzuheben. Dies, obwohl Vasco da Gama und seine Leute bereits 1497 feststellten, dass die Bewohner/innen im Gebiet des heutigen Tanzania »die östlichen Meere befuhren und bessere navigatorische Kenntnisse hatten als sie selbst, und sie fanden dort Stadtstaaten und Regierungen vor, die ebenso wohlhabend und differenziert waren wie alles, was ihnen auf diesem Gebiet von Europa her bekannt war.«[6]

Die waffentechnische Überlegenheit der Eroberer bedeutete für die Unterlegenen Zwangsarbeit, Enteignung, Zerstörung gesellschaftlich gewachsener Strukturen und Aufpfropfung fremder Bewusstseinsstrukturen und Bildungsinhalte.

Walter Rodney schreibt, dass die Kolonialverwaltungen auf Land, Vieh und Menschen Kopfsteuern erhoben. Diese konnten nur in der Währung der Kolonialherren (in deutschen Kolonien in Reichsmark) bezahlt werden, so dass die Einwohner gezwungen waren, Exportprodukte anzubauen oder auf den Plantagen und in den Minen der Weißen zu arbeiten.[7]

Rassentrennung war in allen deutschen Kolonien üblich.

> »Die ›Eingeborenenverordnungen‹ für Südwestafrika aus dem Jahre 1907 waren die Keimzelle der bis heute in Namibia gültigen Apartheid-Gesetzgebung. Die Afrikaner wurden in Ghettos in der Nähe der Wohn- und Arbeitsstätten der Weißen

angesiedelt, Pass- und Meldepflicht hoben ihre Freizügigkeit auf. Das Verbot von Landerwerb und Viehhaltung beraubte sie ihrer eigenständigen traditionellen Existenzgrundlage. Sie mussten so zu Lohnsklaven für die Weißen werden.«[8]

Eine Fülle pseudowissenschaftlicher Literatur und Mythen trug dazu bei, die Distanz zu den Menschen der schwarzen »Rasse« künstlich zu vergrößern. Das Gerücht vom wilden »Barbaren« und menschenfressenden Kannibalen war einer der Wandermythen, die in allen Kolonien Verbreitung fanden und sich nachweislich in keinem Fall auf Beobachtungen aus erster Hand stützten.[9] Je wilder die Mythen um die Grausamkeit der Schwarzen waren, umso leichter ließen sich an ihnen verübte Verbrechen als Erziehungsmaßnahmen rechtfertigen. Der deutsche Philosoph Hegel stützte sich in seinen Abhandlungen über das Wesen der Afrikaner auf Kolonialliteratur solcher Art und verbreitete rassistische Ansichten:

> »Der menschliche Körper ist animalisch, aber wesentlich Körper für ein Vorstellendes; er hat psychologischen Zusammenhang. Aber bei dem Neger ist dies nicht der Fall, und den Menschen zu verzehren hängt mit dem afrikanischen Prinzip überhaupt zusammen; für den sinnlichen Neger ist Menschenfleisch nur Sinnliches, Fleisch überhaupt. Es wird nicht so sehr als Nahrung gebraucht; aber bei Festen werden viele hundert Gefangene z.B. gemartert, enthauptet, und der Körper wird dem zurückgegeben, der ihn zum Gefangenen gemacht hat und der ihn dann verteilt. An einzelnen Orten hat man freilich sogar auf den Märkten Menschenfleisch ausliegen gefunden. Bei dem Tode eines Reichen werden wohl Hunderte geschlachtet und verzehrt. Gefangene werden gemordet, geschlachtet, und der Sieger frisst in der Regel das Herz des getöteten Feindes. Bei den Zaubereien geschieht es gar häufig, dass der Zauberer den ersten besten ermordet und ihn zum Fräße an die Menge verteilt.«[10]

Für Hegel war Afrika »das Kinderland, das jenseits des Tages der selbstbewussten Geschichte in die schwarze Farbe der Nacht gehüllt ist«.[11] Seine Bewohner und Bewohnerinnen hielt er für unreif für die Freiheit. Sie bedürften der Erweckung und Erziehung durch die Europäer. Hegel stand mit seinem Rassismus in deutlichem Gegensatz zu der humanistischen Ideologie, die er zu vertreten glaubte. Treffend schreibt Fanon:

> »Der bürgerlichen Ideologie, die die Wesensgleichheit der Menschen proklamiert, gelingt es, die ihr eigene Logik zu bewahren, indem sie die Untermenschen auffordert, sich durch die westliche Humanität, die sie verkörpert, zu vermenschlichen.«[12]

Rassismus geht m.E. über Diskriminierung hinaus: Er ist die Macht, wirtschaftlich, kulturell, politisch und sozial die eigenen Interessen und Interpretationen durchzusetzen.

Die Kolonialisierenden verurteilten die Kolonialisierten zu dem, was sie wurden und für das, wie sie wurden: auf unmenschliche Behandlung kann die Reaktion nur Verweigerung, Abwehr und Verkümmerung sein. Die Kolonialisten interpretierten diese Formen des Widerstandes als Faulheit, Verschlagenheit und Hässlichkeit; und je fauler, verschlagener und hässlicher sie ihre Gegenüber bezeichneten, desto selbstverständlicher wurde es für sie, mit Drill, Peitsche und Mord zu operieren.[13]

> »Der Neger ist der geborene Sklave, dem sein Despot nötig ist wie dem Opiumraucher seine Pfeife, und es fehlt ihm auch jeder vornehme Zug. Er ist verlogen, diebisch, falsch und hinterlistig, und wenn oberflächliche Beobachter an ihm eine gewisse Bonhomie wahrzunehmen glauben, so liegt dies ausschließlich an der geringen Irritabilität seines Nervensystems und der daraus folgenden stumpfen Reaktionsfähigkeit seines Willens.«[14]

> »Ich habe versucht, den Massai durch Waldbrände, durch Leuchtraketen, ja durch eine zufällig am 23. 12. eintretende Sonnenfinsternis zu imponieren, aber ich habe gefunden, dass diesen wilden Söhnen der Steppe schließlich doch nur die Kugeln der Repetiergewehre und der Doppelbüchsen, und zwar in nachdrücklicher Anwendung gegen ihren eigenen Körper, imponiert haben.«[15]

So äußerte sich Dr. Carl Peters, Gründungsmitglied der »Gesellschaft für deutsche Kolonisation« (1884) und der »Deutsch-Ostafrikanischen Gesellschaft« (1885), der vornehmlich in Ostafrika Gebiete eroberte.

Deutsche Frauen in den Kolonien

Politische Diplomatie, militärische Inbesitznahme und Verteidigung durch die Schutztruppen wurden ausschließlich von Männern erledigt. Deutsche Frauen wanderten jedoch ebenfalls in großer Zahl in die Kolonien aus und standen ihren Männern zur Seite. Marta Mamozai gibt den Anteil der Frauen bei den Auswanderern mit $^{2}/_{5}$ an.[16] Die meisten von ihnen waren Krankenschwestern, Arbeiterinnen und Lehrerinnen. Viele reisten in die Kolonien, um in den dortigen Missionsschulen und -stationen zu arbeiten, in bereits bestehenden Haushalten Anstellung zu finden oder sich dort zu verheiraten. Der 1907 gegründete »Frauenbund der deutschen Kolonialgesellschaft«, eine Organisation von Frauen für Frauen, vermittelte und unterstützte die Ausreise von ledigen Frauen in die Kolonien.

> »An Fertigkeiten mussten sie »kochen, waschen, plätten und einen einfachen Rock und Bluse selbst herstellen können«. Am geeignetsten waren »Mädchen vom Lande«, die bereits mit Hühnerzucht, Milchwirtschaft und Gartenarbeit vertraut waren.«[17]

Die Leiterin der Kolonialfrauenschule in Witzenhausen, Gräfin Zech, formulierte den Sendungsauftrag der deutschen Frauen wie folgt:

> »Nicht in freiem, burschikosem Wesen soll ihre Tatkraft sich äußern, sondern in echter Weiblichkeit soll sie dem neuen Deutschland über dem Meer den Stempel ihrer Wesensart aufdrücken, nicht bloß streben und arbeiten soll sie draußen, sondern sie soll sein beseelt vom Geist echten Christentums, die Hohepriesterin deutscher Zucht und Sitte, die Trägerin deutscher Kultur, ein Segen dem fernen Lande: Deutsche Frauen, deutsche Ehre, deutsche Treue über'm Meere!«[18]

Von wichtigen kolonialpolitischen Entscheidungen blieben Frauen ausgeschlossen. Auch wenn sie unter dem Chauvinismus ihrer Männer zu leiden hatten, hatten sie ihn vielfach in einer Weise verinnerlicht, die sie für die eigene Unterdrückung blind machte. Sie beteiligten sich an der Unterdrückung der Afrikaner/innen, und wo deutsche Frauen berichteten, wichen sie kaum von den üblichen Beschreibungen männlicher Kolonialisten ab. »Unsauberkeit«, »glückliche Bedürfnislosigkeit«, »angeborene Trägheit«, sind einige der immer wiederkehrenden Stereotype, mit denen Afrikanerinnen belegt wurden, um die Notwendigkeit einer »starken erzieherischen Hand« zu rechtfertigen.

Simone de Beauvoir schreibt über die Verquickung von Rassismus, Sexismus und Klassenfrage:

> »Als Frauen des Bürgertums sind sie solidarisch mit männlichen Bourgeois und nicht mit den Frauen des Proletariats, als Weiße mit den weißen Männern und nicht mit den schwarzen Frauen.«[19]

Wo deutsche Frauen ihre Lage nicht kritisch überdachten, und dies war überwiegend der Fall, konnten sie vorhandene kulturelle Unterschiede nicht positiv deuten und für sich nutzen. Die männlichen Projektionen verinnerlicht habend, suchten sie in der ihnen zugewiesenen

Rolle der fleißigen, enthaltsamen, häuslichen Ehefrau, Mutter und Erzieherin Erfüllung und erhielten im Gegenzug das Privileg, als »Hüterin der Tradition« geehrt zu werden. Der »Vorposten« für Heimat und Vaterland erhob sie über jede schwarze Frau und jeden schwarzen Mann, und dieser Vorzug schien sie mit der untergeordneten Stellung gegenüber ihren Männern zufriedenzustellen.[20]

Während sie einerseits schwarze Frauen als »Huren« denunzierten[21] und damit deren Vergewaltigung durch weiße Männer rechtfertigten, widersetzten sie sich selbst weitaus weniger der Reduzierung auf Sexualität und Fortpflanzung. Schwarze Frauen widersetzten sich in Gebärstreiks der Verfügung über ihren Körper, was auch das Aussetzen von Gebärprämien kaum verhindern konnte;[22] bei weißen Frauen hingegen war es keine Seltenheit, dass sie sieben und mehr Kinder zur Welt brachten. »Mir ist«, so schreibt Clara Brockmann 1910 in Südwest, »kein Fall auch nur durch Hörensagen bekannt geworden, in welchem eine Kanakenfrau annähernd so zahlreiche Nachkommenschaft gehabt hätte.«[23]

Als bis dato unersetzbar für die Vermehrung der »Herrenrasse«, hing das Ansehen der deutschen Frauen in der weißen Männerwelt im besonderen Maße vom Nachwuchs ab. Jede Solidarität mit einer schwarzen Frau wäre in diesem Zusammenhang einem Prestige- und Machtverlust gleichgekommen.

In der Zuschreibung negativer Eigenschaften waren weiße Frauen schwarzen Frauen gegenüber deutlich rücksichtsloser und verblendeter als gegenüber schwarzen Männern, was vielleicht auf Rivalitätsängsten und Selbsthass beruhte. Männer wurden weitaus seltener als hässlich beschrieben und erfuhren weniger Geringschätzung. M. Mamozai stellt für die Beschreibungen von schwarzen Frauen fest: »Sind die farbigen Völker alle dumm, so sind deren Frauen auf jeden Fall die dümmsten und faulsten.«[24]

Und wenn du gehst nimm deine Bilder mit *

Unsere weißen Schwestern
radikalen Freundinnen
lieben es Bilder von uns zu besitzen
auf denen wir an Fabrikmaschinen sitzen
eine Machete schwingen
mit unseren großen bunten Kopftüchern
braune gelbe schwarze rote Kinder auf dem Arm
Bücher der Alphabetisierungskampagne lesen
Maschinengewehre Bajonette Bomben Messer halten
Unsere weißen Schwestern
radikalen Freundinnen
sollten zweimal überlegen.

Unsere weißen Schwestern
radikalen Freundinnen
lieben es Bilder von uns zu besitzen
auf denen wir in der heißen Sonne auf die Felder gehen
mit Strohhüten auf dem Kopf die Braunen
Kopftücher die Schwarzen
in bunt bestickten Hemden
braune gelbe schwarze rote Kinder auf dem Arm
Bücher der Alphabetisierungskampagne lesen
lächelnd.

Unsere weißen Schwestern radikalen Freundinnen
sollten zweimal überlegen.
Keine lächelt
am Morgen eines Tages der damit verbracht wird
Andenken auszugraben Klumpen von Uranium

* Aus: Frauen widerstand im Hunsrück. Frauengeschichten 1983-1985. Frauenwiderstand Hrsg. 1985

oder den Dreck wegzuräumen
hinter unseren weißen Schwestern
radikalen Freundinnen.

Und wenn unsere weißen Schwestern
radikalen Freundinnen uns vor sich sehen
von Angesicht zu Angesicht
und nicht als das Bild das sie besitzen
sind sie nicht mehr so sicher
ob
sie uns genau so mögen.
Wir sind nicht so glücklich wie wir aussehen
an
ihrer
Wand.

Jo Carillo

Kolonialisierung des Bewusstseins durch Mission und »Bildung«

> »Drückt die Kulturmacht allein auf die zumeist noch kulturlosen Völker durch ihre Maßnahmen, z.B. Besteuerung und damit Zwang zur Arbeit, so werden sie entweder erdrückt oder sie suchen die auf sie einwirkende Macht abzuschütteln. Da muss ihnen die Mission durch Einpflanzung des Christentums die helfende und versöhnende Hand entgegenstrecken und neben der äußeren Umwandlung die innere bei ihnen bewirken.«[25] (Missionar Gröschel)

Der Staatspräsident von Tanzania, Julius Nyerere, stellt in bezug auf Funktion und Inhalte des kolonialen Erziehungswesens fest: Es »übermittelte nicht die Kenntnisse und Werte der Gesellschaft Tanzanias von einer Generation auf die andere, sondern war der bewusste Versuch, diese Werte zu ändern und das traditionelle Wissen durch das Wissen einer andersartigen Gesellschaft zu ersetzen.«[26] In allen Kolonien sollte die Vermittlung von Qualifikationen »die Werte der Kolonialgesellschaft einprägen und sie [die Afrikaner/innen] für den Dienst am Kolonialstaat ausbilden. In diesen Ländern beruhte das Staatsinteresse an der Erziehung auf dem Bedarf an örtlichen Bürokräften und unteren Beamten; darüber hinaus waren verschiedene religiöse Gruppen daran interessiert, der Bevölkerung Kenntnisse im Lesen und Schreiben und weitere Bildung als Teil ihrer Missionsarbeit zu vermitteln.«[27]

Die physische und ökonomische Ausbeutung hatte viele Gesichter: Zwangsarbeit, Rohstoffplünderung, etc.. Die psychische Versklavung und die geistige Ausrichtung auf die Bedürfnisse der Kolonialmacht übernahmen koloniale Einrichtungen und Missionsschulen. Oftmals protestierten Missionare gegen Zwangsarbeit, Enteignung und Misshandlung von Menschen. Besonders die Vernichtungskriege, wie beispielsweise gegen die Herero, deren Widerstandskampf mit ihrer nahezu völligen Ausrottung endete,[28] führten dazu, dass viele Missionare ihre »neutrale« Haltung aufgaben und für die Unterdrückten Partei ergriffen.[29] Meist standen jedoch Mission und Kolonialverwaltung in einem stillen Einverständnis und ergänzten sich gegenseitig. Der Inspektor der damals größten »Rheinischen Missionsgesellschaft«, F. Fabri, gehörte zu jenen, die die Zusammenarbeit von Kolonialverwaltung und Mission ausdrücklich forderten[30] und dessen Vorstellung von afrikanischen Menschen deutlich von den Rassenideologien seiner Zeit geprägt war:

> »Es fragt sich also, ob die offenbar auf einem göttlichen Rathschlusse beruhende Zurückstellung gewisser Rassen und Völker nicht auch eine verschiedene Stellung derselben zu der göttlichen Heils-Anstalt bedingt, und ob auch im Neuen Bunde trotz der Universalität der in Christo erschienenen Gnade in der gegenwärtigen Weltzeit eine Zahl von Völkern und Nationen bis zu einer neuen Periode im Reiche Gottes zurückgestellt ist und zurückgestellt sein soll.... Denn wenn es auch in Wahrheit eine Sünde an Gott und den Menschen ist, mit den Freunden der Sklaverei und den Boeren in Südafrika einen Wesensunterschied zwischen den verschiedenen Menschenrassen zu behaupten, so ist es weder der thatsächlichen Wirklichkeit noch dem Worte Gottes entsprechend, den effectiv bestehenden und tiefgreifenden Unterschied zwischen den verschiedenen Menschenrassen zu läugnen oder auch nur zu verkleinern. Wenn uns ein Neger gegenübersteht, schwarz wie Ebenholz, mit krausem, wolligem Haupthaar, mit gedrücktem Schädel und rückwärts gestreckter Stirn, das Hinterhaupt und die untern Gesichtstheile dagegen massiv entwickelt, die Lippen breit aufgeworfen, die Nase platt gedrückt, wenn ich ihn betrachte, jetzt belebt von der tiefsten sinnlichen Gluth, dann wieder in stumpfer, träger Gleichgültigkeit, nicht achtend der Ruthe des Peinigers – wenn man sich geistig versenkt in diesen Anblick – und Stämme, wie die afrikanischen Buschmänner und die australischen

Papuas bieten ein noch traurigeres und bewegenderes Bild – so bekommt man den unwiderstehlichen Eindruck: das sind nicht nur die Züge des durch Sünde überhaupt verunstalteten und materialistischen Urmenschen, hier liegt noch ein ganz besonderes, über alle Aufzeichnungen der Geschichte hinaufreichendes Geheimnis zu Grunde.«[31] (Friedrich Fabri 1859)

Auch da, wo nicht derartig extreme rassistische Auffassungen vertreten wurden, und die grundsätzliche Ebenbürtigkeit der Menschen nicht in Zweifel geriet, war man sich doch insofern einig, dass die »Heiden« umzuerziehen waren.

»Einig sind wir uns alle darüber, auch die Missionen, dass die Negerseele nicht so ist, wie wir sie haben wollen und brauchen können. Denn nur aus dieser Überzeugung leitet sich ja unsere Berechtigung her, die Negerseele zu beeinflussen und von ihrem bisherigen Entwicklungsgange abzudrängen.« (Regierungsarzt Dr. Külz 1910)[32]

Evangelische und katholische Missionsstationen etablierten sich bereits Anfang des 19. Jahrhunderts in Afrika. »Diese anfänglichen Missionsniederlassungen bildeten zugleich die Grundlage für den Aufbau des Schulwesens auf dem Kontinent.«[33] In ihren Bildungsinhalten trugen sie mittelbar und unmittelbar dazu bei, Kinder, aber auch Erwachsene zu »Tugenden« zu erziehen, wie sie für eine Arbeit in der Verwaltung, auf den Plantagen und in den Haushalten der Kolonialherren gefragt waren: Pünktlichkeit, Gehorsam, Arbeitseifer.

J. Emonts gibt in seinem Missionsbuch den Kindern und Jugendlichen in Deutschland eine Beschreibung:

»So wachsen die armen Heidenkinder beinahe heran wie die wilden Tiere des Feldes. Sie genießen keine, oder besser gesagt eine wilde Erziehung. Aus den kleinen wilden Kindern aber werden große Wilde, das heisst: hässliche schlechte Menschen,

> die sittlich verdorben sind, wenig Gutes, Erfreuliches und desto mehr Unerfreuliches und Wildes zur Schau tragen. (S. 28)
> An erster Stelle muss ihnen das wilde Heidentum ausgerupft werden. Das sitzt tief in den kleinen schwarzen Krausköpfchen drin. Sie müssen den heidnischen Sitten und Gebräuchen entsagen, die sie von Jugend auf geübt haben. Sie dürfen nicht mehr den den heidnischen Tänzen beiwohnen. Sie haben fortan die heidnischen Opfer und Zeremonien zu meiden. Sie dürfen ihr Vertrauen auf die vielen Zaubermittel, Fetische, Amulette nicht mehr beibehalten. Ihr Geisterglaube muss verschwinden. Sittsamkeit und Anstand, Ordnung und Pünktlichkeit, Nächstenliebe und Gerechtigkeitssinn muss ihnen anerzogen werden. Es ist klar, dass das nicht in einigen Tagen und Wochen möglich ist. Das dauert Jahre.« (S. 77)[34]

Neben allgemeiner »Zucht« sollte die Erziehung auch die geschlechtliche Arbeitsteilung vermitteln, wie sie in der deutschen (bzw. europäischen) Gesellschaft die Beziehung zwischen Männern und Frauen bestimmte. Afrikanische Frauen wurden auf typische Hausfrauentätigkeiten trainiert und eingeschränkt, die vormals auch in den Aufgabenbereich der Männer fielen.[35] Männer wurden bei der Zulassung zu Schulen bevorzugt.[36]

Vor allem die Einführung der Lohnarbeit verstärkte die Polarisierung der Geschlechter: Frauen erhielten in der Regel keine bezahlte Arbeit (sie übernahmen die unbezahlten Hausfrauenpflichten), so dass ihnen oft als einzige Geldquelle nur die Prostitution blieb;[37] erhielten sie entlohnte Arbeit auf Plantagen, so war ihre Entlohnung geringer als die der Männer.[38]

Die Einschränkung der Bildungschancen bei gleichzeitiger Privilegierung einzelner führte zu hierarchischen Strukturen, die die Solidarität der Gemeinschaft untergruben. Diejenigen, die sich einen Posten im kolonialen Verwaltungssystem sichern konnten, waren geneigt, sich mit den Unterdrückern zu identifizieren, so wie sich einige Dorfälteste durch finanzielle Beteiligungen korrumpieren ließen.[39]

> »Diese Verinnerlichung der eigenen Unterdrückung bei gleichzeitiger (und meist nur scheinbarer) Teilhabe an der Macht führt zu grotesken Verhältnissen: Die unterdrückten Frauen verteidigen die Welt der Männer, die unterjochten Völker ihre Eroberer. ›Mir deitsche Buwe müsse z'sammehalte!‹ sagte ein Schwarzer im Ersten Weltkrieg in Brasilien, und ein anderer, als vom ›neuen‹, dem faschistischen Deutschland die Rede war: ›Mir sein wohl schwarze Neger, aber mir ham Hitlerblut!‹«[40]

Von einem Ghanaer mit Namen »Bismarck« erfuhr ich, dass dies in seinem Land ein durchaus geläufiger Vorname ist. Dahinter mag teilweise eine Einstellung stehen, wie sie Winnie Mandela für ihren Namen feststellte:

> »Mein Vater hatte ... immer eine besondere Vorliebe für die Deutschen und große Bewunderung für das deutsche Volk und seine industrielle Leistung. Deshalb bestand er auch auf meinem schrecklichen Namen »Winifred«, der ja dann zu »Winnie« abgekürzt wurde. Wann immer er uns disziplinierte, hat er uns Kindern die Deutschen als Vorbild für Fleiß und harte Arbeit dargestellt. Er wollte, dass wir so stark werden wie sie. Als ob ich meinen Kampfgeist von ihnen hätte! Aber da ich unter diesem Namen nun mal international bekannt geworden bin, muss ich ihn wohl weiter verwenden. Schließlich ist er ja auch eine ständige Erinnerung an unsere Unterdrückung!«[41]

Das koloniale Erbe

Die wirtschaftliche, politische, soziale und psychische Kolonialisierung wird bis heute fortgesetzt. Als in den 60er Jahren die meisten afrikanischen Länder den völkerrechtlichen Status der Unabhängigkeit erlangten, war eine völlige Loslösung von den ehemaligen Kolonialmächten kaum möglich.

»Durch diverse Maßnahmen, die sowohl vor wie auch nach der Unabhängigkeit getroffen worden waren, blieben die neuen Staaten Schwarz-Afrikas in Wirtschaft, Politik und Kultur de facto mit Europa (hauptsächlich mit den jeweiligen Kolonialmächten) verbunden. Kurz nach der Gründung der OAU[42] wurden 18 der afrikanischen Staaten durch die Unterzeichnung der ersten Assoziierungskonvention in Jaonde, Kamerun, (20. Juli 1963) mit der EWG verbunden. Die neuen Staaten übernahmen die sozialen und wirtschaftlichen Einrichtungen, – Verwaltungszentren, Häfen, Eisenbahnen, Schulen, Krankenhäuser etc. – die auf die Bedürfnisse der Kolonialmächte zugeschnitten und vorwiegend in Ballungszentren konzentriert waren.«[43]

Der Rückgriff auf bereits vorhandene Einrichtungen ermöglichte politische und wirtschaftliche Stabilität, behinderte aber auch eine an den spezifischen Bedürfnissen des Landes orientierte Entwicklung.

Dragolyub Najman betont, dass noch heute zahlreiche afrikanische Bildungssysteme nach denen ihrer ehemaligen Beherrscher ausgerichtet sind und als für die Bedürfnisse der afrikanischen Länder unangemessen befunden werden müssen.[44] In fast allen Ländern – eine Ausnahme bildet Tanzania[45] – agiert die Schule losgelöst von traditio nellen, informellen Erziehungsinstanzen der Familie und des ethnischen Verbandes. Sie schafft selten eine Verbindung zwischen den verschiedenen kulturellen Orientierungen und nebeneinander existierenden Produktionsweisen und verstärkt – durch einseitige Qualifizierung auf Tätigkeiten im Verwaltungssektor – Landflucht und Arbeitslosigkeit.[46]

Die Bildungsinhalte kolonialisieren auf sehr subtile Weise das Bewusstsein.

> »Auf den Antillen identifiziert sich der kleine Schwarze, der in der Schule ›unsere Väter, die Gallier‹ durchnimmt, mit dem Forschungsreisenden, dem Zivilisator, dem Weißen, der den Wilden die Wahrheit bringt, eine ganz und gar weiße Wahrheit. Es handelt sich um Identifizierung, denn der junge Schwarze nimmt subjektiv die Haltung eines Weißen an.«[47]

Auf vielfältige Weise wird das Bewusstsein von der weißen Hautfarbe als der besseren Hautfarbe und dem europäischen (=weißen) Bewusstsein als dem fortschrittlichen Denken vermittelt. Cremes, die die Pigmentbildung zurückdrängen, werden überall auf dem afrikanischen, amerikanischen und europäischen Markt angeboten. Fanon schrieb bereits 1952:

> »Seit einigen Jahren arbeiten die Labors an der Entwicklung eines Serums zur Entnegrifizierung; die Labors haben allen Ernstes ihre Reagenzgläser gespült, ihre Waagen justiert und Untersuchungen begonnen, die es den unglücklichen Negern ermöglichen sollen, weiß zu werden und damit nicht mehr die Last jenes körperlichen Fluchs zu tragen.«[48]

Die kosmetischen Präparate, die den Hauptpigmentationsstoff Melanin angreifen, erfreuen sich bis heute großer Beliebtheit und werden besonders von Frauen verwendet. So fordert Awa Thiam, dass »Maßnahmen gegen die Zeitungen ergriffen werden, die mit Inseraten für diese Bleichpräparate werben. Sie müssten von den schwarzafrikanischen Staaten boykottiert oder verboten werden. Diese Präparate müssten vom schwarzafrikanischen Markt zurückgezogen werden. Negerinnen und Neger sollen die schwarze Farbe mit Würde und Stolz tragen.«[49]

Schwarze Frauen waren und sind der Unterdrückung am stärksten ausgesetzt und müssen dementsprechend die größten Anstrengungen unternehmen, um gegen sie anzugehen. In der vorkolonialen Gesellschaft verhinderten die patriarchalischen Strukturen ihre völlige Gleichstellung.[50] In der kolonialen Gesellschaft wurde die Frau genauso ausgebeutet wie ihr Mann, der jedoch durch die verstärkte Patriarchalisierung und Hierarchisierung ihr gegenüber aufgewertet wurde. Und mit Angela Davis muss zudem darauf hingewiesen werden:

> »War die härteste Bestrafung für Männer Auspeitschung und Verstümmelung, so wurden Frauen sowohl gepeitscht und verstümmelt als auch vergewaltigt.«[51]

Sie standen in einem zusätzlichen, direkten Gewaltverhältnis zu ihrem Unterdrücker.

Rassismus und Sexismus bewirken in ihrer vielschichtigen Verknüpfung eine Situation, die in ihrer Komplexität oft nicht erkannt wird. So wehrt sich A. Thiam mit Recht gegen Kate Millett als eine der weißen Feministinnen, die Frauenunterdrückung und Unterdrückung von Schwarzen gleichsetzen. »Wenn die Vergewaltigung das für Frauen bedeutet, was das Lynchen für Schwarze ist, was ist dann mit der Vergewaltigung schwarzer Frauen durch schwarze Männer?«[52] Eine Frage, die oft nicht gestellt wird, weil die Wahrnehmung wie durch eine Schablone vorgefertigte Grenzen hat. Adrienne Rieh beschreibt sie als »tunnel vision«[53]

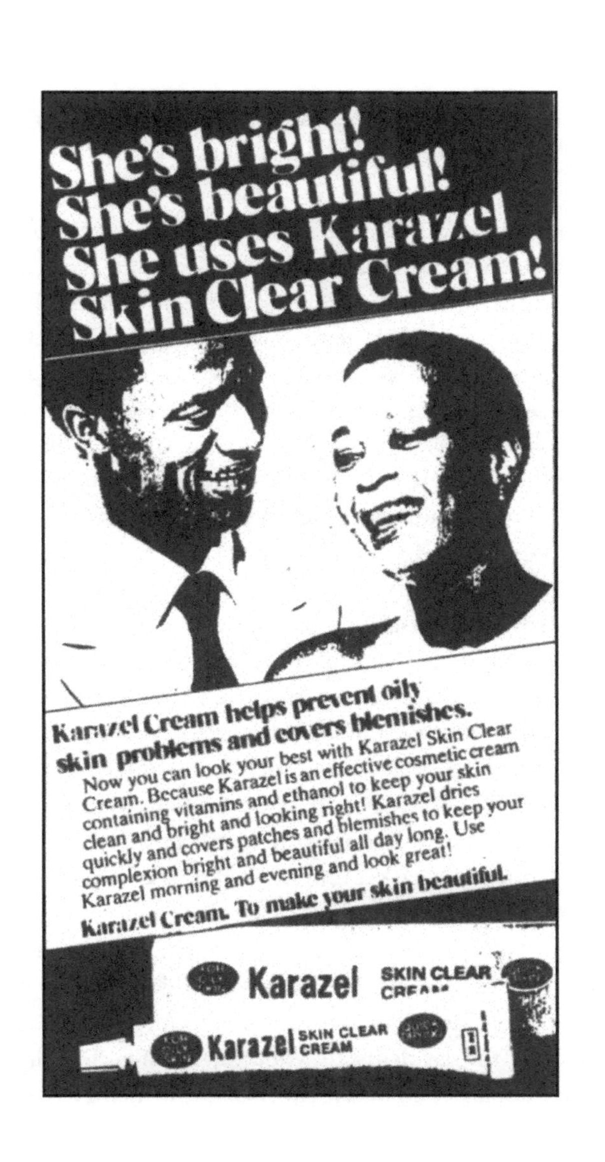
She's bright!
She's beautiful!
She uses Karazel
Skin Clear Cream!
Karazel Cream helps prevent oily
skin problems and covers blemishes.
Now you can look your best with Karazel Skin Clear
Cream. Because Karazel is an effective cosmetic cream
containing vitamins and ethanol to keep your skin
clean and bright and looking right! Karazel dries
quickly and covers patches and blemishes to keep your
complexion bright and beautiful all day long. Use
Karazel morning and evening and look great!
Karazel Cream. To make your skin beautiful.
Karazel
SKIN CLEAR
Karazel
SKIN CLEAR
CREAM

Afrikaner/innen und Afro-Deutsche in der Weimarer Republik und im Nationalsozialismus

Kriegsniederlage und Rheinlandbesetzung – die »schwarze Schmach«

Der Erste Weltkrieg beendete schon in den ersten Kriegsjahren die deutsche Kolonialherrschaft. Mit Ausnahme von Deutsch-Ostafrika wurden die deutschen Kolonien durch französische und englische Truppen besetzt. Nach Kriegsende verlor Deutschland als Kriegsschuldiger alle Rechte auf den Besitz von überseeischen Territorien und musste sich im Waffenstillstandsvertrag mit der Besetzung des linken Rheinufers, sowie auf der rechten Rheinseite der Städte Köln, Koblenz, Kehl und Mainz einverstanden erklären. Der Versailler Vertrag sah die Besetzung durch die Siegermächte für die Dauer von 15 Jahren vor und den schrittweisen Abzug der Truppen innerhalb dieses Zeitraumes, sofern Deutschland sich an die übrigen Vertragsbestimmungen (Einhaltung der Reparationszahlungen etc.) hielt.[1]

Die Besatzungsmächte hatten im Ersten Weltkrieg auch schwarze Soldaten aus ihren Kolonien in ihren Reihen, so dass bei der Besetzung des Rheinlandes durch französische, belgische, britische und amerikanische Truppen auch schwarze Soldaten einmarschierten. Der größte Anteil war in der französischen Armee, mit etwa 30-40.000 Afrikanern, die teils aus Madagaskar und Marokko, überwiegend jedoch aus Algerien und Tunesien stammten.[2] Deutschland hatte im Krieg, mehr notgedrungen als freiwillig, auf den Einsatz von Schwarzen verzichtet, da England den Seeweg blockiert hatte. Von daher fiel es den Deutschen leicht, den Einsatz von Schwarzen als »Akt der Unmenschlichkeit und Gefahr für das deutsche Volk« anzuprangern. Feldmarschall Hindenburg schrieb 1920 in seinem Buch »Aus meinem Leben«:

> »Wo Panzerwagen fehlten, hatte der Gegner uns schwarze Wellen entgegengetrieben. Wehe, wenn diese in unsere Linien einbrachen und die Wehrlosen mordeten oder, was schlimmer war, marterten. Nicht gegen die Schwarzen, die solche Scheußlichkeiten begingen, wendet sich menschliche

> Empörung und Anklage, sondern gegen die, die solche Horden angeblich zum Krieg um Ehre, Freiheit und Recht auf europäischen Boden heranbrachten. Zu Tausenden wurden diese Schwarzen auf die Schlachtbank geführt.«[3]

Hindenburgs Äußerungen zeigen die Doppelzüngigkeit der Anklage: Zum einen verurteilt er die Franzosen, die Afrikaner für ihre Dienste zu missbrauchen, gleichzeitig äußert er sich diskriminierend über die Afrikaner, indem er deren Brutalität und Animalität hervorhebt. Aus der Empörung, die sich insbesondere gegen Frankreich richtet, spricht eher Missgunst und Kriegsenttäuschung als wahres Mitgefühl für die schwarzen Menschen, die für die Siegermächte in den Krieg geschickt wurden. Schließlich hatten auch die deutschen »Schutztruppen« mit schwarzen Soldaten aus anderen Kolonien ihre Eroberungen in Afrika durchgeführt.[4]

Pommerin schreibt, Hindenburg erwähne in seinem Buch einige Zeilen später, die Deutschen seien den Schwarzen im Kampf »Mann gegen Mann« überlegen gewesen, und leitet daraus ab:

> »Von ersten Anzeichen eines in Deutschland vorhandenen Rassismus kann deshalb hier noch keineswegs gesprochen werden.«[5]

Für mich spiegelt sich dagegen im Vokabular Hindenburgs ein deutlich hervortretender Rassismus, der – mit Blick auf die Kolonialzeit – in Einklang mit den Außerungsformen der deutschen Kolonialisten steht. Wenn Pommerin von »ersten« Anzeichen spricht, dann verkennt er m.E. den Fortbestand rassistischer Tendenzen aus der Kriegs- und Vorkriegszeit.

Auch nach dem Kriegsverlust hielten sich Nationalismus und Kolonialenthusiasmus weitgehend ungebrochen. Die Anhänger und Mitglieder der nach wie vor bestehenden »Deutschen Kolonialgesellschaft« gehörten zu denen, die die Revision des Versailler Vertrages forderten und Deutschland wieder neben den anderen Kolonialmächten sehen wollten.

»Es wurden umfangreiche Mittel für die koloniale Propaganda sowie die Popularisierung pseudo-wissenschaftlicher Theorien eingesetzt, die der Kolonialpolitik eine kulturelle, soziale, nationale oder völkische Bedeutung zuschrieben. Schlagworte, wie die vom ›Volk ohne Raum‹, von Kolonien als ›nationalem Lebenserfordernis‹, als Symbol der ›nationalen Ehre‹, der ›Weltgeltung Deutschlands‹, vom ›Recht auf Kolonien‹, von der ›zivilisatorischen Berufung und Mission‹ der Deutschen als Teil der weißen Rasse an der ›Erziehung unterentwickelter Rassen‹ teilzunehmen, wurden an den Schulen gelehrt, an den Universitäten in ›wissenschaftlichen‹ Schriften verteidigt, von Versammlungsrednern gepredigt, in Zeitungen, Zeitschriften, Broschüren und Büchern aller Genres kolportiert.«[6]

Wir brauchen Kolonien!

Ob Zentrumsmann, ob Demokrat,
ob Kegelklub, ob Syndikat –
die Stimmen tremolieren.
Es schreit von Flugblatt und Plakat:
Wir woll'n ein Kolonialmandat.
Wir müssen kultivieren!

Dann hätten einen Erdenrest
die Jürgens, Kußmann, Femepest,
sich abzureagieren.
Drum halte die Parole fest.
Es gilt den Kampf um Deutsch-Südwest.
Wir müssen kultivieren!

Fehlt's auch im Reich an Geld und Brot –
was kümmert uns die Wohnungsnot!
Sie mögen vegetieren.

Heil: Tropen und Kanonenboot!
Stolz weht die Flagge schwarz-weiß-rot.
Wir müssen kultivieren!

Der Schwarze will zu uns zurück,
zu Peitsche, Drill und Liebesglück
und preußischen Manieren.
Entreißen wir der fremden Tück'
den dunklen Erdteil Stück für Stück.
Wir müssen kultivieren!

Karl Schnag[7]

Im Bewusstsein der Kolonialrevanchisten blieben die Schwarzen die Untermenschen, die es zu zivilisieren und zu disziplinieren galt. Es ist daher nicht weiter verwunderlich, dass der Einmarsch schwarzer Soldaten von weiten Kreisen der deutschen Bevölkerung als besondere Demütigung empfunden wurde. Menschen »niederer Rasse« und »niederer Herkunft« erhielten das Recht, als Besatzer aufzutreten.

Werbung einer Schokoladenfirma mit der »Befriedungsaktion« Hauptmann von Wissmanns

»Jumbo«. Plakat zur Stationierung schwarzer französischer Soldaten in Deutschland nach 1918

»Schwarze Vergewaltiger« und »Rheinlandbastarde«

Bereits kurz nach dem Einmarsch der Besatzungstruppen legten, mit Ausnahme der USPD, alle Parteien eine Interpellation vor, in der sie den Rückzug der schwarzen Soldatentruppen forderten. Im Wortlaut hieß es da:

> »Franzosen und Belgier verwenden auch nach Friedensschluss farbige Truppen in den besetzten Gebieten der Rheinlande. Die Deutschen empfinden diese missbräuchliche Verwendung der Farbigen als eine Schmach und sehen mit wachsender Empörung, dass jene in deutschen Kulturländern Hoheitsrechte ausüben. Für deutsche Frauen und Kinder – Männer wie Knaben – sind diese Wilden eine schauerliche Gefahr. Ihre Ehre, Leib und Leben, Reinheit und Unschuld werden vernichtet. Immer mehr Fälle werden bekannt, in denen farbige Truppen deutsche Frauen und Kinder schänden, Widerstrebende verletzen, ja töten. Nur der kleinste Teil der begangenen Scheußlichkeiten wird gemeldet. Schamgefühl, Furcht vor gemeiner Rache schließen den unglücklichen Opfern und ihren Angehörigen den Mund. Auf Geheiß der französischen und belgischen Behörden sind in den von ihnen besetzten Gebieten öffentliche Häuser errichtet, vor denen farbige Truppen sich scharenweise drängen, dort sind deutsche Frauen ihnen preisgegeben! In der ganzen Welt erheben sich immer mehr entrüstete Stimmen, die diese unauslöschliche Schmach verurteilen. Sind diese menschenunwürdigen Vorgänge der Reichsregierung bekannt? Was gedenkt sie zu tun?«[8]

Als »Sieger« nahmen sich deutsche Soldaten in den Kolonien das Recht, Frauen fremder Völker zu vergewaltigen. Als Kriegsverlierer waren es nun deutsche Frauen, die unter Vergewaltigungen durch die »Sieger« zu leiden hatten. Die Interpellation griff nicht dieses ungeschriebene Männerrecht auf Frauenversklavung an, sondern propagierte lediglich den Mythos der »Rassenschande«. In diesem

Sinne war von »missbräuchlicher Verwendung« und von »Wilden« die Rede. Wo wurden Klagen gegen weiße Soldaten und weiße deutsche Soldaten hörbar? Luise Zietz, Abgeordnete der USPD, war eine der wenigen, die gegen die doppelte Moral protestierte:

> »Ich will weiter darauf hinweisen, dass die Interpellanten, die sich jetzt mit Recht gegen die viehischen Roheiten im besetzten Gebiet wenden, kein Wort des Protestes gefunden haben, als in Deutschland unsere eigenen Landsknechte so viehische Roheiten und Brutalitäten gegen die deutschen Frauen begangen haben.(...) Ich verweise nur darauf, dass ich in Weimar den lebhaften Wunsch hatte, die weiblichen Abgeordneten dazu zu bekommen, dass sie sich in einem Protest gegen die vielen Roheits- und Sittlichkeitsvergehen der deutschen Soldaten gegen deutsche Frauen vereinigen möchten ... Ich habe angeknüpft an einen speziell gelagerten Fall, wo in Hamburg die Noskiten gegen eine Frau in der unerhörtesten Weise vorgegangen waren, wo sie diese Frau verhaftet hatten, wo sie sie furchtbar geschlagen hatten, wo sie ihr die Röcke über den Kopf zusammengeschlagen und den bloßen Körper gezüchtigt hatten, wo sie ihr die Zähne aus dem Mund herausgeschlagen und sie in der scheußlichsten Weise beschimpft haben. Und was haben mir da die weiblichen Abgeordneten, die ich gefragt habe, ob sie sich mit mir zu einem Protest vereinigen wollten, gesagt? Ach nein, das wollen wir doch nicht so breitmachen, ... das wollen wir lieber ruhen lassen.«[9]

Und was die deutschen Soldaten im Ausland betraf, so erwähnte sie als Beispiel den sog. »Hunnenfeldzug« nach China:

> »Damals ist nachgewiesen worden, dass in China von deutschen Behörden Bordelle geschaffen und chinesische Frauen in diese Bordelle geschleppt ... und von deutschen Soldaten

Die Medaille des bayerischen Hauptmünzamtes von 1920, nach einem Stich des nationalsozialistischen Graphikers Karl Götz, zeigt auf der einen Seite eine langhaarige blonde Frau, die an einen überdimensionalen, behelmten Penis, als Verkörperung eines französischen schwarzen Soldaten gefesselt ist.
Die andere Seite der Medaille zeigt einen schwarzen Soldaten, dessen »Wildheit« durch stark überzeichnete Gesichtszüge und Ohrpflock zum Ausdruck gebracht werden soll. Die Überschrift der einen Seite »Schwarze Schande« in Verbindung mit der Unterschrift der anderen Seite »Liberté Egalité Fraternité« bringt die bissige Ironie und offene Feindschaft zum Ausdruck, die sich sowohl gegen die Afrikaner als auch gegen die weißen Franzosen richtet.

> missbraucht worden sind. Chinesische Frauen haben aus Furcht, in diese Bordelle geschleppt zu werden oder von den Soldaten vergewaltigt zu werden, sich in den Brunnen gestürzt und haben lieber den Tod im Wasser gesucht, als sich diesen viehischen Roheiten der deutschen Soldaten auszuliefern.«[10]

Die völlig an den Haaren herbeigezogene Mär von der besonderen Triebhaftigkeit und Brutalität der Schwarzen führte immerhin dazu, diese männlichen Konkurrenten um die weißen Frauen zu diffamieren und auszuschalten. Weiße Frauen wurden umso geneigter, sich unter den »Schutz« weißer Männer zu stellen. Eine Abgeordnete der bayerischen Volkspartei verwies auf Amerika als löbliches Beispiel, »wo ein Neger gelyncht werde, wenn er sich an einer weißen Frau vergangen habe, und England, welches vor dem Krieg verlangt habe, dass keine Frau in Indien oder Ceylon in Gegenwart von Farbigen arbeite, um die weiße Frau nicht herabzusetzen.«[11] Vergewaltigungen, die weiße, deutsche (Ehe-) Männer an Frauen begingen, erschienen unerheblich, angesichts der maßgeblich viel verheerenderen Sexualdelikte durch Schwarze.

Die Geburt von schwarzen Kindern in den besetzten Gebieten wurde lange Zeit weder in der Öffentlichkeit noch im Reichstag diskutiert. Zum einen, weil ihre Zahl verschwindend gering war, zum andern, weil sich die Aussagen der Mütter nur schwer mit dem Bild vom »schwarzen Vergewaltiger« in Einklang bringen ließen,

> »denn wie wir... aus einer späteren amtlichen Untersuchung wissen, gab nur eine Mutter als Grund für das Zustandekommen ihres Kindes eine Vergewaltigung an.«[12]

Das freiwillige Zusammensein einer deutschen Frau mit einem dazu noch farbigen Franzosen musste von deutscher Seite einfach übersehen werden. Sofern Afro-Deutsche dennoch in den Blickpunkt der Öffentlichkeit gerieten, war ihre vermeintlich besondere Minderwertigkeit unumstritten, da sie als »noch nicht einmal reinrassig« galten. In einem Zeitungsbericht der »Germania« im September 1920 hieß es beispielsweise, dass es ja eine bekannte Tatsache sei, dass Mischlingskinder die Laster von beiden Elternteilen erben würden.[13] Diese Behauptung lässt sich bis zu den rassentheoretischen Gedanken Gobineaus zurückverfolgen, der in seiner pessimistischen Geschichtsauffassung bekanntlich bereits jede soziale und kulturelle Veränderung als Zerfallserscheinung deutete.

Ein schwedischer Pfarrer namens Liljeblad war der erste, der sich für Zahlenmaterial und andere amtliche Unterlagen über afro-deutsche Kinder interessierte. Er reiste für ein Forschungsprojekt eigens nach Deutschland. Unter welchem Vorzeichen seine Untersuchungen standen, wird an seiner Behauptung offensichtlich, er habe in Deutschland Kinder mit dem verschiedenartigsten Aussehen

getroffen, u.a. eines mit schwarzen und weißen Streifen auf dem Rücken.[14] In der Schrift »The World's-Shame at the Rhine«, die er nach seinem Deutschlandbesuch veröffentlichte, stellte er kühne Hochrechnungen an, die, ausgehend von einer Geburtenrate von 150 Kindern pro Jahr, am Ende der 15-jährigen Besatzungszeit 27.000 Afro-Deutsche auswiesen. Die Zahl real anwesender schwarzer Kinder beschränkte sich nach offiziellem Zahlenmaterial zum Zeitpunkt seiner Veröffentlichung (1924) auf 78.[15]

Auch wenn die Zahlen von Liljeblad nicht veröffentlicht wurden, »um jede Form der »Fraternisierung« zwischen der Bevölkerung des Rheinlandes und den Besatzungssoldaten geheimzuhalten«,[16] erregte die Geburt von Afro-Deutschen zunehmende Aufmerksamkeit. Nicht erst im Nationalsozialismus, sondern bereits in der Weimarer Republik wurden afro-deutsche Kinder und ihre Mütter geächtet und angegriffen. Neben den umstrittenen Bezeichnungen »Mischling« und »Mulatte«[17] wurden die Kinder von vielen mit aller Selbstverständlichkeit »Bastarde« genannt.

Bereits 1905 war die »Gesellschaft für Rassenhygiene« gegründet worden, die zur Verhütung und Beseitigung von »Rassekrankheiten« ab 1919 aus Gründen der »eugenischen Indikation« Sterilisationen durchführte. Der Pfalzkommissar teilte 1927 dem Reichsgesundheitsamt mit, dass man allmählich mit Sorge das Heranwachsen der schwarzen Kinder beobachten würde. Er fragte an, ob es nicht möglich sei, durch einen schmerzlosen Eingriff diese Kinder unfruchtbar zu machen, wenn sie ins fortpflanzungsfähige Alter kämen.[18] Zu diesem Zeitpunkt gab es noch keine gesetzliche Grundlage für einen solchen Eingriff, und Sterilisationsmaßnahmen war insofern ein Riegel vorgeschoben, als die zumeist unehelichen Kinder per se die Staatsangehörigkeit der Mutter hatten, und diese in den seltensten Fällen ihr notwendiges Einverständnis gegeben hätte. Allerdings lässt sich im nachhinein wohl kaum nachprüfen, wie viele Kinder, die nicht im Schutze der Familie oder anderer Bezugspersonen aufwuchsen, sondern in Fürsorgeanstalten untergebracht waren, heimlich sterilisiert wurden oder verschwanden. Das Reichsministerium erwog bereits Mitte der 20er Jahre, »die Mischlinge« mit Hilfe einer finanziellen Unterstützung an die Missionsgesellschaften zu übergeben, damit diese sie ins Ausland brächten.[19] Davon abgesehen war es ohne weiteres möglich, Kinder unter dem Vorwand einer »Rassekrankheit« zu sterilisieren, sofern sie niemand in Schutz nahm.

Schutz der Familie und Zwangssterilisation, Rassenschande und Kolonialpropaganda

Hitler schrieb 1928 in »Mein Kampf«:

> »Juden waren und sind es, die den Neger an den Rhein bringen immer mit dem gleichen Hintergedanken und klaren Ziele, durch die dadurch zwangsläufig eintretende Bastardierung die ihnen verhaßte weiße Rasse zu zerstören, von ihrer kulturellen und politischen Höhe zu stürzen und selber zu ihren Herren aufzusteigen.«[20]

Rassenanthropologen forderten mit Aufkommen des Nationalsozialismus immer offener, dass Müttern von Afro-Deutschen nicht nur das Recht zum Schwangerschaftsabbruch zugestanden, sondern sie dazu sogar verpflichtet werden sollten.[21] Immer lauter wurden auch die Rufe nach einer rigoroseren Behandlung der bereits Geborenen. So behauptete Dr. Hans Macco in seiner Schrift »Rassenprobleme im Dritten Reich«:

> »Diese Mulattenkinder sind entweder durch Gewalt entstanden oder aber die weiße Mutter war eine Dirne. In beiden Fällen besteht nicht die geringste moralische Verpflichtung gegenüber dieser fremdrassigen Nachkommenschaft.«[22]

Im Gegensatz zu Gobineau, der in seiner resignativen Zukunftsdeutung den Untergang der Arier als unvermeidlich sah, waren seine nationalsozialistischen Anhänger überzeugt, das »mindere Erbgut« durch rigorose staatliche Eingriffe wie Geburtenregelungen, Ehegesetze und Sterilisationsmaßnahmen auszumerzen und die Herrenrasse gezielt züchten zu können.

Sofort nach Hitlers Machtergreifung 1933 wurden Gesetze erlassen, die von Frauen gewünschte Sterilisationen und Abtreibungen unter Strafe stellten. Zur gleichen Zeit wurden aber auch Gesetze für die Zwangssterilisation aus rassenhygienischen (eugenischen) Gründen eingeführt.[23] Die Forderungen nach Erhöhung der Geburtenrate durch weiße, deutsche arische Frauen und die Gesetze für Zwangssterilisationen stellten für die nationalsozialistische Ideologie keinen Widerspruch dar. Diese Gesetze waren die unterschiedlichen Mittel ein und derselben Politik, die weibliche Gebährfähigkeit unter noch schärfere Kontrolle zu bringen und mit ihr den Bestand des rassistischen Systems zu sichern.

Afrikaner/innen und Afro-Deutsche wurden als Darsteller und Statisten engagiert, wenn es darum ging, die Wohltaten des deutschen Kolonialismus für Afrika propagandistisch aufzubereiten. Besonders um Carl Peters, der wegen seiner Vergehen als Kolonialbeamter berüchtigt war und am Ende sogar disziplinarisch verurteilt und seiner Position als Reichskommissar enthoben wurde, betrieb man einen regelrechten Kult. Dies ging so weit, dass man ihn als einen direkten Vorläufer des Tausendjährigen Reiches bezeichnete, einen der »großen Erzieher der deutschen Nation«. … Die »Reichsstelle zur Förderung des deutschen Schrifttums« bekräftigte in einem Gutachten vom 10.1.1938, dass Peters »den Gedankengängen des Dritten Reiches bereits vor fünfzig Jahren« nahestand. In der Jugendliteratur und sogar in einem Spielfilm wurde der Kolonialeroberer zum Vorbild für die Hitlerjugend stilisiert.

> »Die Zahl der entarteten Individuen, die geboren werden, hängt hauptsächlich von der Zahl fortpflanzungsfähiger entarteter Frauen ab. Die Sterilisation der entarteten Frau ist rassenhygienisch daher wichtiger als die des Mannes.«[24]

Der forcierte Mutterkult um die deutsche, arische Frau war ein indirektes Zwangsmittel, um den »Ausfall durch entarteten Nachwuchs« durch erwünschte Nachkommen auszugleichen. Es liegt auf der Hand, dass nur diejenigen arischen Frauen glorifiziert wurden, die arischen Nachwuchs zur Welt brachten. Mütter von afro-deutschen, sinti-deutschen oder halbjüdischen Kindern waren vom Mutterkult ausgenommen und wurden in der Öffentlichkeit und oft auch von den engsten Verwandten als »Huren« diffamiert.

Mit Rücksicht auf außenpolitische Interessen wurde darauf geachtet, dass Ausschreitungen gegenüber Afrikanern und Afro-Deutschen einen bestimmten Rahmen nicht überschritten. In einer warnenden Äußerung seitens des Auswärtigen Amtes hieß es:

> »Wir dürfen auch nicht vergessen, dass wir, nachdem jetzt die Hetze gegen Deutschland wegen der Judenfrage doch etwas abzuflauen beginnt, der feindlichen Propaganda nicht durch die Farbigen-Frage neuen Stoff für die Bekämpfung des neuen Deutschland liefern.«[25]

Um ausländische Diplomaten, die nach Deutschland reisten, nicht zu verstimmen und dadurch Handelsbeziehungen zu gefährden, wurde sogar eine Kampagne gegen Ausländerfeindlichkeit gestartet.[26] Auch die kleine Minderheit der Afrikaner/innen aus Kolonien, die mit Handelsflotten nach Deutschland gelangt waren, sollte nicht allzusehr provoziert werden. Sie entstammten in ihrem Heimatland zumeist einflussreichen Familien, und man versprach sich durch ihre Mitbeteiligung an der Inszenierung von Kolonialpropaganda politische Vorteile, wenn es um eine Mandatsverteilung für überseeische Gebiete gehen würde.

Der Führer und Reichskanzler Berlin, den 16. Dezember 1937

An

den Bundesführer des Reichskolonialbundes,
Herrn Reichsstatthalter General Ritter v o n E p p,
B e r l i n

Am 19.Dezember sind 50 Jahre seit der Gründung der "Deutschen Kolonialgesellschaft" verflossen. Die "Deutsche Kolonialgesellschaft" hat für die Wachhaltung und Pflege des kolonialen Gedankens im deutschen Volke Vorbildliches geleistet. Daß dieser Gedanke in den Jahren der Not und der Schmach nicht erloschen ist, ist ihr größtes Verdienst.

Ich hoffe und wünsche, daß es den jungen, im Reichskolonialbund als dem Träger der alten Tradition unter Ihrer festen Leitung zusammengeschlossenen Kräften gelingen möge, eine neue koloniale Front zu bauen, die an zähem Willen und selbstloser Einsatzbereitschaft es denen gleichtun wird, die als erste die Fahne Deutschlands in Afrika und in der Südsee aufgepflanzt und der jungen "Deutschen Kolonialgesellschaft" Richtung und Ziel gegeben haben.

Um nach außen die Fassade zur Schau getragener Toleranz abzusichern, wurden auch einzelne Afro-Deutsche bewusst begünstigt, während die Mehrzahl ihre Ausbildungs- und Berufswünsche nicht verwirklichen konnte. Die flexible Handhabung der »Ariergesetzgebung« sollte ermöglichen,

> »bei bestimmten Gelegenheiten, wenn es außenpolitisch zweckmäßig erschien, beispielsweise einen afrikanischen Neger gleichberechtigt zu behandeln. Durch einen solchen Verzicht auf die Anwendung des Rassengesetzes bei der Anstellung der

Reichskolonialbund

Der Bundesführer

Bundesgeschäftsstelle
Berlin W 35, Am Karlsbad 10

A u f r u f !

Parteigenossen! Deutsche Männer und Frauen!

Der Führer hat durch sein Schreiben vom 16.Dezember di bisher geleistete Arbeit aller deutschen Kolonialpioniere in ganz besondefer Weise geehrt. Darüber hinaus hat der Führer durch dieses sein Schreiben die Hoffnung und den Wunsch ausgesprochen, dass alle unter meiner Leitung zusammengefassten, auf kolonialem Gebiet tätigen Stellen ihre ganze Kraft selbstlos einsetzen, damit Deutschland wieder in den Besitz seines kolonialen Eigentums treten kann. Ein neuer Abschnitt in der deutschen Kolonialbewegung ist damit gekennzeichnet. Wir versprechen dem Führer, uneigennützig und energisch wie unsere historischen Vorbilder alles daran zu setzen, dass das von ihnen erkämpfte koloniale Gut zurückgewonnen und damit auch unsere nationale Herabsetzung beseitigt wird.

München, den 23.Dezember 1937.

Franz von Epp.

Abkömmlinge eines ›rassefremden Elternteils‹ in den deutschen Staatsdienst könnten dann kolonialpolitische Vorteile gezogen werden.«[27]

Ab 1937 schien es nicht mehr notwendig, mit Rücksicht auf außenpolitische Beziehungen oder aus Befürchtung kirchlicher Proteste, von Sterilisationsmaßnahmen gegen Afro-Deutsche abzusehen. Deren vermeintliche Minderwertigkeit hatte 1933 Dr. W.

Abel, damals Assistent am Kaiser-Wilhelm-Institut für Anthropologie, menschliche Erblehre und Eugenik, später Professor an der Universität Berlin, in einer Studie an 27 Wiesbadener Kindern angeblich wissenschaftlich nachgewiesen. In seinen Untersuchungen an Afro-Deutschen und Asiatisch-Deutschen, die er in seiner Studie als Marokkaner- und Annamitenbastarde bezeichnete, stellte er fest, dass diese überdurchschnittlich häufig an Frühpsychosen litten und in ihren Schulleistungen nur in 86,9% den Klassendurchschnitt erreichten. Abel brachte sein Untersuchungsergebnis weniger mit den feindseligen Einstellungen in Zusammenhang, die die Lebensumwelt der Kinder prägten, als mit genetischen Faktoren. Dafür machte er die Rassenmischung und das schlechte Erbgut der Mütter verantwortlich.[28]

Abel[29] selbst war anthropologischer Gutachter zur Feststellung der Rassenzugehörigkeit in der »Sonderkommission 3«, die 1937 mit dem Auftrag eingerichtet wurde, »die unauffällige Sterilisation der Rheinlandbastarde durchzuführen«.[30]

Bis 1937 wurden 400 Zwangssterilisationen an Afro-Deutschen aktenkundig, für die es zu keiner Zeit eine gesetzliche Grundlage gab. Die teilweise vorliegenden Einverständniserklärungen der Eltern müssen mit besonderer Skepsis betrachtet werden. Dies umso mehr, wenn wir die Äußerung des Legationsrates Rademacher beachten:

> »Durch interne Verwaltungsmaßnahmen ist die Möglichkeit gegeben, die Mischlinge an einer Fortpflanzung zu hindern. Die Mutter kann durch Zwangserziehung im Konzentrationslager für die deutsche Gemeinschaft zurückgewonnen werden.«[31]

Rassismus, Sexismus und vorkoloniales Afrikabild in Deutschland

[1] BECKER, Jörg: *Alltäglicher Rassismus,* Frankfurt 1977, S. 206
s.a. ESCHENBACH, Wolfram v.: Parzival, hrsg. von LEITZMANN, Albert, 7. Aufl., Heft 1, Buch I-VI, Tübingen 1961
[2] PAEFFGEN, Manfred: *Das Bild Schwarz-Afrikas in der Öffentlichen Meinung der BRD 1949-1972,* München 1976, S. 18
[3] vgl. KI-ZERBO, Joseph: *Die Geschichte Schwarz-Afrikas,* Frankfun 1981, S. 219
[4] ebd: S. 219
[5] Ich beziehe meine Informationen in diesem Abschnitt vorwiegend aus dem Aufsatz von BRENTJES, Burkhard: *»Der erste afrikanische Student in Halle«,* in: BRENTJES, Burkhard (Hg): *Der Beitrag der Völker Afrikas zur Weltkultur,* Halle (Saale) 1977
[6] Deutschland war auch im 18. Jahrhundert noch in viele kleine Fürstentümer zersplittert und verfügte nicht über eine nationale Flotte.
[7] BRENTJES, B., a.a.O.: S. 4
[8] vgl. PAEFFGEN, M., a.a.O.: S. 9 PAEFFGEN gibt keine Zeitangabe.
[9] Ein Beitrag über ihr Leben findet sich in BRENTJES, B. (Hg), a.a.O.
[10] BRENTJES gibt keine geographische Angabe über die Lage des Forts.
[11] BRENTJES, B., a.a.O.: S.5
[12] vgl. GILMAN, Sander: *On blackness without blacks. Essays on the image of black in Germany,* Boston-Massachusetts, 1982, préfacé xii
[13] vgl. POLIAKOV, Léon/DELACAMPAGNE, Christian/GIRARD, Patrick: *Über den Rassismus,* Frankfurt-Berlin-Wien 1984, S. 64
[14] ebd: S. 63
[15] PLETICHA, Heinrich: *»Das Bild des Farbigen in der Jugendliteratur«, in: Bücher spiegeln die Welt. Das Bild der Rassen und Völker in der Jugendliteratur,* hrsg. von SCHALLER, Horst, Insel Mainau 1969, S. 45
[16] vgl. BECKER, J., a.a.O.: S. 64
[17] vgl. GILMAN, S., a.a.O.: S. 12
[18] ebd: S. 12
[19] ebd: S. 12
[20] *»Omeit und Wolfdietrich«* nach der Wiener Piaristenhandschrift 1906, zitiert in: GILMAN,S., a.a.O.: S. 12
[21] SADJI, Uta: *Der Negermythos am Ende des 18. Jahrhunderts in Deutschland - Eine Analyse der Rezeption von Reiseliteratur über Schwarzafrika,* Frankfurt 1979, S. 1
[22] PAEFFGEN weist darauf hin, dass Schwarz-Afrika eine »Denkkonstruktion des Europäers ist, die sich auf die von Menschen schwarzer Hautfarbe bewohnten Gebiete des afrikanischen Kontinentes bezieht.« in: PAEFFGEN, M., a.a.O.: S. 16
[23] An dieser Stelle möchte ich auf folgende Definition von Rassismus hinweisen,

die allerdings die Verknüpfung mit Sexismus (geschlechtsspezifischen Vorurteilen und Diskriminierung) nicht berücksichtigt: Rassismus ist »der Glaube an die Ungleichheit der menschlichen Rassen, in dessen Namen bestimmte Rassen, bestimmte Kulturen wirtschaftlicher Ausbeutung, sozialer Absonderung und selbst physischer Ausrottung ausgesetzt werden. Rassistisch ist jede Person oder Politik, deren Handlungen sich, wissentlich oder nicht, von diesem Glauben beeinflussen lassen.« in: *Taschenwörterbuch der Ethnologie,* hrsg. von HOHENWART, Stefanie und Gabriele, Berlin 1982, 2. Aufl., S. 259

24 FANON, Frantz: *Die Verdammten dieser Erde,* Frankfurt 1981, S. 138

25 vgl. LINNÉ, C.v.: *Systema naturae sive regna systematice proposita per classes, ordines, genera et spe- cies,* Leiden 1735

26 BRUNNER, O./CONZE, W./KOSSELEK, R. (Hg): *Historisches Lexikon zur politisch-sozialen Sprache in Deutschland,* Stuttgart 1984, S. 145

27 W1NCKELMANN, J.J.: *Zur Geschichte der Kunst des Altertums,* zitiert nach KRAMER, Fritz: *Verkehrte Welten. Zur imaginären Ethnologie des 19. Jahrhunderts,* Frankfurt 1984, S. 145

28 POLIAKOV, L. et.al., a.a.O.: S. 81

29 BRUNNER, O. et. al., a.a.O.: S. 147

30 LÉCLERC, Girard: *Anthropologie und Kolonialismus,* München 1973, S.12

31 Subsistenzwirtschaft konzentriert sich auf den Eigenbedarf und ist nicht auf Profit ausgerichtet.

32 vgl. MOSSE, George L.: *Rassismus – Ein Krankheitssymptom der europäischen Geschichte des 19. und 20. Jahrhunderts.* Königstein/Ts 1978, S. 11

33 POLIAKOV, L. et. al., a.a.O.: S. 83

34 KRAMER, F., a.a.O.: S. 76

35 BASTIAN, Adolph: *Der Völkergedanke im Aufbau einer Wissenschaft vom Menschen und seine Begründung auf ethnologische Sammlungen,* zitiert nach KRAMER F., a.a.O.: S. 76

36 HEGEL, Georg W.F.: *Vorlesungen über die Philosophie der Weltgeschichte Bd. 1,* Hamburg 1955, S. 218

37 BRUNNER, O. et. al., a.a.O.: S. 140

38 vgl. ZUR MÜHLEN, Patrick v.: *Rassenideologien – Geschichte und Hintergründe,* Berlin-Bonn 1977, S. 62
s.a. GOBINEAU, J.A. de: *Essai sur l'inégalité des races humaines,* 4 Tomes, Paris 1953/55,2 ème éd. 1883

39 POLIAKOV, L. et. al., a.a.O.: S. 93

40 TRABER, Michael: *Rassismus und weiße Vorherrschaft,* Freiburg 1971, S. 42

41 JANSSEN-JURREIT, Marielouise: *Sexismus – Über die Abtreibung der Frauenfrage,* München- Wien 1976,S. 702

42 ZUR MÜHLEN, P.v., a.a.O.: S. 50

43 FICHTE, Johann G.: Werke Bd. III., zitiert nach STOPCZYK, Annegret: *Was Philosophen über Frauen denken,* München 1980, S. 143

44 »So wurde nicht allein die weibliche Arbeitskraft in dem Maße entwertet, wie ihr im Zuge von Industrialisierung und Monetarisierung – letztere setzte im

Bürgertum schon vergleichsweise früh ein – entscheidende Arbeitsfunktionen entzogen wurden. Darüber hinaus erfuhr die Frau, vermittelt über die sich ausbreitende Propagierung eines Weiblichkeitskults, eine Neubestimmung der Um- bzw. Aufwertung, mit der ihr als neue Aufgabe und Verhaltenszumutung die Repräsentation des Heimes und seiner Innerlichkeit als Gegenwelt zur konkurrenzorientierten, harten und feindlichen Außenwelt aufgezwungen wurde.« in: KITTLER, Gertraude: *Hausarbeit. Zur Geschichte einer »Naturressource«*, München 1980, S. 49 f.

[45] EBEL, Heinrich/EICKELPASCH, Rolf/ KÜHNE, Eckehard: *Familie in der Gesellschaft. Gestalt- Standort-Funktion,* Schriftenreihe der Bundeszentrale für pol. Bildung, hrsg. vom Vorstand der Arbeitsgemeinschaft kath-soz. Bildungswerke in der BR (AKsB), Darmstadt 1983 S. 49 ff.

[46] EBEL, H./EICKELPASCH, R./KÜHNE, E., a.a.O.: S. 66/67

[47] SCHAEFFER-HEGEL, Barbara: »*Feministische Wissenschaftskritik. Angriffe auf das Selbstverständliche in den Geisteswissenschaften-,* in: SCHAEFFER-HEGEL, B./WARTMANN, B. (Hg): *Mythos Frau. Projektionen und Inszenierungen im Patriarchat,* Berlin 1984, 2. Aufl., S. 51

[48] FICHTE, Johann G.: *Fichtes Werke. Erster Anhang des Naturrechts. Grundriß des Familienrechts,* Berlin 1845/46 (Fotomechanischer Nachdruck 1971) S. 311

[49] aus dem Erziehungsroman *Emile,* von ROUSSEAU, Jean J., zitiert nach SCHAEFFER-HEGEL, B., a.a.O., in: SCHAEFFER-HEGEL, B./ WARTMANN, B., a.a.O.: S. 53/54

[50] SCHELER, Max: *Vom Umsturz der Werte,* zitiert nach STOPCZYK, A., a.a.O.: S. 282

[51] LÉCLERC, G., a.a.O.: S. 12

Die Deutschen in den Kolonien

[1] EpK-ENTWICKLUNGSPOLITISCHE KORRESPONDENZ (Hg): *Deutscher Kolonialismus. Materialien zur Hundertjahrfeier 1984,* Hamburg 1983, S. 55/56

[2] BALD, Detlef/HELLER, Peter/HUNDSDÖRFER, Volkhard/PASCHEN, Joachim: *Die Liebe zum Imperium. Deutschlands dunkle Vergangenheit in Afrika,* Bremen 1978, S. 19

[3] »So machen die etwa 9,5 Millionen Menschen aus Ländern der Dritten Welt, die Mitte der 70er Jahre in den Industriestaaten lebten – weniger als 0,5 % der Einwohner aller Entwicklungsländer aus. Daraus wird schon ersichtlich, dass die Auswanderungen – anders als ein Jahrhundert zuvor in Europa – kaum einen nennenswerten Beitrag zur Lösung des demographischen Problems dieser Länder leisten können.
BÄHR, Jürgen: *Bevölkerungsgeographie, Verteilung und Dynamik der Bevölkerung*

in globaler, nationaler und regionaler Sicht, Stuttgart 1983, S. 318

[4] KI-ZERBO, Joseph: *Die Geschichte Schwarz-Afrikas,* Frankfurt 1981, S. 229 Die Zahlen schwanken je nach Einbeziehung von Randfaktoren zwischen 40 und 200 Millionen Menschen. Vgl. hierzu PACZENSKY, Gert v.: *Die Weißen kommen,* Hamburg 1970, S. 179. Viele starben bereits auf den langen Märschen zur Küste und unter der qualvollen Behandlung bei der Überfahrt: »Da die Überfahrt zwei Monate dauerte, kann man sich die Sterblichkeit vorstellen, die durch Epidemien verursacht wurde. Sie war erschreckend. Und um ihr zu begegnen, ließ man die Schwarzen trotz der Gefahren am Tag auf Deck gehen, damit sie sich auslüfteten und schon ein wenig arbeiteten. Man ging sogar so weit, Tänze zu organisieren, wenn nötig mit Peitschenhieben. Das sollte helfen, die Moral der Deprimiertesten zu heben. Trotz allem gab es sehr häufig Revolten. Mitglieder der Besatzung wurden gelyncht. Alle diese Revolten endeten blutig, manchmal auch mit dem Einsatz von Feuerwaffen. Die Anführer wurden in Gegenwart aller hingerichtet, ertränkt, oder bis aufs Blut ausgepeitscht. Manchmal schnitt man ihnen mit einem Messer die Hinterbacken auf und strich in die Wunden eine Mischung aus Piment und Essig. Der Anführer eines Hungerstreiks wurde getötet und den anderen Sklaven mit Gewalt als Mahlzeit vorgesetzt.« KI-ZERBO, J., a.a.O.: S. 226

[5] s LOTH, Heinrich: »*Sklavenhandel unter deutscher Flagge?*« in: BRENTJES, Burkhard (Hg): *Der Beitrag der Völker Afrikas zur Weltkultur,* Halle (Saale) 1977, S. 55

[6] BALD, D./HELLER, P./u.a.: a.a.O.: S. 39

[7] RODNEY, Walter: *How Europe underdeveloped Afrika,* London 1972, S. 181 Vgl. a. EpK (Hg), a.a.O.: S. 66

[8] MAMOZAI, Martha: *Herrenmenschen. Frauen im deutschen Kolonialismus,* Hamburg 1982, S. 45

[9] Vgl.ARENS,William: *The Man-eating Myth – Anthropology and Anthropophagy, NewYork* 1979: »Obwohl auf der Erde vereinzelt zu finden, war doch die große Mehrheit der einfachen Gesellschaften nie zu den Kannibalen zu rechnen, und selbst die wenigen verbleibenden Völker pflegten nur sehr selten Menschenfleisch zu essen.«
PIDDINGTON, Ralph: *An Introduction to Social Anthropology,* zitiert nach FÖHRBECK, Karla/WIESAND, Andreas J.: *Wir Eingeborenen. Magie und Aufklärung im Kulturvergleich,* Opladen 1981, S. 42

[10] HEGEL, Georg W.F.: *Vorlesungen über die Philosophie der Weltgeschichte Bd. 1,* Hamburg 1955, S. 225

[11] HEGEL, G.W.F.: *Werkausgabe Bd. 12,* hrsg. von MOLDENHAUER, Eva und MICHEL, Karl Markus, Frankfurt 1970, S. 120

[12] FANON, Frantz: *Die Verdammten dieser Erde,* Frankfurt 1981, S. 139

[13] Jean Paul Sartre schreibt über den Kolonisator: »So rechtfertigt sich die Unterdrückung durch sich selbst: Die Unterdrücker schaffen und erhalten mit Gewalt die Übel, die in ihren Augen den Unterdrückten mehr und mehr zu dem machen, was er sein müsste, um sein Schicksal zu verdienen. Der

Kolonisator kann sich die Absolution nur erteilen, wenn er systematisch die »Entmenschlichung« des Kolonisierten betreibt, das heisst, wenn er sich jeden Tag etwas mehr mit dem Kolonialapparat identifiziert. Der Terror und die Ausbeutung entmenschlichen, und der Ausbeuter ermächtigt sich selbst zu dieser Entmenschlichung, um weiter ausbeuten zu können.«
SARTRE, Jean P.: *Kolonialismus und Neokolonialismus,* Reinbek b. Hamburg 1968, S. 26

14 PETERS, C.: *Gesammelte Schriften,* hrsg. von FRANK, W., zitiert nach BALD, D./HELLER, P. u.a., a.a.O.: S. 85

15 ebd:S. 57

16 vgl. MAMOZAI, M., a.a.O.: S. 16

17 ebd: S. 140

18 BROCKMANN, Clara: *Briefe eines deutschen Mädchens aus Südwest,* zitiert nach MAMOZAI, M., a.O.: S. 145

19 BEAUVOIR, Simone de: *Das andere Geschlecht,* Reinbek b. Hamburg 1968, S. 13

20 Zu allen Zeiten gab es auch engagierte Feministinnen, die die Beseitigung von Sklaverei und jeglicher Ausbeutung als Teil ihres Kampfes gegen die Frauenunterdrückung begriffen. In Amerika waren es die engagierten bürgerlichen Frauen der weißen Frauenbewegung, die in vorderster Reihe der Antisklavereibewegung standen. Sie erkannten in der Unterdrückung der Schwarzen einen Teil ihrer eigenen Unterdrückung durch die Herrschaft der Männer, was allerdings häufig zu einer ungerechtfertigten Gleichsetzung von »Hausssklaverei« und Sklavenarbeit führte: »Sie scheinen... die Tatsache unbeachtet gelassen zu haben, dass die Gleichsetzung dieser beiden Einrichtungen stillschweigend miteinbegriff, dass die Sklaverei umgekehrt nicht schlimmer war, als die Ehe.«
DAVIS, Angela: *Rassismus und Sexismus. Schwarze Frauen und Klassenkampf in den USA,* Berlin 1982, S. 38

21 vgl. MAMOZAI, M. a.a.O.: S. 167

22 »Der Eingeborene, vor allem der Herero, steht nach dem Aufstand vielfach auf dem Standpunkt, er will keine Kinder zeugen. Er fühlt sich als Gefangener, was man bei jeder Arbeit, die ihm nicht passt, zu hören bekommt, und er will seinem Unterdrücker, der ihm die goldene Faulenzerei genommen hat, keine neuen Arbeitskräfte schaffen. Wer Gelegenheit gehabt hat, gerade bei den Hereros vor dem Aufstand die überaus kinderreichen Werften zu sehen und sich dann heute auf den meisten Farmen umblickt, dem wird der Unterschied sofort auffallen ... Dabei versuchen deutsche Farmer seit Jahren, diesem Missstand abzuhelfen, indem sie für jedes auf der Farm geborene Eingeborenenkind eine Prämie, etwa eine Mutterziege, aussetzen, aber meistens vergeblich.« *Brief eines Farmers 1912,* zitiert nach MAMOZAI, M., a.a.O.: S. 52.
Vgl. auch MAMOZAI, M., a.a.O.: S. 167 f.

23 BROCKMANN, Maria: *Die dt.Frau in Südwestafrika,* zit. n.: MAMOZAI, M. a.a.O.: S. 156

24 MAMOZAI, M., a.a.O.: S. 166

[25] *ms: Buch der deutschen Kolonien,* Leipzig 1934, zitiert nach BALD, D./HELLER, P. u.a., a.a.O.: S. 115

[26] NYERERE, Julius: *Erziehung zum Vertrauen auf die eigene Kraft,* Sonderbeilage in AFRIKA HEUTE Nr. 22/1967, S. 4

[27] ebd: S. 4

[28] 2! »Bei Aufstandsbeginn gab es rund 100.000 Hereros. Zum Schluss, nach der letzten amtlichen Statistik des Jahres 1913, noch 21.699. Diese werden enteignet.« PACZENSKY, G.v., a.a.O.: S. 60

[29] HAMMER, K.: *Weltmission und Kolonialismus,* München 1978, S. 244 f.

[30] ebd: S. 251 f.

[31] FABRI, Heinrich: »Die *Entstehung des Heidenthums*«, zitiert nach EpK (Hg), a.a.O.: S. 148

[32] aus den *Verhandlungen des deutschen Nationalkongresses,* zitiert nach BALD, D./ HELLER, P. u.a., a.O.: S. 115

[33] GALEGA, Bikai D. : *Bildung und Imperialismus in Schwarz-Afrika: Historische und sozio-politische Hintergründe,* Münster 1984, S. 87

[34] EMONTS, Johann: *Der armen Heidenkinder Freud und Leid. Ein Missionsbuch für unsere liebe deutsche Jugend,* Aachen 1923, S. 28 und 77

[35] vgl. MAMOZAI, M., a.a.O.: S. 95

[36] ebd: S. 113

[37] Bis zur Ankunft der Europäer war Prostitution in Afrika unbekannt. Vgl. hierzu MAMOZAI, M., a.a.O.: S. 77

[38] ebd: S. 113

[39] »Übrigens habe ich, als ich die kolonisatorische Praxis beurteilte, festgestellt, dass Europa sich mit sämtlichen eingeborenen Feudalherren, die sich bereitfanden, ihm zu dienen, aufs beste versteht; dass es mit ihnen eine niederträchtige Komplizenschaft eingegangen ist; dass es ihre Tyrannei nur noch wirklicher und wirksamer gemacht hat, und dass seine ganze Aktivität darauf abzielt, künstlich das Überleben gerade der ortsgebundenen Vergangenheiten zu verlängern, die am Verderblichsten waren.«
CESAIRE, Aimé: *Über den Kolonialismus,* Berlin 1968, S. 27

[40] MAMOZAI, M., a.a.O.: S. 20
Ihre Zitate sind aus KAHLE, Maria: *Deutsche Heimat in Brasilien,* Berlin 1937

[41] MANDELA, Winnie: *Ein Stück meiner Seele ging mit ihm,* hrsg. von BENJAMIN, Anne, Reinbek Hamburg 1984, S. 105

[42] die OAU wurde 1963 als politischer Dachverband der unabhängigen Staaten gegründet. OAU steht für »Organisation of African Unity«.

[43] GALEGA, B.D., a.a.O.: S. 244

[44] NAJMAN, Dragoljub: *Bildung in Afrika – Vorschläge zur Überwindung der Krise,* Wuppertal 1976

[45] In Tanzania wurde die Bildungsreform im Zusammenhang mit Veränderungen der gesellschaftlich-politischen Gesamtkonzeption vorgenommen. Vgl. dazu: NYERERE, J., a.a.O., und GALEGA, B.D., a.a.O.: S. 248 ff.

[46] NAJMAN, D., a.a.O.: S. 80

[47] FANON, Frantz: *Schwarze Haut, weiße Masken,* Frankfurt 1980, S. 95

[48] siehe die Originalausgabe: FANON, Frantz: *Peau noire, masque blancs,* Paris 1952, hier zitiert nach der deutschen Übersetzung, ders: *Schwarze Haut, weiße Masken,* a.a.O.: S. 105

[49] THIAM, Awa: *Die Stimme der schwarzen Frau. Vom Leid der Afrikanerinnen,* Reinbek b. Hamburg 1981, S. 105

[50] vgl. hierzu THIAM, A. a.a.O.

[51] DAVIS, A., a.a.O.: S. 11

[52] THIAM, A., a.a.O.: S. 108

[53] RICH, Adrienne: *Disloyal to Civilization,* in: RICH, *A. On Lies, Secrets and Silence. Selected Prose 1966-78,* New York 1979, S. 299

Afrikaner/innen und Afro-Deutsche in der Weimarer Republik und im Nationalsozialismus

[1] vgl. POMMERIN, Reinhard: *Sterilisierung der Rhemlandbastarde – Das Schicksal einer farbigen Minderheit 1918-1937,* Düsseldorf 1979, S. 7

[2] vgl. ebd: S. 12

[3] 5 HINDENBURG, Paul v.: *Aus meinem Leben,* zitiert nach POMMERIN, R., a.a.O.: S. 10

[4] vgl. MAMOZAI, Martha: *Herrenmenschen. Frauen im deutschen Kolonialismus.* Reinbek b. Hamburg 1982, S. 39

[5] POMMERIN, R., a.a.O.: S. 11

[6] BALD, D./HELLER, P./HUNDSDÖRFER, V./PASCHEN, J.: *Die Liebe zum Imperium. Deutschlands dunkle Vergangenheit in Afrika,* Bremen 1978, S. 175/76

[7] in: *Die Weltbühne* Nr. 16/1926 (22.Jg), zitiert nach EpK - Entwicklungspolitische Korrespondenz (Hg): *Deutscher Kolonialismus. Materialien zur Hundertjahrfeier 1984,* Hamburg 1983, S. 16

[8] *Verhandlungen der verfassungsgebenden Deutschen Nationalversammlung, Bd. 343. Anlagen zu den Stenographischen Berichten* Nr. 2676-3076. Berlin 1920, zitiert nach POMMERIN, R., a.a.O.: S. 16

[9] ZIETZ, Luise in: *Stenographische Berichte der Nationalversammlung vom 20. Mai 1920,* zitiert nach MAMOZAI, M., a.a.O.: S. 291

[10] ebd: S. 292

[11] Abgeordnete Ammann in: *Verhandlungen des bayerischen Landtags,* Tagung 1919/20, zitiert nach POMMERIN, R., a.a.O.: S. 23

[12] vgl. ebd: S. 24

[13] vgl. ebd: S. 25

[14] ls vgl. ebd: S. 28

[15] vgl. ebd: S. 28

[16] Hinter dem zunächst neutral erscheinenden Wort »Mulatte« aus dem portugiesischen »mula- to«, das bereits 1604 in den deutschen Sprachgebrauch

aufgenommen wurde, verbirgt sich die Vorstellung, »dass sich der Schwarze zum Weißen verhält, wie der Esel zum Pferd, und dass sie zusammen einen Hybriden hervorbringen, der unfruchtbar ist.«

[17] POLIAKOV, Leon/DELACAMPAGNE, Christian/GIRARD, Patrick: *Über den Rassismus,* Frank- furt-Berlin-Wien 1984, S. 64

[18] Das Schreiben des Pfalzkommissars Jolas ist in POMMERIN, R., a.a.O.: S. 92/93, abgedruckt.

[19] POMMERIN, R., a.a.O.: S. 32

[20] Ich konnte keine Hinweise finden, welche Länder in Betracht gezogen wurden und ob es zu solchen Maßnahmen in Einzelfällen gekommen ist. Anzunehmen ist, dass die Kinder in Länder ehemaliger Kolonien gebracht werden sollten, dass dies jedoch nicht der Aufmerksamkeit der ausländischen Presse entgangen wäre.

[21] HITLER, Adolf: *Mein Kampf,* zitiert nach POMMERIN, R., a.a.O.: S. 42

[22] POMMERIN, R., a.a.O.: S. 42

[23] MACCO, Hans: *Rassenprobleme im Dritten Reich,* zititiert nach POMMERIN, R., a.a.O.: S. 43

[24] Gesetze gegen freiwillige Sterilisation: §226 StGB §§219 und 220, zusätzlich zu §218 für Abtreibung, vom 22.5.1933. Gesetze zur Verhütung erbkranken Nachwuchses, GVeN, vom 14.7.1933; »ab 1935 gab es dann auch die »eugenische« Schwangerschaftsunterbrechung, formal gebunden an die Zustimmung der Frau, aber verbunden mit anschließender Zwangssterilisation.« BOCK, Gisela »*Zum Wohle des Volkskörpers... Abtreibung und Sterilisation im Nationalsozialismus*«, in: JOURNAL FÜR GESCHICHTE 2 (1980) Heft 6, S. 58

[25] ebd:S. 59

[26] *Stichworte für die Chefbesprechung am 21. November 1933 über die Rassenfrage,* zitiert nach POMMERIN, R., a.a.O.: S. 55

[27] vgl. POMMERIN, R., a.a.O.: S. 54

[28] Aus dem gleichen Grunde hatte Hitler angeordnet, gegen Frankreich gerichtete Plakate, die auf der Ausstellung »Deutsches Volk und deutsche Arbeit« 1934 gezeigt werden sollten und die »Vernegerung Frankreichs« beschworen, aus dem Verkehr zu ziehen. Vgl. dazu ebd: S. 64

[29] ebd: S. 66

[30] ebd: S. 48

[31] Sein Name soll hier besonders erwähnt werden, weil sich einige Untersuchungen aus der Nachkriegszeit weitgehend kritiklos auf seine Ergebnisse stützten. So z.B. KIRCHNER, Walter, in seiner Studie: *Untersuchungen somatischer und psychischer Entwicklung bei Europäer-Neger-Misch- lingen im Kleinkindalter unter besonderer Berücksichtigungder sozialen Verhältnisse,* Berlin 1952. Auf seine Untersuchungsergebnisse werde ich im folgenden Kapitel eingehen.

[32] POMMERIN, R., a.a.O.: S. 78

[33] *AufzeichnungRademachers zu R. 62669/41,* 4.12.1941, zitiert nach POMMERIN, R., a.a.O.: S. 83

Bildnachweis

Seite 16, 31, 33: BERLINER FESTSPIELE HORIZONTE 79 (Hg.): *Afrika. Texte, Dokumente, Bilder.* Wuppertal 1979. Seite 28, 56, 57: GRAUDENZ, Karlheinz/ SCHINDLER, Hans M.: *Die deutschen Kolonien.* München 1982. Seite 32, 47, 55: BALD, Detlef/HELLER, Peter/HUNDSDÖRFER, Volk- hard/PASCHEN, Joachim: *Die Liebe zum Imperium. Deutschlands dunkle Vergangenheit in Afrika.* Bremen 1978. Seite 42: MAMOZAI, Martha: *Herrenmenschen. Frauen im deutschen Kolonialismus.* Reinbek b. Hamburg 1982. Seite 44: SPRENGER, Ute:»*Sonnenkult*« *und* »*Pale-Look*«. *Von Hautbleichem und ihrer Anwendung.* Magazin für Ausländer und Deutsche. Berlin 1985/6. Seite 48: THEWE- LEIT, Klaus: *Männerphantasien, Bd. 1, Frauen, Fluten, Körper, Geschichte.* Hamburg 1980. Seite 50,53: BECKER, Jörg: *Alltäglicher Rassismus. Nordamerikanische Rassenkonflikte im Jugendbuch der Bundesrepublik Deutschland.* Frankfurt 1977. Seite 53: MACCIOCHI, Maria Antonietta: *Jungfrauen, Mütter und ein Führer. Frauen im Faschismus.* Berlin 1979. Seite 54: ELEFANTEN PRESS (Hg.): *Frauen unterm Hakenkreuz.* Berlin 1983

Unser Vater war Kameruner; unsere Mutter Ostpreußin, wir sind Mulattinnen

Die Schwestern Frieda P. und Anna G. (65 und 70 Jahre alt) erzählen aus ihrem Leben

Frieda: Wir hatten eine behütete Kindheit und haben nie empfunden, dass wir anders waren. Wenn Kinder uns nachschrien: »Neger« oder »Negerbabbi«, hat mich das nicht gekratzt. Ich habe einfach zurückgeschimpft: einen Jungen namens Gabriel »Erzengel Gabriel« gerufen, einen mit rundem Kopf »Glumskopp«; der Gabriel ist hinter mir her, hat mich an der Haustür erwischt und versohlt. Den habe ich nicht wieder geärgert.

Ich entsinne mich noch, als meine blonde Freundin und ich – etwa fünfjährig – unsere Händchen verglichen und uns wunderten, dass meine so braun und ihre so hell waren. Wir konnten uns das nicht erklären. Die Erwachsenen sagten auch nichts dazu, für sie war das ganz selbstverständlich. Ja, wir sind groß geworden wie andere Kinder auch.

In der Schule wurden wir höchstens bevorzugt. Als der Schularzt zu uns in die erste Klasse kam, sollten wir uns ausziehen. Das habe ich nicht gemacht; daraufhin hat mich die Lehrerin auf den Arm genommen, mir Schokolade in den Mund gesteckt und mich im Klassenzimmer hin- und hergetragen, weil ich so geheult habe. Ich sehe heute noch ihr weißes Spitzentuch vor mir, das ganz braun wurde, als sie mir den Mund abputzte. Das fand ich sehr interessant.

Anna: Unsere Mutter hat gesehen, dass Jungen und Männer schnell hinter farbigen Mädchen her waren, nur mal so zum Ausprobieren. Deshalb hat sie immer zu uns gesagt: »Bildet euch nichts ein, ihr seid genau wie die weißen Mädchen auch! Die meinen, ihr seid was besonderes, und wenn sie euch genossen haben – hepp. Seht euch vor!« Ich bin lange ungeküsst geblieben vor lauter Angst.

Die Eltern

Frieda: Und ich auch *(lachend).* Meine Freunde und ich haben bis 13, 14 noch an den Klapperstorch geglaubt und uns gefragt, wo die Kinder herkommen.

Anna: Unser Vater – und wir auch – waren in Danzig sehr beliebt und bekannt.

Frieda: Es gab ansonsten dort keine Afrikaner. Hin und wieder kam mal ein Frachter mit einem Farbigen drauf oder ein Zirkus. Mein Vater brachte sie alle mit nach Hause, und Mutter musste dann eine riesige Portion Gulasch mit Reis kochen. Das war für uns sehr schön, vor allem dieses Stimmengewirr, wenn sie sich afrikanisch unterhalten haben. Kamen sie nicht wie Vater aus Kamerun, haben sie englisch miteinander gesprochen.

Anna: Vater kam 1891 als 20jähriger mit noch zwei anderen Kamerunern mit der Wöhrmann* -Linie nach Hamburg. Die drei kamen aus den ersten Familien Kameruns und sollten auf Veranlassung des Kaisers Wilhelm II. in Deutschland ausgebildet werden.

Frieda: Vater sollte Medizin studieren, ist aber beim ersten Leichensezieren gleich umgefallen. Dann bot ihm ein Schuster eine Ausbildung an. Er hat Vater allerdings ins Schaufenster gesetzt, dort sollte er schustern. Ein schwarzer Mann war damals eine Sensation, alles rannte und drückte sich die Nase platt. Vater ist dort nicht wieder hingegangen und wurde Kaufmann.

Er hat geheiratet, und 1895 wurde seine erste Tochter geboren, sie ist 20 Jahre älter als wir. 1896 erwarb Vater für 50 Goldmark die deutsche Staatsbürgerschaft, die dann 1918, als Danzig Freistaat wurde, in die Freistaatsangehörigkeit umgewandelt wurde. Vater war kaisertreu und deutscher als viele gebürtige Deutsche.

Unsere Mutter hat Vater kennengelernt; er war geschieden, und 1914 haben die beiden geheiratet. Mutters Familie hat darauf sehr unterschiedlich reagiert: Ihrem Bruder war das egal, der war ganz nett und hat uns Kinder später auch verhätschelt. Ihre Schwester fand sich zunächst damit ab, und in der Nazi- Zeit meinte sie dann: »Du kannst ja kommen, aber deinen Mann und deine Kinder will ich nicht bei mir sehen.« Natürlich ist Mutter da nicht wieder hingegangen.

Unsere Großmutter wohnte in einem winzigen Dorf in Ostpreußen und war vollkommen entsetzt über die Heiratspläne ihrer Tochter. Sie kam auch nicht zur Hochzeit. Einen Schwarzen hatte sie noch nie in ihrem Leben gesehen, noch nicht mal von weitem. Nachdem Anna geboren war, schickte ihr Mutter ein Bild, auf dem Anna wie damals auf solchen Photos üblich posierte – das Hemdchen auf einer Seite aufgeknöpft, die Beine angezogen; einen Zeh hielt Anna ganz gekrümmt, woraufhin prompt unsere Großmutter erschien, voller Angst, dass das Kind verkrüppelt wäre und ein kaputtes Bein hätte. Um Vater hat sie zuerst einen großen Bogen gemacht, aber sie blieb bis zu ihrem Tod bei uns und wurde ein Herz und eine Seele mit ihrem schwarzen Schwiegersohn.

Vater mit Töchtern

Frieda P. und Anna G.

Vater war ein guter Familienvater, er hat mit uns gespielt und geturnt. Nach seinen Vorstellungen sollten wir erst ins Pensionat und dann heiraten. Aber wir hatten so unsere eigenen Gedanken, ich wollte Modezeichnerin werden, weil ich eine Begabung im Zeichnen hatte …

Anna: … und ich wollte Kinderärztin werden.

Wir stellen nur »Arier« ein

Anna: Im Herbst 1932 wurde Vater in unsere Schule – ein privates Mädchenlyzeum – beordert und ihm angetragen, uns von der Schule zu nehmen. Vater war so verschreckt, dass er dem sofort nachkam. Ich war damals kurz vor dem Abschluss. Als ich danach eine Lehrstelle suchte, hörte ich überall: »Was, Sie wollen bei uns arbeiten? Wir stellen nur Arier ein.« Eine gute Freundin, mit der ich vom ersten Schultag an zusammengewesen war, ließ mich wie eine heiße Kartoffel fallen. Später in Berlin wurden wir auf der Straße angespuckt und angerempelt, »Bastard«, »Mischling« geschimpft. Es war schlimm.

Endlich hatte ich eine Arbeit in einer Danziger Kunsthandlung gefunden, die mir sehr gut gefiel. Aber nach vier Wochen musste mich mein Chef entlassen, weil Geschäftsfreunde gedroht hatten, sich von dem Geschäft zurückzuziehen, wenn er mich behalten würde. Er war sehr zufrieden mit mir, und es tat ihm selbst leid.

Eigentlich hatte es schon 1927/28 angefangen …

Frieda: Aber nicht für uns, für die Juden. Zwei Nachbarjungs gingen damals schon in SA-Uniformen, jagten die Juden von der Straße und zerrten sie am Bart. In unserer Gegend wohnten viele Juden, sie waren aus Galizien und sonstwoher. Viele trugen Pajes.*

Unsere Mutter hat sich furchtbar darüber aufgeregt und die Nachbarsfrau gefragt, ob sie ihre Jungs nicht besser erziehen könnte. Aber es wurde immer schlimmer, für uns gingen 1932 die Querelen richtig los. Plötzlich sahen viele – vor allem die Zugezogenen aus dem sogenannten Reich –, dass wir anders waren. Wie Anna schon erzählt

* Schläfenlocken der frommen jüdischen Männer

hat, fingen sie übel an zu stänkern. Mit dem Erfolg, dass Vater in seiner Arbeit als Kaufmann behindert wurde; man hielt die Kaufleute an, nicht weiter bei ihm zu bestellen.

Kurz darauf erhielten wir vom Hauswirt die Kündigung für unsere 5- Zimmer-Wohnung. Wir hätten die Miete sicher auch nicht mehr lange tragen können, weil Vaters Geschäft inzwischen pleite gegangen war.

Anna: Danach arbeitete Vater bei einer jüdischen Firma, die enteignet worden war. Ein SS-Mann übernahm als Treuhänder das Geschäft und war so anständig, unserem Vater jede Woche die Provision für Nachbestellungen einiger seiner alten Kunden auszuzahlen. Das hätte er ja nicht zu machen brauchen. Ansonsten schleppte unsere Mutter vieles Gute ins Pfandhaus. So lebten wir.

Frieda: Es begann eine schwere Zeit. Mutter musste eine neue Wohnung suchen, weil Vater als Schwarzer keine bekommen hätte. Wir zogen in eine schlechte 3-Zimmer-Wohnung am Stadtrand, ein Zimmer wurde sogar untervermietet. Ich wurde in einer Mittelschule angemeldet, wo ich anfangs auch gerne gesehen war. Einige Lehrerinnen blieben zwar neutral und nett, aber andere machten mir ab 1933 das Leben sehr schwer.

Wenn ich manchmal von der Schule nach Hause kam, hat meine Mutter sofort gemerkt, dass etwas nicht stimmt: »Was ist denn passiert?« Und dann habe ich geheult, hat sie geheult, haben wir uns aneinander festgehalten. »Ach, die Menschen sind so roh, mit einem 14jährigen Kind sowas zu machen!«

Ich hatte an dem Fach »Rassenkunde« teilzunehmen und musste mir Slogans anhören wie: »Alle Weißen und Schwarzen hat Gott gemacht, die Mischlinge stammen vom Teufel«, oder: »Die Mischlinge können nur die schlechten Eigenschaften von beiden Rassen erben.«

Die Lehrerin zwang mich, zu der Ausstellung »Rasse und Volk« mitzugehen. Wenn meine Mutter hingeschrieben hat, von solchen Stunden möchten sie mich doch bitte befreien, kam die Antwort, das sei ein Schultag wie jeder andere auch, und das sei für alle Schulen so. Bei der Ausstellung wurden u.a. retuschierte Fotos von Münchner

Farbigen, die ich kannte, mit abgefeilten Zähnen und mit irrem Gesichtsausdruck gezeigt.

Zu einer Schiffsbesichtigung musste ich auch mal mit, obwohl ich nicht wollte. Nach der Straßenbahnfahrt mussten wir hinter der Fahne her marschieren, ich lief natürlich mit gesenktem Kopf. Kaum waren wir angekommen, rief mich die Lehrerin auf, drückte mir Fahrgeld in die Hand und sagte, dass ich nach Hause fahren müsste. »Es geht nicht, dass du als Nichtarierin hinter der Fahne mitmarschierst!«

Die Alpträume von der Schule bin ich erst 1974 losgeworden. Da war ich in Danzig und habe gesehen, dass die Schule bis auf die Grundmauern niedergebrannt war. Seitdem sind diese furchtbaren Träume weg. Mutter hat damals auch sehr gelitten, von seiten der Behörden wurde ihr sogar angetragen, sich scheiden zu lassen. Die meisten Freundinnen und Nachbarn haben uns plötzlich nicht mehr gekannt. Ich weiß nicht, wie die das für sich selbst verkraftet haben, uns einfach so fallengelassen zu haben. Es war ganz furchtbar für mich, als meine beste Freundin, mit der ich alles zusammen gemacht hatte – auf Heiratsannoncen geantwortet und was weiß ich noch alles für Dummheiten – als sie plötzlich auf der Straße einen roten Kopf bekam, sich umdrehte und wegging. Ich lief noch hinter ihr her und fragte: »Was ist denn los?« Aber die kannte mich nicht mehr. Als ich einmal in dem Geschäft, wo sie arbeitete, Fotoarbeiten abgab, musste sie mich bedienen. Sie tat so, als hätte sie mich nie im Leben gesehen.

Aus dem Deutschen Turnerbund wurde ich ebenfalls rausgeschmissen. Irgendwann erhielt ich von dem an sich sehr netten Riegenführer ein Schreiben, in dem stand, dass ich nicht mehr kommen durfte. Aus dem Mädchen-Bibelkreis wurde ich genauso rausgesetzt.

1936 schloss ich die Mittelschule ab, von 1936-39 versuchte ich, Arbeit zu finden. Es war einfach unmöglich. Aufgrund meiner Bewerbungen bekam ich zwar viele Zuschriften, aber sobald ich mich vorstellte, hieß es: »Nein«. In einem kleinen Nest fing ich als Kindermädchen an zu arbeiten, nur um etwas zu tun zu haben und damit zu Hause ein Esser« weniger war. Nach drei Tagen musste ich wieder gehen, weil der Bürgermeister mich gesehen hatte. Ich meldete mich für einen

Schreibmaschinenkursus bei der Arbeitsfront an. Einmal war ich da, danach wurde ich schriftlich aufgefordert, nicht mehr zu erscheinen – aber bezahlen durfte ich für den Kurs. Zu Hause auf unserer alten Schreibmaschine habe ich dann tippen gelernt, Steno konnte ich noch aus der Schule, und meine Schwester hat tüchtig mit mir geübt.

Zu guter Letzt wurde ich auf der polnischen Handelsschule angemeldet, dort konnte ich nicht bleiben, weil ich natürlich kein Polnisch sprach.

Die Adolfsche Zeit war die schlimmste, die man sich vorstellen kann. Man kann doch nicht plötzlich Menschen als »unwertes Leben« bezeichnen. Sie konnten uns zwar nicht einfach liquidieren, aber dulden wollten sie uns auch nicht.

Nach Kriegsbeginn wurden alle dienstverpflichtet, mich verpflichteten sie ab Dezember '39 als Lagerarbeiterin in einer Firma für Papier- und Bürobedarf. Im ungeheizten Lager hatte ich schwere Papierrollen zu wälzen. Dann hatte ich das große Glück, dass die Bürodame erkrankte und ich dank meiner Steno- und Schreibmaschinenkenntnisse ihren Posten übernehmen konnte. Der Chef hatte mich schon einmal abgelehnt, aber diesmal musste er mich nehmen.

Meine Vorgängerin wechselte zum Büro der Waffen-SS, dort war sie besser gestellt. Ich ging zwei Jahre später zu einer Tiefbaufirma. Bei der Einstellung guckte mich der Prokurist zwar komisch an, hat mich aber trotzdem engagiert – für 125 Mark netto, vorher hatte ich 65 Mark verdient. Später erfuhr ich, dass er gedacht hatte, ich sei vom Urlaub sonnenverbrannt, da meine Haare ja auch glatt waren. Der Chef war mit einer Halbjüdin verheiratet, die er nach Luxemburg in Sicherheit gebracht hatte. Ich bin dem Chef und dem Prokuristen heute noch dankbar, dass sie mich gegen alle Schikanen von seiten des Staates in Schutz genommen haben und mir alles zukommen ließen, was ich wollte, Sonderprozente, Lebensmittelkarten und andere Vergünstigungen.

Anna: 1938 habe ich in Danzig einen Landsmann unseres Vaters gehei ratet und bin mit ihm nach Berlin umgezogen. Mein Mann war damals gerade als Ringer auf Tournee, und als er in Danzig gastierte, lernte ich ihn kennen.

Frieda: Die Afrikaner in Berlin haben sich oft bei Vater gemeldet; die wussten, dass er zwei Töchter hat. Und nachdem einer sich meine Schwester geholt hatte, hörten sie, da ist noch eine. Aber mich haben sie nicht gekriegt. Sie schrieben an Vater, und der hat dazu gemeint: »Ich bin doch kein Heiratsbüro!«

Anna: In Berlin arbeitete ich in einer Buchbinderei. Nach dem Vorstellungsgespräch wurde ich erst aushilfsweise und später fest eingestellt. Was hat mich der Juniorchef schikaniert! Damals waren die Deutschen gerade in Paris einmarschiert. Er stellte sich vor mich hin und sagte: »Feste müssen's die Neger kriegen!« Meine Kollegen haben aber zu mir gehalten und ihn zurechtgewiesen.

Vater war 67, als sie uns die Pässe abnahmen

Frieda: Als 1939, gleich zu Kriegsbeginn, nach dem Motto: »Heim ins Reich« Danzig deutsch wurde, mussten wir unsere Danziger Freistaatspässe abgeben. Eineinhalb Jahre hatten wir überhaupt keinen Pass und konnten natürlich nirgendwo hin, danach wurden uns Fremdenpässe ausgestellt. Dieser Ausweis hat mich nachher bei den Russen gerettet.

Anna: Meinem Mann wurde die deutsche Staatsangehörigkeit damals auch aberkannt. Da Kamerun noch französische Kolonie war*, wandte er sich an das französische Konsulat und erhielt ohne weiteres die französische Staatsangehörigkeit. Somit wurde ich durch Heirat französische Staatsbürgerin. Wir mussten uns jede Woche bei der Polizei melden.

In Berlin hatten wir viel auszustehen. Als ich schwanger war, bekam ich zu hören: »Unser Führer legt keinen Wert auf solche Kinder.«

* Kamerun war von 1884-1918 deutsche Kolonie, 1918-1946 unter teilweise französischer, teilweise britischer Mandatsverwaltung, bis zur Unabhängigkeit im Jahre 1960 Treuhandgebiet der Vereinten Nationen.

Als unsere Tochter vier Jahre alt war, meldete ich sie im Kindergarten an, ich arbeitete den Tag über. Nach einer Woche durfte ich sie nicht mehr hinbringen, da den anderen Kindern nicht zugemutet werden konnte, mit einem »Negerkind« zu spielen.

Während des Krieges hatte mein Mann einen Schauspielvertrag nach München. Unsere Tochter war damals vier. Wir hatten zwei Zugplätze nebeneinander reserviert, damit das Kind sich zwischendurch schlafenlegen konnte. Auf einmal ging die Abteiltür auf, ein SA-Mann erschien in der Tür: »Du Neger mit deinem Bierarsch, mach mal Platz für die alte Dame!« Ich weiß nicht, woher ich die Kraft nahm, meinen Mann zurückzuhalten. Er wog immerhin zwei Zentner, der ging auf den SA- Mann los wie ein Tiger. Der Mann ist sofort verschwunden. Es ist nicht auszudenken, was alles hätte passieren können. Nach einer Weile sagte mein Mann: »Gnädige Frau, Sie können meinen Platz haben.« Sie hat aber abgelehnt.

Frieda: Vater hat sich sehr für seine Tochter aus erster Ehe eingesetzt, genauso wie für andere Mischlinge, wenn sie Ärger hatten. Z.B. für J. und M., die aus dem Schwimmbad gewiesen worden waren, weil die »lieben« Deutschen nicht in dem Wasser baden wollten, »wo Neger gebadet haben«. In der ersten Zeit hatte er dabei auch noch viel Hilfe durch Hin- denburg, den er wahrscheinlich noch aus der Zeit vor dem Krieg kannte, als er noch den Hof mit Kaffee und Zigarren belieferte.

Vater war in Danzig sehr beliebt und Ehrenmitglied der Bürgerwehr. Noch heute sprechen die alten Danziger mit höchster Achtung von ihm. Das ist ihm wahrscheinlich auch zugute gekommen, als der Gauleiter zu Besuch kam. Um zu unserem Haus neben dem altstädtischen Rathaus zu gelangen, hat er zwei SS-Absperrungen durchquert. Vater, ein großer, stattlicher Mensch, ging hin und sagte: »Einen Augenblick bitte, meine Herren«. Die SS ließ ihn sofort durch und auf der anderen Seite auch.

Mutter und ich hatten währenddessen hinter den Gardinen hervorgelugt; unsere Nachbarin kam schreckensbleich angerannt: »Um Gottes Willen, was wird jetzt geschehen?«

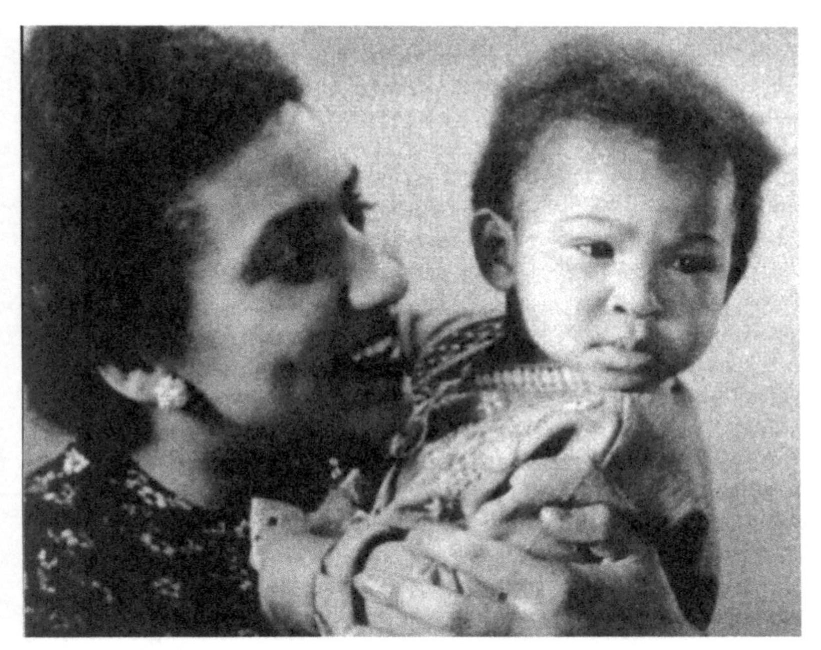

Anna G. und Tochter

Nachher wurde uns erzählt, der Gauleiter hätte gefragt, was das denn solle, und ihm war geantwortet worden: »Ach, das ist ein alter Afrikaner aus unserer Kolonie. Den kennen wir alle.« Das war alles.

Vater war 67 Jahre alt, als uns die Pässe abgenommen wurden. Er wollte unbedingt raus aus Deutschland und nach Kamerun zurück. Alles schien geregelt, er war untersucht und für »tropenverwendungsfähig« erklärt worden. Er musste nur noch einmal zum Kolonialamt; dort wurde ihm mitgeteilt: »Sie können fahren, wenn Sie für uns Propaganda machen.« Seine Antwort darauf war, das wurde uns nachher erzählt: »Aber meine Herren, wie stellen Sie sich das vor? Ich kann doch nicht für ein Land Reklame machen, das meine Farbe missachtet.«

Was daraufhin geschah, weiß ich nicht. Nachdem er das Amt verlassen hatte, bekam er jedenfalls auf der Straße einen Schlaganfall. Das war im Mai 1943.

Er hat sich davon auch nicht mehr erholt; es kam aber auch viel Hilfe von den Leuten. Jemand brachte zwei Eier, ein anderer ein

Stückchen Speck oder was sie sonst entbehren konnten. Alle dachten, Vater sei aus Hunger umgefallen. Es hatte sich rumgesprochen, dass wir die Polen- Lebensmittelkarten bekamen, wo so gut wie nichts zum Leben drauf war. Straßenbahnen und ähnliche Einrichtungen waren auch für Hunde, Juden und Polen verboten.

Als Vater im Juni 1943 starb, rissen die Totengräber entsetzt ihre Mützen vom Kopf und stammelten »der alte Herr«. Der Trauerzug war endlos, trotz der Nazis.

Viele wurden sterilisiert oder auch in Konzentrationslager verschleppt

Frieda: Vor Vaters Tod wurden wir noch ziemlich in Ruhe gelassen. Ab Herbst '43 begannen die Schikanen, ich musste z.B. andauernd zum rassenpolitischen Amt, dort musste ich meinen Pass vorlegen, dann konnte ich wieder gehen. Sie sagten, das sei zu unserem Schutz, weil wir doch Farbige wären.

Einem jungen Mann, den ich kennengelernt hatte, sagte ich zwar, er solle sich nicht mit mir auf der Straße blicken lassen. Er ließ sich aber nicht davon abbringen, mich nach dem Dienst nach Hause zu begleiten. Eines Tages wurde er dafür eingesperrt, nachdem er auch noch gesagt hatte: »Ich tue meine Pflicht, und mein Privatleben geht keinen was an.«

Nach drei Tagen erschien er wieder ganz vergnügt und erzählte, eine Schabe hätte ihm die Zeit vertrieben, er hätte sie immer in einer Tischritze hin- und herlaufen lassen. Aus der Inhaftierung hat er sich überhaupt nichts gemacht und kam wieder frisch-fröhlich zu uns. Damals sollte ich auch sterilisiert werden. Dazu fuhren sie mich in die Frauenklinik, ich habe unterwegs fürchterlich geweint. Einer der Männer wollte mich trösten und redete pausenlos auf mich ein. Warum, weiß ich nicht. Er brachte mich in die Klinik rauf und ließ mich dann laufen. Gerade weil ich sterilisiert werden sollte, war ich später so dankbar für meine beiden Kinder. Meine Tochter hatte ausgerechnet blonde Haare und blaue Augen. Ich hätte sie gerne Hitler gezeigt und ihm gesagt: »Hier ist ein deutsches Mädchen, aber nicht für dich!«

Anna: Viele Farbige wurden sterilisiert, Gerda, Hanna... Christel war von ihrer Mutter in einem Kloster bei Köln versteckt worden. Dort haben sie sie rausgeholt und auch sterilisiert. Unseren Neffen auch. Nach dem Sterilisieren wurde er sofort nach Hause geschickt, er durfte sich noch nicht mal ausruhen.

Frieda: Eine andere Bekannte kam 1943 zur Entbindung nach Danzig. Sie erwartete ein Kind von einem Mulatten. Das wusste in ihrer Heimat jeder, und sie befürchtete Repressalien. Nur unsere Mutter durfte sie in der Frauenklinik besuchen, wir konnten uns da nicht blicken lassen. Das Personal hat sowieso schon geguckt, weil das Kind so dunkel war. Und gefreut haben sie sich: »So ein süßes Kind!« Danach wollte die Bekannte heiraten, hatte sich untersuchen lassen, alle Formalitäten erledigt und den Arzt gefragt. Sie war ganz glücklich. Dann musste sie noch zum Standesamt, wo sie zu hören bekam: »Gibt es keine weißen Männer? Muß es ausgerechnet ein Neger sein?« Damit war die Heirat hinfällig.

Wir wussten, dass die Juden in Lager kamen. Ein Schiff voll besetzt mit Juden haben sie auf der Ostsee gesprengt, die Schreie und die Verzweiflung waren bis zu uns zu hören. Wir haben auch oft erlebt, wie Mischlinge in KZs gebracht wurden. Unsere Freundin S., eine Mulattin, und ihr Mann, ein Holländer, wurden abgeholt, zwei Tage später die Mutter von S. Ihnen wurde alles mögliche vorgeworfen: »Schwarzhören«, »Mischehe« und, und, und. Jedenfalls haben sie die Eltern und die Großmutter weggeschleppt und das Kind allein in der Wohnung zurückgelassen. Den Nachbarn wurde auch noch gesagt, wehe, wenn sie sich um den Kleinen kümmern. Sie sind aber trotzdem am nächsten Morgen von Bromberg nach Danzig gekommen, um uns Bescheid zu geben. Ich bin dann zu dem Jungen und bin auch mehrmals mit ihm auf dem großen Wall entlang dem KZ gegangen. Ich habe ihn hochgehoben und hoffte, dass S. ihn sehen konnte, wenn sie sich am Fenster hochrecken würde. Wie S. später erzählte, hat sie sich auf unseren alten Erkennungspfiff hin wirklich am Fenster hochgezogen und uns gesehen.

Dann war ich so blöd und habe im KZ Bromberg um Sprecherlaubnis gebeten. Ich wollte wissen, ob ich den Jungen behalten oder an seinen Onkel nach Berlin geben sollte. Ein Mann sagte gleich zu mir: »Ich will Ihnen eins sagen, machen Sie, dass Sie hier wegkommen, so schnell Sie können, damit es Ihnen nicht genauso ergeht.« Das war 1943, ich wusste zwar von den Lagern, dachte aber immer noch: »Ich habe doch nichts gemacht.« Und außerdem war das Bromberg, und ich war in Danzig.

S.s Mann ist zusammen mit einem Polen im Februar '45 getürmt, als die KZler von Bromberg nach Stutthof bei Danzig verlegt wurden. Die Front kam immer näher. Die beiden kamen dann sehr krank zu uns nach Danzig. Wir haben sie gesund gepflegt und bis zum Kriegsende bei uns versteckt. Nach dem Krieg erfuhren wir von ehemaligen Gefangenen, dass S. mit Beulenpest im KZ-Graben liegengelassen worden war. Die Russen haben sie aber gesundgepflegt, und eines Tages stand sie vor der Tür.

S.s Mutter blieb verschollen, S. selbst starb 1953 an den Folgen eines Nierenleidens, das sie sich im KZ zugezogen hatte.

Zwangsarbeit und »Kettenhunde«

Frieda: Anfang 1945 haben mich die sogenannten »Kettenhunde« aufgrund meines Aussehens aufgegriffen und auf eine Werft gebracht. Dort musste ich Rohre schleppen.

Meiner Mutter hatten Passanten, die es beobachtet hatten, erzählt, dass mich die »Kettenhunde« mitgenommen hätten. Niemand konnte wissen, was mit mir geschehen würde. Es war furchtbar für meine Mutter. Nach etlichen Tagen Zwangsarbeit waren wir außerhalb der Werfttore, als ein Fliegergroßangriff kam. Als die Tiefflieger nahten, stob alles auseinander, und viele sind abgehauen, ich auch. Erst bin ich zu einer Bekannten, die mir erklärte, sie könnte mich nicht reinlassen, weil sie gerade auf dem Sprung zu ihrer Schwester nach Zoppot sei. Den Tag über hielt ich mich dann in der Zeughaus-Passage auf. Nachdem ich mich bei den Nachbarn erkundigt hatte, ob die Luft rein war, bin ich dann abends nach Hause. In der Wohnung war noch ein Zimmerchen, dessen Tür man gut mit einem Schrank verstellen konnte. Dort blieb ich erst mal.

Auf der Werft hatte ich mir – wir mussten auf Steinfußboden und etwas Stroh schlafen – eine greuliche Lungenentzündung geholt. Es war ein kalter Winter, und ich war nicht an schwere Arbeit im Freien gewöhnt. Meine Mutter hat mich gepflegt, so gut sie konnte, einen Arzt trauten wir uns nicht zu holen. Leider habe ich davon kaputte Bronchien zurückbehalten. Als sich eine Weile lang niemand meldete, bin ich wieder aus meinem Versteck aufgetaucht.

Die »Kettenhunde«, eine Sondereinheit der Wehrmacht, waren Landjäger mit Schirmmützen mit Halbmonden und Nummern drauf. Sie marschierten durch die Straßen und sammelten alle Verdächtigen ein, suchten Deserteure, Fremdarbeiter usw. Mit dem Aufhängen, auch ihrer eigenen Deserteure, waren sie schnell bei der Hand.

Einmal sah ich abends in der Nähe vom Krantor etwas am Baum hängen. Neugierig wie ich bin und kurzsichtig dazu, lief ich hin, um nachzusehen, was das sei. Da hing ein Mann mit einem großen Schild um den Hals gebunden »Ich bin ein Verräter«. Das kam oft vor. Wenn sie Leute zum Arbeiten brauchten, haben sie sich einfach ein paar ohne Ausweis von der Straße geholt – ich hatte ja auch nur einen Fremdenpaß.

Für ihre Kolonialfilme brauchten sie uns

Anna: Mein Mann war Schauspieler und bei der Ufa ein Star. In der Hoffnung auf Wiedererlangung der alten Kolonien nach Kriegsende wurden viele Kolonialfilme gedreht: u.a. »Dr. Carl Peters« mit Hans Albers, »Quax in Afrika« mit Rühmann. Dazu brauchte man Farbige. Wir wurden engagiert, und die Gagen waren gut. Wir sind dadurch viel ins Ausland gekommen. Sämtliche Schauspieler und einfach alle waren sehr nett zu uns. Es waren bestimmt keine Nazis.

Vorm Nachhausfahren graute uns immer. Aber wo hätten wir hin sollen? Es war Krieg, und wir sind hier verwurzelt. Trotz allem.

Frieda: Ja, ab '38 bin ich zu den Filmen nach Berlin gekommen. Da lernte ich dann die Landsleute kennen – Landsleute –, so bezeichnen wir Alten uns noch heute. Vorher kannte ich ja keine.

Bei der Filmerei war es sehr gemütlich. In den Pausen nahmen die Afri kaner oft ihre Trommeln, und wir sangen vor den Ateliers. Aus allen Produktionen kamen die Leute gelaufen und hörten begeistert zu. Nach 1933 waren kaum Afrikaner und Afrikanerinnen zurückgekehrt. Was sollten sie in Afrika? Wer hätte ihnen die Fahrt bezahlt? Also schlugen sie sich beim Film und im Zirkus durch. Sie standen Reklame für einen Zirkus oder einen Afrika-Film; als Attraktion vorgeführt wurden sie nicht, aber sie haben eben alle Arbeiten übernommen. Wenn sie nicht gerade beim Film beschäftigt waren, haben sie z.B. auf Jahrmärkten Riechwasser und anderes verkauft. Es gab immer etwas zu tun, die alten Afrikaner haben nicht schlecht gelebt. Es gab auch Farbige, die unbedingt weiß sein und mit uns nichts zu tun haben wollten. Eine Frau z.B. mochte sich nicht mit uns allen zusammen zum Drehort fahren lassen.

Wir haben gut verdient, uns gefreut und uns nicht allzuviele Gedanken gemacht. Höchstens, dass uns zwischendurch immer wieder einfiel, dass sie uns Mischlinge beim Filmen gut einkassieren könnten, alle auf einmal. Aber wo hätten sie dann wohl neue Afrikaner hergeholt? Einmal wurden sogar 200 bis 250 schwarze Kriegsgefangene geholt, weil sie bei einem Film Volk brauchten. Ansonsten auch schwarze Kriegsgefangene aus den USA. Die armen Kerle waren froh, dass sie bei uns waren, da bekamen sie zu essen, durften Fußball spielen und wurden gut behandelt. Wir haben auch Geld zusammengelegt und für sie eingekauft.

Natürlich war das beim Film eine Inselsituation, Juden durften schon nicht mehr auftreten. Wer nicht ins Lager kam, hat aber alles nicht so mitbekommen. Wir haben sehr gut verdient – drei, vier Wochen jeden Tag 25 oder 35 Mark, erhielten Lebensmittelkarten, Schwerstarbeiterkarten. Die Arbeit war nicht schwer, wir mussten bloß da sein, das war alles.

Es war fröhlich und gemütlich: keine Politik, keine Nazis, nur fröhliche Menschen. Wir waren alle zusammen – jüngere und ältere Afrikaner/innen, die heute überall verstreut in Deutschland leben.

Viele sind auch in den Kriegsjahren umgekommen. In München, Hellabrunn, Prag und Babelsberg wurde viel gedreht. Gestern lief im Ostfernsehen wieder ein Film »Wasser für Canitoga«, da war Annas Mann dabei. Wenn ich nach den Dreharbeiten wieder zurück nach Danzig kam, wo außer Vater keine Afrikaner wohnten, habe ich nichts vermisst. Ich konnte mich immer einstellen, einmal war ich schwarz, einmal war ich weiß. Aber meistens war ich Mulattin.

Kriegsende und Nachkriegszeit

Frieda: Der Mann unserer Freundin, den wir bei uns versteckt hatten, wurde, da er Holländer war, beim Einzug der Russen von uns getrennt und nach Bromberg zurückgeschickt. Da Danzig total ausgebombt wurde, zogen Mutter und ich – teils zu Fuß, teils mit dem Zug – auch nach Bromberg. Wir machten uns Sorgen um Anna in Berlin und sie um uns. Eines Tages hörte ich es schießen und rannte in den Hof hinaus. Ich hatte mir gerade die Füße gewaschen und trug die großen Latschen von Papa Katlewski. Ein Russe kam über den Zaun und rief: »Der Krieg ist zu Ende!« Er nahm mich bei der Hand und rannte mit mir los. Unser Holländer kam hinterhergerannt und griff meine andere Hand. So lief ich zwischen den beiden zum Wolloschin-Platz (Platz der Freiheit). Dort ließ der Russe mich wieder los und fing an, vor Freude wild um sich zu schießen. C. und ich suchten schnell das Weite. Eine Nachbarin hatte die Szene beobachtet und gleich meine Mutter informiert: »Ein Russe hat eben Frieda mitgenommen!« Mutter fiel vor Schreck um und musste fünf Wochen liegen.

Mutter und ich waren nach der Flucht aus Danzig sehr ängstlich. Die Leute hielten uns in einem Zimmer versteckt, vor dessen Tür ein Schrank geschoben wurde. Jede hatte zwar ein Bett, wir schliefen aber vor Angst zusammengekauert in einem.

Da Mutter nur deutsch sprach und all ihre Papiere verbrannt waren, wollten ihr die Polen nicht glauben, dass sie meine Mutter war. »Eine Deutsche, also weg mit ihr«, dachten damals verständlicherweise viele Polen. Sie hatten mit den Deutschen ja auch Fürchterliches

Das Familienfoto, das der Mutter das Leben rettete

erlebt. In meinem Ausweis fand ich noch ein Familienphoto als Beweis, das hat Mutter das Leben gerettet.

Da wir weder Polnisch konnten, noch etwas zu essen hatten, zogen wir zu dritt, mit S., eine Musik- und Tanzgruppe auf. Ich – als Büroschemel – musste Steppen und Akrobatik lernen. Immerhin verdienten wir jeden Abend 2.000 Zloty, genug um morgens gleich schön mit Eiern und Würstchen zu frühstücken.

Im November '45 haben wir uns heimlich aus Bromberg geschlichen, uns eine Ausreiseerlaubnis geschrieben und die auf dem Amt heimlich abgestempelt. C., der Holländer, hat die Bürokraft abgelenkt, ich habe gestempelt. Als wir damit Fahrkarten kaufen wollten, hieß es, auf der Ausreiseerlaubnis müsste ein Bild sein – also das Ganze noch einmal. Was haben wir für eine Angst ausgestanden! Damals zogen wir nach Berlin. Die Tanztruppe lief weiter, mit Weißen, Schwarzen und verschiedenen Ausländern. Alles durcheinander gewürfelt. Zum Auftreten mussten wir mindestens zu zehnt sein, manchmal waren wir auch bis zu fünfzig und gingen auf Tournee. 1947 lernte ich meinen Mann, einen Berliner, kennen.

Anna G. und ihr Mann

Frieda P. und ihr Mann

Er machte in unserer Gruppe Musik. 1948 war meine Tochter unterwegs, und ich bin im sechsten Monat immer noch gesprungen und habe gesteppt wie verrückt. Mein lieber Mann sagte: »Du springst nicht mehr! Ich verbiete dir das.« Am selben Abend fand im Alu-Palast in Hannover ein Fest mit der versammelten Hautevolee statt. Meine Cousine meinte, vielleicht könnten wir durch einen Auftritt dort auch andere Engagements bekommen. – Also bin ich wieder aufgetreten. Mein Mann wartete hinter den Kulissen, bis ich fertig war, dann fuhr er mich mit der Taxe nach Hause. Damit war Schluss der Vorstellung für mich.

Mit dem Filmen hörte ich Anfang der 60er Jahre auf. Morgens früh aus dem Haus, abends Rollen lernen, es war einfach zu viel, und die Familie kam zu kurz. Nach »Die kleinen Füchse«, »Die Teestunde«, »Die beste Freundin« u.v.a. war Schluss.

Mein kleiner Sohn hat bei »König Drosselbart« mitgespielt. Eine Schauspielerin fütterte ihn dabei mit soviel Konfekt, dass er wochenlang kein Konfekt mehr sehen konnte.

Anna: Wir mussten uns jede Woche bei der Polizei melden. Da ich

Die Tanztruppe »Südseezauber«

noch die französische Staatsbürgerschaft hatte, brauchte ich eine Arbeitserlaubnis, und das Stempelgeld wurde mir gestrichen. »Die Deutschen kriegen in Frankreich auch keins,« hieß es. Nachdem ich eine Eingabe gemacht hatte, bekam ich Sozialunterstützung.

Es war damals schwer als Ausländerin, der Rassenhaß saß ja noch drin. Erst war ich nicht arisch, dann Ausländerin, also keine Arbeit. Später arbeitete ich bei der GEMA; dort hieß es: »Muß es denn eine Schwarze sein? Gibt es nicht auch andere?« ’47 beantragte ich wieder die deutsche Staatsangehörigkeit. Und 1963 habe ich sie endlich erhalten. Dabei wurde ich auch noch gefragt, ob ich eine Quittung darüber hätte, dass ich sie verloren habe. Welch ein Irrwitz! Einen Deutschaufsatz musste ich schreiben, um zu beweisen, dass ich fehlerfrei schreiben konnte. Mein Taufschein und alle anderen Papiere galten nichts; ich wurde behandelt wie eine Fremde. Ich weiß auch, warum sich das so lange hingezogen hat: Weil ich nämlich von Rechts wegen Deutsche bin, und sie mir deshalb eine Entschädigung hätten zahlen müssen.

Frieda: Nach dem Krieg wollten wir raus aus Polen nach Deutschland. Da boten uns die Russen eine Freifahrkarte nach Afrika an …

Während der Aufnahmen zu dem Film »Zehn kleine Negerlein«, in Berlin an der Krummen Lanke

Anna G. (links) und Frieda Ps Sohn (vorne rechts) in dem Film »Tante Wanda aus Uganda«

Anna: … von Bromberg nach Afrika! *(schallendes Lachen)*

Frieda: Unsere Mutter war immer Deutsche gewesen, konnte kein Wort Französisch – für sie mussten wir nach dem Krieg ebenfalls die deutsche Staatsbürgerschaft beantragen. Es dauerte Jahre und Jahre. Dann musste sie aufs Ausländeramt, um zu zeigen, dass sie einwandfrei deutsch spricht. 1957 wurde sie schwer krank, da habe ich beim Amt angerufen: »Meine Mutter ist schwer krank, sie hat nicht mehr lange zu leben, und ihr einziger Wunsch ist noch, als Deutsche zu sterben.«

»Ja, machen wir, wir beeilen uns«, war wie immer die Antwort. Als ich mich im November '58 zur Beerdigung fertig machte, klingelte das Telefon: »Sie können die deutschen Papiere für Ihre Mutter abholen.« Ich bin nie hingegangen, die Papiere schmoren dort immer noch.

Anna: Hin und wieder fahren wir zum Danzig-Treffen, aber nicht wegen der Propaganda, die jetzt gemacht wird. Wir wollen unsere Bekannten treffen.

Frieda: Nach der Nazizeit haben sich die Anfeindungen gegen uns schnell gelegt. Vergessen kann ich vieles nicht, was damals war, aber todunglücklich bin ich auch nicht mehr. Es ist vorbei, und ich möchte am besten nichts mehr davon wissen.

Hin und wieder werde ich auf Englisch angesprochen, aber das ist nicht böse gemeint. Eines Tages saß ich mit meiner Großnichte im Arm im Bus; die Kleine schmuste mit mir. Da hörte ich eine Frau zu ihrer Nachbarin ganz gerührt sagen: »Sieh mal, die haben ihre Kinder auch so lieb.« So gedankenlos können Leute sein. Sie meinte es ganz herzlich.

»Negerkuss« oder »Mohrenkopf« ärgern mich auch nicht, dabei denke ich mir nichts. In der schlimmen Zeit hat Vater die sogar mal verkauft. Auch Sarotti-Mohr habe ich nie als Schimpf empfunden – für uns ist das wie Luisenkuchen oder etwas ähnliches. Ich bin irgendwie darüber hinweg. Aber wenn ich an Südafrika denke, könnte ich in die Luft gehen. Dort ist es wie im Faschismus. Ein Farbiger hat von der Straße zu gehen, wenn ein Weißer daherkommt. Ich würde mich dort engagieren, soviel ich könnte, ohne Rücksicht auf Verluste.

Früher wurde ich oft gefragt, ob ich einen Schwarzen oder einen Weißen heiraten würde. »Das ist mir egal, Hauptsache, es ist ein anständiger Kerl«, habe ich dann immer geantwortet. Dazu meinten viele: »Mein Gott, nach allem, was du durchgemacht hast, kannst du doch keinen Weißen heiraten.«

Mein Mann und ich leben unbehelligt. Inzwischen sind wir glückliche Großeltern, und niemandem fällt auf, dass ich etwas anders aussehe. Alle kommen gerne zu uns zu Besuch. Unsere Kinder hatten auch keine Schwierigkeiten, es gab noch andere farbige Kinder zum Spielen oder in den Klassen. Kindern ist es doch egal, ob sie farbig sind oder nicht, wenn sie nicht von Erwachsenen in eine andere Richtung beeinflusst werden. Ein Nachbarsjunge sagte mal zu meinem Sohn: »Du bist ja ein Neger.« Worauf er seelenruhig antwortete: »Na und, weeß ick ja.« Dann haben sie weitergespielt; die beiden waren ganz dick befreundet. Nein, wir haben hier keine Schwierigkeiten mehr. In den Schulen beider Kinder waren wir im Elternbeirat und bei verschiedenen Vereinen im Vorstand. Ab 1976 hatten wir einen weißen deutschen Jungen in Pflege, den wir vom 10. Lebensjahr bis zur Volljährigkeit betreut haben, in vollem Einverständnis mit den Vormundschaftsstellen. Er lebt jetzt in Westdeutschland, besucht uns aber so oft er kann. Wir sind »seine Familie«. Viele Freunde und Freundinnen unserer Kinder sind bei uns ein und aus gegangen und freuen sich heute noch, wenn sie uns sehen. Alle drei Kinder haben nie einen Hehl daraus gemacht, dass ihre Mutter eine Mulattin ist. Ich war immer gern Mulattin, auch in der bösen Zeit, und habe Schwarz und Weiß in mir stets gut verkraften können. Ich erinnere mich, wie eine Kollegin mich in den 40er Jahren einmal fragte, ob ich denn sehr unglücklich sei, als Mulattin leben zu müssen. Meine Freundin, die weiß war, und ich sahen uns verständnislos an. Ich sagte: »Nein, weisst du, was ich bis jetzt schon erlebt habe aufgrund meiner Abstammung, das wirst du in deinem ganzen Leben nie erfahren.«

Afro-Deutsche nach 1945 – Die sogenannten »Besatzungskinder«

Nach dem Zweiten Weltkrieg war von den seit 1919 und früher geborenen Afro-Deutschen kaum noch die Rede. Sie wurden zu einer kleinen übersehenen Minderheit, von der fraglich bleibt, wieviele den Nationalsozialismus überlebt und welche Folgen sie davongetragen haben. Eyferth/Brandt/Hawel stellten dazu 1960 fest:

> »Nach dem Ersten Weltkrieg wurden etwa 800 Kinder farbiger französischer Soldaten geboren. Von ihnen leben nur noch sehr wenige in Deutschland. Viele scheinen ausgewandert oder früh gestorben zu sein.«[1]

Überlebende Afro-Deutsche und Asiatisch-Deutsche erhielten – ähnlich vielen anderen verfolgten Minderheiten – nach Kriegsende keine Anerkennung als politisch und rassisch Verfolgte und wurden von »Entschädigungsleistungen« ausgenommen. Im Gespräch mit Peter Schütt bemerkte Fasia Jansen, die im Nationalsozialismus als Tochter eines Liberianers und einer Deutschen Ausbildungsverbot erhielt und in einer Küche arbeiten musste, wo aus Abfällen »Essen« für Kriegsgefangene und KZ-Häftlinge gekocht wurde:

> »Der Begriff der ›rassisch-Verfolgten‹ wurde ziemlich schnell auf die Juden eingegrenzt, und von den übrigen Opfern des Rassismus, den Zigeunern, den Polen und Russen und eben auch von uns Schwarzen war bald nicht mehr die Rede.«[2]

In den 50er Jahren bemühten sich die aufkommenden Sozialwissenschaften, die Situation von afro-deutschen Kindern der Geburtsjahrgänge ab 1946 zu erforschen. Ziel fast aller Studien war, Eingliederungshilfen zu geben und auf mögliche Integrationsschwierigkeiten wie Vorurteile und/oder soziale Notlagen aufmerksam zu machen.

Auffällig ist der oft religiös-moralisierende Unterton, mit dem auf das Vorhandensein dieser spezifischen Gruppe von Kindern aufmerksam gemacht wurde. Häufig signalisierten bereits die Überschriften sentimentale Besorgnis, wie z.B. M. Frankes »Verantwortung für unsere Mischlingskinder«[3] oder M. Baumeisters »Die kleinen Mischlinge. Eine ernste Frage an uns alle«. Der letzte Aufsatz gipfelte in der frag würdigen Aussage, dass »wir es als unsere menschliche und christliche Aufgabe betrachten (müssten), diesen von der Natur benachteiligten Kindern Helfer zu sein.«[4] Während sich einige Untersuchungen, wie beispielsweise die von Eyferth/Brandt/Hawel oder von Frankenstein,[5] bemühten, die sozialen und psychischen Umstände in Betracht zu ziehen, die die Einstellungen zu den Kindern und damit ihr Fremd- und Selbstbild bestimmten, sahen andere bereits in der tatsächlichen oder vermeintlichen Andersartigkeit der Kinder eine »naturhafte Benachteiligung«.

Auch in der Wochenzeitung »Das Parlament« erschien 1952 ein entsprechender Artikel mit der Überschrift: »Was wird aus den 94.000 Besatzungskindern?« Dabei ging es um eine Ausschussberatung im Bundestag, die sich auf Anfrage der SPD mit der rechtlichen Situation der unehelich geborenen Kinder befasste. In dieser Sitzung wurde die Gruppe der Afro-Deutschen als »Sonderproblem« beurteilt:

> »Eine besondere Gruppe unter den Besatzungskindern bilden die 3.093 Negermischlinge, die ein menschliches und rassisches Problem besonderer Art darstellen. …
> Die verantwortlichen Stellen der freien behördlichen Jugendpflege haben sich bereits seit Jahren Gedanken über das Schicksal dieser Mischlinge gemacht, denen schon allein die klimatischen Bedingungen in unserem Lande nicht gemäß sind. Man hat erwogen, ob es nicht besser für sie sei, wenn man sie in das Heimatland ihrer Väter verbrächte… ,«[6]

Dass hier Afro-Deutsche aufgrund ihres andersartigen Erscheinungsbildes von vornherein als »menschliches und rassisches Problem besonderer Art« beurteilt wurden, gibt sehr zu denken. Darin kam eine Einstellung zum Ausdruck, die eventuell auftretende Integrationshemmnisse auf eine vermeintliche »Problemgruppe« projizierte, anstatt auf die mangelnde Toleranz der Bevölkerungskreise hinzuweisen, die aufgrund ihrer bewusst oder unbewusst rassistischen Einstellungen die tatsächlichen Problemgruppen darstellten, die intensiver pädagogischer und psychologischer Betreuung bedurften.

> »Die Tatsache, dass die Situation der farbigen Kinder in Deutschland zu besonderen Überlegungen und Untersuchungen Anlass gibt, ist bedauerlich. ... Die deutsche Öffentlichkeit vermag es ohne Zweifel noch nicht, eine von Rassenvorurteilen freie Haltung einzunehmen. Es wäre eine schwache Entschuldigung, anzuführen, dass auch einige andere Völker schwere Rassenprobleme haben. Nur ein lange währender Erziehungsprozess wird die Tradition auflösen können, die uns immer noch an die Höherwertigkeit unserer eigenen Rasse glauben lässt.«[7]

Eine Verfrachtung afro-deutscher Kinder ins Ausland mit dem Hinweis, dass ihnen bereits die klimatischen Bedingungen nicht gemäß seien, war der bequemste Versuch, eine Auseinandersetzung zu vermeiden, die bereits zur Zeit der Rheinlandbesetzung nach dem Ersten Weltkrieg angestanden hätte.

In wenigen Fällen gelang es, nach dem Zweiten Weltkrieg geborene Afro-Deutsche in ausländische Familien zur Adoption zu vermitteln. In der obengenannten Parlamentsdebatte konnte eine CDU-Abgeord- nete nur von einem Kind berichten, das das Pariser Rote Kreuz nach Casablanca vermittelt hatte, und sie kam zu der Feststellung:

> »Diese Mischlingsfrage wird also ein innerdeutsches Problem bleiben, das nicht einfach zu lösen sein wird. Wir müssen die Aufmerksamkeit der deutschen Öffentlichkeit auf diese Frage lenken, da zu Ostern 1952 die 1946 geborenen Mischlinge

> eingeschult werden. Allerdings ist es völlig indiskutabel, die Aufmerksamkeit der Öffentlichkeit in der Form auf diese Frage zu lenken, wie es in der Karnevalszeit in einer Stadt geschah, in deren Rosenmontagszug man einen Wagen sah mit der Beschriftung ›Made in Germany‹. Auf ihm standen deutsche, als Mulatten zurechtgemachte Kinder.«[8]

Befragungen von Eyferth/Brandt/Hawel, L. Frankenstein und andere Umfrageergebnisse zeigen, dass vor allem drei Vorurteile gegen die sogenannten »Besatzungskinder« gerichtet wurden:

1. Ressentiments gegen die feindliche Besatzungsmacht, die als nationale Vorurteile auf die sichtbar von den »Eindringlingen« abstammenden, schwarzen Kinder besonders schnell übertragen wurden.
2. Vorurteile wegen der sozialen Herkunft der Kinder. Deren Müttern wurde die uneheliche Geburt des Kindes zum Vorwurf gemacht und leicht unterstellt, dass sie als »Amiliebchen« nur aufgrund kommerzieller Vorteile ein Verhältnis mit einem Schwarzen eingegangen waren. In der frühen Kindheit richtete sich dieses Vorurteil ausschließlich gegen die Mütter, während die Kinder für niedlich und unschuldig befunden wurden. In der Erwartung, dass »der Apfel nicht weit vom Stamm« falle, wurden sie jedoch später schnell ebenfalls mit diesen Vorurteilen belastet.
3. Vorurteile, die sich an überkommene kolonialistische, nationalsozialistische und zugrundeliegende rassentheoretische Ideologien anlehnten, nach denen insbesondere »Mischlinge« minderes Erbgut aufweisen und intelligenzgemindert sein sollten.

Auch in Forschungsstudien, die ausdrücklich Aufklärung und Vorurteilsbeseitigung forderten, zeichneten sich z.T. deutlich erkennbar, z.T. auf subtile Weise, die gleichen Vorurteile ab, die in unterschiedlicher Weise für Jungen und Mädchen wirksam wurden. Bevor ich auf diese Arbeiten eingehe, möchte ich in einem Exkurs Rassebegriff und Geschlechterpolarität thematisieren.

Die einen und die anderen Menschen – Exkurs über Rassebegriff und Sexismus

Rassismus ist die Macht, sich wirtschaftlich, politisch und kulturell durchzusetzen und eigene Wertmaßstäbe geltend zu machen und geht – wie im Abschnitt zu Kolonialismus gezeigt wurde – Hand in Hand mit Sexismus. In nordamerikanischen Kolonien beispielsweise konnten weiße Frauen, die einen Schwarzen heirateten, versklavt werden, und dies »per Gesetz, zu Lebzeiten ihres Ehemannes.«[9]

In der heutigen Zeit lassen sich weltweiter Rassismus und Sexismus an der internationalen und geschlechtlichen Arbeits- und Besitzverteilung ablesen.

> »20% der Weltbevölkerung, von denen die meisten weiß sind und im nordatlantischen Gebiet leben«, haben die Besitzkontrolle über:
> »90% des Welteinkommens, 95% der wissenschaftlichen Kenntnisse, 90% der Goldreserven, 70% des Fleischvorrates, 80% des Eiweißes.«[10]

Frauen leisten Veröffentlichungen der UNO zufolge zwei Drittel aller Arbeitsstunden, was Hausarbeit mit einschließt, besitzen jedoch nicht mehr als ein Zehntel des Welteinkommens und ein Hundertstel des privaten Eigentums.[11]

> »Rassismus ist nicht eine genetische Krankheit. Kein Mensch wird mit rassistischen Einstellungen und Haltungen geboren. Physische Unterschiede zwischen Menschen sind nicht die Ursache von Rassismus; diese Unterschiede werden als Entschuldigung benutzt, um Rassismus zu rechtfertigen. (Analogie zu Sexismus: anatomische Unterschiede zwischen männlichen und weiblichen Menschen sind nicht die Ursache für Sexismus; diese Unterschiede werden als Entschuldigung benutzt, um die Misshandlung von Frauen zu rechtfertigen.)«[12]

An den Rasseklassifikationen wird besonders offensichtlich, wie wenig soziale Macht mit morphologischen und physiologischen Unterschieden zu tun hat. Die meisten der augenscheinlichen Unterschiede gehen nicht auf die Verschiedenartigkeit der Erbanlagen, sondern auf ihre unterschiedlich vorherrschende Häufigkeit bei verschiedenen Menschengruppen zurück. Es ist anzunehmen, dass Menschen im Laufe ihrer stammesgeschichtlichen Entwicklung nie in vollständiger und fortwährender Isolation voneinander gelebt haben. Wanderungen haben die geographische Trennung immer wieder aufgehoben und der

> »Genaustausch hat während der Menschheitsentwicklung ständig zur Veränderung der genetischen Ausstattung und damit zu phänotypischer Abwandlung innerhalb der Rassen und auch zur Bildung neuer Rassen geführt«.[13]

Mit diesem Wissen erscheint es geradezu unmöglich, eine Unterteilung in »Rassen« vorzunehmen, und in der Tat sind die Abgrenzungen sehr umstritten. »Im allgemeinen schwankt ihre Zahl je nach Forscher zwischen sechs und etwa vierzig.«[14] Poliakov et al. weisen darauf hin, dass allein »die Schwarzen« von der heutigen Biologie in mehr als 10 Untergruppen unterteilt werden,[15] was verdeutlicht, dass der Begriff »Rasse« schon insofern einen ideologischen Gehalt hat, als gemeinhin nur dann von »Rassenmischung« geredet wird, wenn es um Nachkommen aus binationalen Partnerschaften mit farblich unterscheidbaren Elternteilen geht.

Da »Rassen« nur vorläufige Ergebnisse der Evolution darstellen, besteht weder ein Grund, sie in ihrer heutigen Form zu bewahren, noch eine Berechtigung, Gefahren von Rassenmischung heraufzubeschwören.

> »Man kann annehmen, dass der Mensch – ungeachtet der Herkunft seiner Gen- Kombinationen von verschiedenen Rassen – ein in seinen internen Anpassungen ausgleichsfähiges System darstellt«,[16]

zumal sich die kulturell geschaffene Lebensumwelt bekanntlich viel schneller ändert als der Genbestand der Menschen.

> »Es wurde berechnet, dass allen Menschen ein Bestand von rund 6,7 Millionen Genen (Erbanlagen) gemeinsam ist, gleichermaßen gültig für Rassenstämme, Volksgruppen, Völker und die Individuen, welche diese Gruppen darstellen. Demgegenüber ist der Genunterschied zwischen einem ›typischen‹ Weißen und einem ›typischen‹ Schwarzen – hier den Begriff Typus als einander gegenüberstehende Extreme genommen – auf 6 (Glass) bis höchstens 29 oder 30 (William S. Boyd) geschätzt worden.«[17]

»Rasse« ist lediglich als hypothetisches Konstrukt denkbar und ein Begriff, der durch seine Anwendungsgeschichte stark vorbelastet ist. M.E. gilt es, den Mythos von der »Reinrassigkeit« zu durchbrechen und den Begriff »Rasse« gänzlich zu vermeiden bzw. seinen politischen Gehalt zu entlarven. In diesem Sinne bejahe ich Bischof Tutu, wenn er in seiner Vorstellung von einer Gesellschaft, die keinen Unterschied nach Hautfarbe und anderen Merkmalen macht, nicht von einer »gemischtrassischen«, sondern einer »nichtrassischen« Gesellschaft spricht.[18] Jede Unterscheidung, die eine Festlegung von Menschen auf gruppenspezifische Erbanlagen behauptet und Verhalten sowie psychische Dispositionen als ihnen zugeordnet erklärt, ist unzulässig. Solche Zuordnung basiert auf der Annahme eines »natürlichen nicht-historischen und nicht sozialen Menschen, den es nicht gibt.«[19]

Auch die Annahme einer für selbstverständlich befundenen Zweigeschlechtlichkeit ist fragwürdig.

> »Die kulturell vertraute Geschlechterpolarität beruht auf Konstruktionen, die evolutionär und anthropologisch eher unwahrscheinlich sind.... Körperlich gesehen ist der Dimorphismus so gering, das Vorhandensein von Zwischenstufen aller Art (auch genital) so reichlich, dass die

Zweigeschlechtlichkeit eher einem Kontinuum aufgesetzt werden muss.«[20]

»Männlich« und »weiblich« müssen als kulturelle Zuschreibungen verstanden werden, die ihre besondere Prägung dadurch erhalten, in einer patriarchalen oder matriarchalen Gesellschaft als Frau oder Mann geboren zu werden.[21] Es soll nicht bestritten werden, dass es biologisch feststellbare Unterschiede zwischen Männern und Frauen gibt. Aus dem unterschiedlichen Beitrag zur Fortpflanzung beispielsweise lassen sich jedoch keine Rechtfertigungen für Herrschaft ableiten. Sexismus bedeutet in allen patriarchalen Gesellschaften die Macht der Männer, Frauen einen inferioren Status zuzuschreiben und diesen zu festigen.

> »Sexismus war immer Ausbeutung, Verstümmelung, Vernichtung, Beherrschung, Verfolgung von Frauen. Sexismus ist gleichzeitig subtil und tödlich und bedeutet die Verneinung des weiblichen Körpers, die Gewalt gegenüber dem Ich der Frau, die Achtlosigkeit gegenüber ihrer Existenz, die Enteignung ihrer Gedanken, die Kolonialisierung und Nutznießung ihres Körpers, den Entzug der eigenen Sprache bis hin zur Kontrolle ihres Gewissens, die Einschränkung ihrer Bewegungsfreiheit, die Unterschlagung ihres Beitrags zur Geschichte der menschlichen Gattung. Wenn es auf dem Grabstein heisst ›Eheleute Heinrich Schultze‹, dann ist der Lebenslauf einer Frau endgültig gelöscht.«[22]

Rassismus und Sexismus funktionieren nach demselben Prinzip. Durch sie werden soziale Unterschiede der Biologie der Menschen zugeschrieben, um sie als »naturwüchsige« Gegebenheiten für unabänderlich auszuweisen.

> »Es gibt keinerlei wissenschaftliche Grundlage für die Annahme, irgendeine Rasse sei einer anderen unterlegen,

> weniger intelligent, unfähiger oder ihre Kultur sei minderwertig. Die Sage von der rassischen Überlegenheit muss als solche angegriffen werden. Augenscheinlich ist, dass Mangel an Bildungs-, Wirtschafts- und gleichwertigen Fortkommenschancen tatsächlich einige Gruppen zurücksetzt.«[23]

Das gleiche, was hier für »Rassen« gesagt wird, gilt auch für die Geschlechter.

Wissenschaftliche Studien zur Situation von Afro-Deutschen in den 50er Jahren

Als anthropologische Studien sind 1952 die Inaugural-Dissertation von Walter Kirchner »Eine anthropologische Studie an Mulattenkindern in Berlin unter besonderer Berücksichtigung der sozialen Verhältnisse« und 1956 die Arbeit von Rudolf Sieg »Mischlingskinder in Westdeutschland. Eine anthropologische Studie an farbigen Kindern« erschienen.

In beiden Studien, wie auch in anderen Untersuchungen über Afro-Deutsche, wurden vorbelastete Begriffe wie »Neger«[24] »Mischling«, »Mulatte«[25] verwendet, ohne sie zu problematisieren. Sieg sprach in seiner Untersuchung sogar von den »Auswirkungen der Bastardierung«,[26] und Kirchner erklärte mit Verweis auf Eugen Fischer,[27] dass sich »die Frage nach der Erblichkeit morphologischer Merkmale des Menschen, ... an einer Bastardbevölkerung besonders gut studieren lässt.«[28]

Die Untersuchung von W. Kirchner wurde mit Einverständnis des Regierenden Bürgermeisters von Berlin, Prof.Dr. Ernst Reuter, in Zusammenarbeit mit dem Hauptjugendamt und dem Landesjugendamt Berlin durchgeführt.

Als »Untersuchungsgegenstand« gab Kirchner an:

> »Die Arbeit beschäftigt sich in eugenischer Absicht mit den Europäer-Negermischlingen in Berlin, hauptsächlich Kindern deutscher Frauen mit amerikanischen Negern, die in den

Nachkriegsjahren als Besatzungsangehörige in Deutschland waren.«[29]

Hinter der scheinbaren Überzeugung der Gleichwertigkeit der »Rassen« brachte Kirchner rassistische Standpunkte offen zum Ausdruck:

> »Besonders betont werden muss die Unmöglichkeit, einen Wertmaßstab für Rassen und Rassenmischung aufzustellen. Der Gobineausche Ansatz hat vielfach glauben gemacht, dass es an sich höher- und minderwertige Rassen gibt. Es handelt sich jedoch nur darum, dass jede Rasse für bestimmte Aufgaben verschieden gut geeignet ist.
> Es geht natürlich nicht an, dass eine Gruppe von Menschen als minderwertig angesehen wird, weil sie auf Grund ihrer rassischen Veranlagung bestimmten körperlichen oder geistigen Anforderungen nicht gewachsen ist. Dennoch hat es seinen guten Sinn, auf die Verschiedenartigkeit der Rassen und die dadurch entstehenden Folgen bei Rassenmischung, an denen der Mischling selbst am schwersten zu tragen hat, hinzuweisen. Das ist die Aufgabe der Eugenik oder angewandten Anthropologie.«[30]

Kirchner gab den geringen Unterschieden zwischen Menschen ein besonderes Gewicht, wenn er in Anlehnung an H. Muckermann[31] von dem angeblich berechtigten Bestreben sprach, »das Eigenartige eines Volkes nicht dadurch zu verformen, dass man völlig andersartige Rassengemische dem Volk einfügt«.[32] Über die Kinder sagte er, dass sie fast alle von einer »natürlichen Unbändigkeit« wären und damit besondere Erziehungsanforderungen stellen dürften.[33]

Indem er behauptete, dieses Verhalten sei »natürlich«, konnte Kirchner soziale Beeinflussung von Verhalten völlig außer acht lassen. Diskriminierend äußerte er auch, dass »die stark europäisch aufgekreuzten Berliner Mulatten« den Weißen näher stünden als beispielsweise die »stark negroiden Mischlinge von Jamaika«.[34] Kirchner erkannte:

> »Die Rassendiskriminierung in Deutschland ist sicher keine instinktive Reaktion gewesen, als die sie hingestellt worden ist, sondern sie hatte ihre Wurzeln in einem politisch geschürten, historisch verursachten Nationalismus.«[35]

Dennoch stützte er sich bedenkenlos auf Untersuchungen aus der Zeit des Nationalsozialismus, so z.B. auf die Arbeit von Dr. W. Abel über »Europäer- und Annamiten-Kreuzungen«,[36] deren Ergebnisse im Dritten Reich dazu dienten, die Minderwertigkeit von Afro-Deutschen als gesichert anzusehen. Abel selbst befand sich bekanntlich als anthropologischer Gutachter zur Feststellung der »Rassenzugehörigkeit« in der »Sonderkommission 3«, die 1937 eingerichtet wurde, um »die unauffällige Sterilisation der Rheinlandbastarde durchzuführen«.[37]

Des weiteren stützte sich Kirchner auf Untersuchungen aus den USA, die die geringere intellektuelle Leistungsfähigkeit von Schwarzen behaupteten, ohne dass die besondere Beeinflussung des Verhaltens durch »Rassenmerkmale« nachweisbar wäre. Mit J. Comas ist festzustellen, dass viele dieser Untersuchungen, wie die von Jon Mjoen,[38] auf die sich Kirchner neben anderen bezog, sozio-kulturelle Bedingungszusammenhänge ausklammern oder vernachlässigen.[39]

Als weitere Quelle, auf deren Hintergrund W. Kirchner die von ihm festgestellte Situation afro-deutscher Kinder interpretierte und Prognosen für ihre Zukunft herleitete, diente ihm das Sammelreferat von F. Franke (1915) »Die geistige Entwicklung der Negerkinder«,[40] das Untersuchungen, die in afrikanischen Kolonien durchgeführt worden waren, zusammenfasste.

Ohne diese Untersuchungen in bezug auf Art, Umfang und Forschungsinteresse zu beleuchten, zitierte Kirchner einige der Ergebnisse, die ausnahmslos die Unterschiedlichkeit der »Rassen« behaupteten und zugunsten der Europäer »nachwiesen«. Unter anderem hieß es dort:

> »Aber während die europäische Jugend fortfährt in der Entwicklung der Kräfte, ist das Bantukind nach den meisten Seiten hin unfähig befunden worden, einen weiteren Fortschritt zu machen. Das Wachstum seines Geistes, das zuerst so viel versprach, hat gerade auf der Stufe aufgehört, wo der Geist des Europäers anfängt, seine größte Kraft zu entfalten. (Theal)«[41]
> »Das Übergewicht des Gedächtnisses über das Nachdenken und das verhältnismäßig frühe Stehenbleiben in der geistigen Entwicklung scheint Tatsache zu sein. (Waitz)«[42]

Was die von Kirchner untersuchten Berliner Afro-Deutschen betrifft, so ähnelten sowohl die Beurteilungen, als auch die Prognosen der Untersuchungen, die im Geiste kolonialistischen Eroberungsdenkens gestanden hatten, denen Kirchners:

> »Was die rassischen Faktoren angeht, so ist anzunehmen, dass der Entwicklungsvor- sprung, den die Mulattenkinder aufzuweisen haben, wahrscheinlich mit der Pubertät aufhören wird. Besonders die intellektuelle Leistungsfähigkeit dürfte nach vorliegenden Untersuchungen an amerikanischen Negermischlingen mäßig bleiben. Dagegen ist anzunehmen, dass die starke Triebhaftigkeit, die sich bei den Mulattenkindern zeigte, als negrides Rassenmerkmal bestehen bleiben wird. ..,«[43]

Jeglicher Nachweis der Unhaltbarkeit von Kirchners Untersuchungsergebnissen erübrigt sich. Abgesehen vom Vokabular ist der Einklang mit Rassentheoretikern aus der Kolonialzeit und Rassenhygienikern im Nationalsozialismus nicht zu übersehen. Untersuchungen, die die Existenz von Vorurteilen und Diskriminierung außer acht lassen, leugnen oder nur ungenügend berücksichtigen, müssen zwangsläufig zu dem falschen Ergebnis führen, dass Unterschiede zwischen Weißen und Schwarzen »rassisch« bedingt seien.

Die anthropologischen Untersuchungen von R. Sieg gaben wertvolle Hinweise auf die soziale Beeinflussung des Verhaltens und machten offensichtlich, dass nicht nur feststellbare Verhaltens- und Leistungsunterschiede, sondern auch die unterschiedliche Häufigkeit von psychischen und somatischen Erkrankungen bei weißen und schwarzen Kindern in einer von Rassismus geprägten Umwelt nicht verwundern dürfen, geschweige denn auf biologische Veranlagung rückführbar wären. Vielmehr ruft der Rassismus diese Unterschiede als eine Art »Diskriminierungsschaden« hervor.

Sieg stellte fest, dass in einigen Heimen Erzieher über Verhaltensauffälligkeiten und Erziehungsschwierigkeiten in bezug auf afro-deutsche Kinder klagten, und dass

> »gerade in den Heimen, die über Erziehungsschwierigkeiten klagten, die farbigen Kinder überwiegend als ihre Lieblingsfarbe ›weiß‹ (!) bezeichneten oder sie als solche zu erkennen gaben, während ihre gleichaltrigen Schicksalsgenossen anderer Heime, je nach den dort – hier nicht näher auszuführenden – vorherrschenden Umwelteinflüssen rot, blau oder auch grün bzw. ›braun‹ oder ›schwarz‹ bevorzugten.«[44]

Mit wenigen Ausnahmen litten die gleichen Kinder überdurchschnittlich häufig an immer wiederkehrenden Hautaffektionen. Bei eingehender Untersuchung der Heimumstände konnte klargestellt werden, dass die besagten Kinder nicht genügend Anerkennung und pädagogische Fürsorge erhielten und *daraufhin* ein mangelndes Selbstwertgefühl entwickelten, das sich im Bemühen um Akzeptanz in Verhaltensauffälligkeiten und Selbstablehnung ausdrückte. Das auffälligste Merkmal der Andersartigkeit im Vergleich mit den von den Erziehern eher akzeptierten weißen Kindern, die »schwarze« Haut, ist das entsprechende Organ, das sich für »Pflegeschäden« als besonders anfällig erweisen musste. R. Sieg fasste seine Ergebnisse wie folgt zusammen:

> »Unter den Ergebnissen einer Untersuchung von 100 drei- bis sechsjährigen Rassenmischlingen der Nachkriegszeit fiel auf, dass 26 % der in Kinderheimen oder Waisenhäusern

lebenden Mischlinge unter Hautaffektionen litt. An einer Vergleichsgruppe weißer Kinder aus den gleichen Heimen konnte Entsprechendes nur in 4% aller Fälle nachgewiesen werden, während bei Mischlingskindern, die bei ihren Müttern lebten, keine krankhaften Veränderungen der Haut festgestellt worden sind. Es zeigt sich, dass die beobachteten Hautveränderungen fast ausschließlich nur in den Heimen auftreten, in denen ein Mangel an pädagogisch geschulten Kräften besteht und die erkrankten Mischlingskinder unter Minderwertigkeitsgefühlen auf Grund ihrer Hautfarbe litten. Der Verfasser glaubt daher, die in einzelnen Häusern gehäuft auftretenden Hautaffektionen als Pflegeschäden, als eine Art ›Hospitalismus farbiger Heimkinder‹ bezeichnen zu dürfen. ..,«[45]

Neben anthropologischen Studien wurden in bezug auf Afro-Deutsche Umfragen und Untersuchungen durchgeführt, die Einblick in die sozialen Zusammenhänge geben sollten. Die Zahl der sogenannten Besatzungskinder wurde bis 1955 auf 4.000 afro-deutsche geschätzt, wobei nur die unehelich geborenen Kinder durch Fürsorgeämter registriert wurden. Die internationale Vereinigung für Jugendhilfe schätzte die Gesamtzahl der Kinder von Besatzungsangehörigen 1952 auf 94.000.

In zwei Konferenzen (1952 und 1953) befasste sich »World Brotherhood«, eine »Organisation zur Überwindung von Vorurteilen zwischen Gruppen«[46] mit dem »Problem der deutschen Mischlingskinder«.[47] In ihrem Auftrag waren Fragebögen an Schul- und Jugendämter ergangen, die Auskunft über die familiale Situation der Kinder, ihr Eingliederungsverhalten und Einstellungen wichtiger Bezugspersonen und -gruppen ermitteln sollten. Im Ergebnis erbrachten die Befragungen, dass 75 von 100 Kindern bei ihrer Mutter oder Anverwandten aufwuchsen. Eine dauerhafte Beziehung zu den Vätern, die in der Regel für 18 Monate oder 2 Jahre in der Bundesrepublik stationiert waren, war für die Mütter und die Kinder, besonders in den Anfangsjahren der Besatzung, schon durch äußere Umstände erschwert. Aus rassischen Vorurteilen versagten militärische Vorgesetzte schwarzen Soldaten vermehrt die Heiratslizenz, »und vielleicht ist/war manche plötzliche Versetzung eines Farbigen auf diese Einstellung zurückzuführen (wenn nicht der Soldat bestrebt war, sich durch Versetzung der Verantwortung für ein Kind zu entziehen)«.[48] Erst ab 1950, als die Soldaten nicht mehr in schwarze und weiße Truppen getrennt waren, lockerten sich die Beschränkungen, so dass ab diesem Zeitraum die Verlobungen und Eheschließungen zunahmen.

Die Mütter unehelicher Kinder mussten in der Mehrzahl ohne Unterstützungsgelder den Familienunterhalt bestreiten. L. Frankenstein verweist in ihrer Untersuchung »Uneheliche Kinder ausländischer Soldaten mit besonderer Berücksichtigung der Mischlinge« auf Datenerhebungen des Deutschen Vereins für öffentliche und private Fürsorge, denen zufolge etwa 9-10 % der Väter Unterhaltsbeiträge zahlten, wobei der Anteil schwarzer Soldaten mit 25 % erheblich höher lag.[49]

Rechtlich waren alle unehelichen Kinder einander gleichgestellt, für Kinder ausländischer Väter galt jedoch, dass

> »die Rechtsmittel, durch die ein zahlungsunwilliger Inländer zur Erfüllung seiner Unterhaltspflicht gegenüber seinem unehelichen Kind gezwungen werden kann, versagen, wenn der Vater im Ausland ist.«[50]

Die Mütter dieser Kinder waren daher besonders oft in finanziellen Schwierigkeiten und auf Fürsorgeleistungen angewiesen. Das gleiche gilt für Mütter in anderen Ländern, die von deutschen Soldaten mit unehelichen Kindern zurückgelassen wurden und keine Unterhaltsansprüche geltend machen konnten.

> »So leisten von den 8.000 deutschen Soldaten, die in Norwegen uneheliche Kinder gezeugt haben, nur 50, d.h. 0,6 % Unterhaltsbeiträge«.[51]

Die Antworten auf die im Auftrag der World Brotherhood verschickten Fragebögen ergaben in der Gesamtheit, dass keinerlei auffallende Begabungs- oder Verhaltensunterschiede zwischen den schwarzen und weißen Kindern feststellbar waren und dass die Erzieher den schwarzen Kindern in der Regel keine Sonderbehandlung zukommen ließen:

> »So ist denn auch der Tenor durchweg: verständnisvoll, gut, korrekt, tolerant und gleichmäßig in der Betreuung, keine Ausnahmen, keinerlei Unterschied, gerecht, anständig, vorbildlich.... Der Erzieher bemüht sich, keinen Unterschied und kein Aufsehen zu machen. ... (München).«[52]

An anderer Stelle wurde deutlich, dass Afro-Deutsche häufig nur dem Anschein nach selbstverständlich akzeptiert wurden. Dann verbarg sich hinter der Zuwendung z.B. ein besonderes moralisches Pflicht- und Verantwortungsgefühl. So hieß es beispielsweise aus dem Kultusministerium von Baden-Württemberg:

> »Die Lehrerschaft hat ihre ausgleichende Aufgabe erkannt und danach gehandelt. Denn ›ein echter Erzieher verhält sich schon aus Berufsethos heraus zum farbigen Kind genauso wie zu einem weißen Kind. Was kann denn das Kind dafür?‹ (Würzburg)«[53]

Diese Feststellung, die im Bericht von World Brotherhood nicht näher beleuchtet wurde, bringt durch die Frage: »Was kann denn das Kind dafür?« indirekt zum Ausdruck, dass irgendjemanden an dem Vorhandensein des Kindes und/oder seinem Schwarzsein Schuld trifft. Ich fühle mich unweigerlich an die Geschichte über den »Mohren« in Heinrich Hoffmanns »Struwwelpeter« erinnert:

> »... Die schrien und lachten alle drei,
> als dort das Mohrchen ging vorbei,

weil es so schwarz wie Tinte sei!
Da kam der große Nikolas
mit seinem großen Tintenfaß.
Der sprach: ›Ihr Kinder, hört mir zu,
und lasst den Mohren hübsch in Ruh!
Was kann denn dieser Mohr dafür,
dass er so weiß nicht ist wie ihr?‹ …[54]

H. Hoffmann geht es hier vordergründig um die Verurteilung von Diskriminierung; indirekt und ausdrücklich wird jedoch gesagt, dass es ein Unglück sei, nicht weiß zu sein. Die Frage: »Was kann denn das Kind/Mohrchen dafür?«, ist mit Deltgen wie folgt zu interpretieren:

> »Der Neger ist nicht schuld an seinem Unglück; es ist nicht anständig, zum Schaden auch noch den Spott hinzuzufügen. Dass Schwarzsein ein Makel und der Neger dadurch benachteiligt ist, bleibt die unangetastete Voraussetzung dieser Gedankenfolge: Der arme, schwarze Mohr verdient nicht Spott sondern Mitleid. Der große Nikolas hat das gleiche Vorurteil wie die von ihm kritisierten Knaben: er bewertet die andere Hautfarbe des Negers negativ.«[55]

Die Maßnahme, die sich Nikolas zur Bestrafung der weißen deutschen Jungen ausdenkt, entspricht seiner rassistischen Haltung: er macht sie schwarz:

»Du siehst sie hier, wie schwarz sie sind,
viel schwärzer als das Mohrenkind.
Der Mohr voraus im Sonnenschein,
die Tintenbuben hinterdrein;
und hätten sie nicht so gelacht,
hätt Niklas sie nicht schwarz gemacht.«[56]

Die vermeintliche Schuld für das Schicksal afro-deutscher Kinder wurde zuallererst und oft ausschließlich ihren Müttern zugesprochen. So hieß es denn auch im Sonntagsblatt (1950) unter der Überschrift »Kinder unter einem schweren Schicksal. Von 200.000 Besatzungskindern sind 3.000 Mulatten«:

> »Eine große Anzahl der Mütter von Mulatten trifft eine individuelle Schuld, dass Mischlinge in die ihnen so feindlich gesonnene Welt gekommen sind.«[57]

Hier wurde so getan, als sei es schändlich oder gar ein Vergehen, ein farbiges Kind in die Welt zu setzen. Vor allem die Mütter wurden oft einer moralisch-wertenden Begutachtung unterzogen, die sich auf die Be- weggründe für die Kontaktaufnahme mit einem schwarzen Soldaten stützte und auf das soziale Umfeld, in dem sich die Frau bewegte.

Bei Luise Frankenstein finden sich zur Charakterisierung verschiedener Frauen mit afro-deutschen Kindern folgende Beschreibungen oder besser Beurteilungen:

> »Die Mutter stammt aus ganz primitiven Verhältnissen«[58]
> »Die Mutter ist rothaarig, kräftig, groß, von überdurchschnittlicher Intelligenz«[59]
> »Die Mutter ist eine geistig primitive Fabrikarbeiterin«[60]
> »Die Mutter stammt aus einer moralisch minderwertigen Familie«[61]
> »Die Mutter ist eine intelligente, saubere und ordnungsliebende Frau«.[62]

Abschließend sagte sie:

> »Dass ein schlechtes Zuhause oder das Fehlen einer tragenden Familiengemeinschaft das Abgleiten der Mädchen begünstigt, wird durch unser Material bestätigt, zeigt es doch, dass nur ein Fünftel der Mädchen aus einem guten Milieu, d.h. einer

nicht entwurzelten, vollständigen und respektablen Familie kommt.«[63]

Offen bleibt, wie L.F. »Respektabilität«, »Primitivität« oder »Intelligenz« maß, und was es demnach hieß, »abzugleiten«. In der Verurteilung und Achtung der Mütter schwarzer Kinder verschwand ihr gesellschaftskritischer Anspruch, zur Beseitigung von Vorurteilen beizutragen.

Hinzufügen möchte ich noch, dass Eyferth/Brandt/Hawel feststellten, dass in ausgesprochenen Arbeiterwohnbezirken afro-deutsche Kinder mit mehr Selbstverständlichkeit aufgenommen wurden als in gemeinhin angeseheneren mittelständischen Nachbarschaften.[64]

Selbst- und Fremdbild bestimmen das Lebensgefühl, in dem ein Kind aufwächst, wobei den engsten Bezugspersonen eine besondere Bedeutung bei der Persönlichkeitsbildung zukommt. Was die Reaktionen der Umwelt betraf, so wurde es den Müttern afro-deutscher Kinder nicht leichtgemacht, eine positive Beziehung zu ihren Kindern zu entwickeln. Nicht selten wandten sich Angehörige und Nachbarn von der Mutter ab, und auch neue Partnerschaften waren schwer zu entwickeln. So hieß es in vielen Berichten:

> »Die Nachbarn zeigen mit dem Finger auf die ›Negerhure‹ und ihren ›Bastard‹. Die Ehemänner oder andere eventuell zur Heirat bereite Männer zwingen die Mutter, zwischen ihnen und dem Kind zu wählen.«[65]

Im erwähnten Aufsatz aus dem Sonntagsblatt vom November 1950 wurde gesagt,

> »dass die Mütter von Mulatten in einem immer stärkeren Maße bestrebt sind, die kleinen Negermischlinge in Kinderheime abzugeben, wobei keine Mittel und Möglichkeiten außer acht gelassen werden, um diese Kinder gegebenenfalls auch anonym auszusetzen oder in entfernt gelegenen, fremden Städten in die

> Hausflure von Kinderheimen zu legen. …
> Etwa 70% aller Negermischlinge befinden sich bereits in Heimen, meist kommunalen Einrichtungen, wobei eine große Zahl der Mulatten durch städtische oder staatliche Einrichtungen in caritativen Heimen ausgehalten wird, die selbst nur in beschränktem Umfang für die Pflege aufkommen können.«[66]

Der Verfasser unterstellte, dass die afro-deutschen Kinder eine besondere soziale und finanzielle Belastung ihrer Umwelt darstellten und die Mütter nur in den allerseltensten Fällen sich um ihre Kinder kümmern wollten. Tatsache ist hingegen, dass alle Untersuchungsergebnisse dem widersprachen und belegten, dass die Mehrzahl der Mütter trotz oder gerade wegen der Anfeindungen und Behinderungen ihren Kindern besonderen Rückhalt boten.[67] L. Frankenstein ermittelte:

> »Von 603 Müttern sind 92 bereit, das Kind zur Adoption freizugeben. In etwas mehr als der Hälfte dieser Fälle handelt es sich aber für die Mütter nicht darum, ihr Kind zu ihrer eigenen Bequemlichkeit loszuwerden, sondern darum, dem Kind bessere Lebenschancen zu bieten, z.B. wollen einige es dem Vater oder Adoptiveltern nach Amerika schicken, weil sie sich Amerika als das Paradies für Farbige vorstellen. In solchen Fällen ist der Gedanke an eine Trennung der Frau schmerzlich, aber sie will dem Glück ihres Kindes nicht im Wege stehen.«[68]

Als 1952 die Einschulung des bisher geburtenstärksten Jahrgangs afrodeutscher Kinder bevorstand, wurden einige Vorbereitungen getroffen, die ihre vorurteilsfreie Eingliederung erleichtern sollten. In Bremen beispielsweise

> »hielt man an den einzelnen Schulen Konferenzen ab, in denen über jedes einzelne Kind und über dessen Aufnahme in die Klassengemeinschaft gesprochen wurde. Später hatte die

städtische Schulbehörde in größeren Abständen erneut auf die Problematik hingewiesen und nach den bisher gesammelten Erfahrungen gefragt.«[69]

Zwar wurden durch solche Maßnahmen Afro-Deutsche als Sondergruppe mit spezifischen Problemen herausgestellt, das Resultat der Bemühungen um Aufklärung konnte diesen Nachteil jedoch ausgleichen. In Städten, wo keine derartigen »Kampagnen« gestartet wurden, war die Zahl afro-deutscher Schulabgänger/innen mit ihren Fähigkeiten angemessenen Abschlüssen sehr viel geringer.[70]

Vorurteile und Ängste der Lehrer/innen verhinderten oft Empfehlungen an weiterführende Schulen und bewirkten darüber hinaus, dass eine offene Auseinandersetzung über Rassismus in der Schule nicht stattfand und Ressentiments unter Umständen sogar Vorschub geleistet wurde.

> »Wir fanden, dass nur wenige Lehrer es wagen, mit ihrer Klasse offen über die Andersartigkeit ihres farbigen Kameraden zu sprechen. Einige greifen z.B. im Erdkunde- Unterricht bei der Behandlung fremder Kulturen und Rassen ungezwungen das Beispiel der Gemeinschaft von weißen und farbigen Kindern in der eigenen Klasse auf und diskutieren mit den Kindern darüber. Dies sind aber Ausnahmen. Den meisten weißen Klassenkameraden der farbigen Kinder hilft die Schule keineswegs, das Märchen- und Kinderbuchbild vom Mohren und die Bemerkungen der Eltern über ›Wilde‹ und Neger mit der Realität eines dunkelhäutigen Klassenkameraden in Übereinstimmung zu bringen.«[71]

Da Lasterhaftigkeit immer wieder den Müttern zugeschrieben wurde, waren afro-deutsche Mädchen nicht nur den rassischen Vorurteilen ausgesetzt, es wurde ihnen auch unterstellt, zum »Fehlverhalten« der Mütter veranlagt zu sein.

»Nicht selten sind Äußerungen wie: ›Die ist schon genauso leichtsinnig, oberflächlich und aufs Äußere bedacht wie ihre Mutter‹, oder: ›Sie fängt natürlich auch schon an, nach Buben zu sehen.‹ Die Kinder werden durch solche Urteile eingestuft, als seien sie jetzt schon das, wofür man ihre Mutter hält; dabei ist erfahrungsgemäß von den Müttern oft kaum etwas außer der Tatsache bekannt, dass sie ein Mischlingskind haben.«[72]

Vorurteile wirken schnell im Sinne einer sich selbst erfüllenden Pro phezeiung, d.h. Menschen beginnen sich aufgrund der in sie hineingesehenen Erwartungen zu verhalten.

Die Erwartungen in bezug auf die Leistungsfähigkeit und Vorurteile über Begabungen bieten dafür ein anschauliches Beispiel: Bevölkerungsumfragen von Eyferth/Brandt/Hawel zeigten, dass es ein vorherrschendes Klischee gab, Schwarze wären eher für nichtakademische und dienende Berufe befähigt.

»Berufe, die häufig als für die Mädchen geeignet genannt werden, sind Wäscherin, Zimmermädchen, Fabrikarbeiterin und Stenotypistin; für die Jungen werden Artisten-, Musiker-, Autoschlosser- und Liftboy-Stellungen empfohlen.«[73]

Zunächst wurde afro-deutschen Kindern außergewöhnlich oft der Zugang zu weiterführenden Schulen verwehrt, obwohl sie die Befähigung nachweisen konnten, dann versuchten manche Lehrer, Eltern und Ausbildungsberater mit Rücksicht auf zu erwartende Schwierigkeiten, die schwarzen Kinder für die Berufe zu begeistern, in denen ihre Hautfarbe gefragt oder zumindest kein Problem war. In der Zeitschrift des Hessischen Jugendrings Wiesbadens hieß es 1963 im Artikel »Mischlingskinder« unkritisch:

»In diesem Punkt macht man sich im Arbeitsamt nichts vor. Man ist realistisch genug zu sehen, dass das relativ gute Hineinwachsen der farbigen Kinder in das öffentliche Leben

> später nicht unbedingt sein muss. Auch in dieser Stadt, wo die farbigen Kinder genauso gekleidet sind wie die anderen, wo sie den gleichen Dialekt sprechen, wo man sich längst an sie gewöhnt hat, auch in dieser Stadt würde es Proteste hageln, wollte der Sohn des Stadtobersekretärs ein kraushaariges, dunkles Mädchen heiraten. Was kann man dagegen tun? Wir können den Mädchen nur empfehlen, Krankenschwester, Kindergärtnerin oder einen ähnlichen Beruf zu wählen; denn in diesen Berufen können sie ihren mütterlichen Neigungen nachgehen, vermögen sie einen Grad von Selbständigkeit zu erlangen, den die wenigsten dieser Mädchen haben.[74]

Wenn Mädchen und Jungen einseitig auf die Berufe ausgerichtet werden, die den Vorurteilen dieser Gesellschaft angepasst sind, wird es schließlich zur Selbstverständlichkeit, dass Schwarze in bestimmten Berufszweigen gehäuft auftreten, was wiederum mit ihrer vermeintlichen Neigung und Begabung ursächlich erklärt wird. Es stellte sich beispielsweise heraus,

> »dass sich oft Gaststättenbesitzer bemühen, Mischlingsmädchen in ihren Betrieben zu beschäftigen, weil sie glauben, dass das Kino-Klischee einer Mulattin oder Negerin, der als locker angesehene Lebenswandel der Mutter und der Anreiz des Fremdartigen sich für ihr ›Geschäft‹ vorteilhaft auswirken können.«[75]

Die Anpassung an bestehende Vorurteile und die Verselbständigung von Vorurteilen kann so weit führen, dass es als Zumutung empfunden wird, sich von schwarzen Polizist/inn/en, Anwält/inn/en, Ärzt/inn/en belehren zu lassen, so dass sich der Kreislauf des Sich-Beweisen-Müssens und Nicht-Beweisen-Könnens schließt.

Afro-Deutsche nach 1945 – Die sogenannten »Besatzungskinder«

1 EYFERTH, Klaus/BRANDT, Ursula/HAWEL, Wolfgang: *Farbige Kinder in Deutschland – Die Situation der Mischlingskinder und die Aufgaben ihrer Eingliederung,* München 1960, S. 11

2 SCHÜTT, Peter: *Der Mohr hat seine Schuldigkeit getan.* Gibt es Rassismus in der Bundesrepublik?, Dortmund 1981, S.152

3 FRANKE, Manfred: *»Verantwortung für unsere Mischlingskinder*«, in: GEWERKSCHAFTLICHE MONATSHEFTE lO.Jg, Köln 1959, S. 622-24

4 BAUMEISTER, Marianne: *»Die kleinen Mischlinge. Eine ernste Frage an uns alle*«, in ZEITWENDE 23. Jg. München 1952, S. 742-44

5 EYFERTH, K./BRANDT, U./HAWEL, W., a.a.O.
FRANKENSTEIN, Luise: *Uneheliche Kinder von ausländischen Soldaten mit besonderer Berücksichtigung der Mischlinge,* Genf 1953

6 in: DAS PARLAMENT, vom 19. März 1952

7 EYFERTH, K./BRANDT, U./HAWEL, W., a.a.O.: S. 109

8 in: DAS PARLAMENT, a.a.O.

9 MAMOZAI, Martha: *Herrenmenschen. Frauen im deutschen Kolonialismus,* Reinbek b. Hamburg, 1982, S. 14
»Das gleiche Schicksal ereilte ihre Kinder. Dieses Gesetz, eigentlich dazu gedacht, weiße Frauen davon abzuhalten, farbige Männer zu heiraten, wurde zum Fallstrick für freizukaufende Frauen. Um sie und ihre Kinder als lebenslange Arbeitssklaven zu bekommen, wurden viele von ihnen mit Farbigen zwangsverheiratet. Im Klima der allgemeinen Anti-Sklaverei-Bewe- gung fanden sich dann ab 1764 auch Deutsche und Deutschstämmige, die sich in eigenen Vereinen gegen die weiße Sklaverei organisierten.« ebd: S. 14

10 BECKMANN, Klaus-Martin (Hg): *Rasse, Entwicklung und Revolution,* Beiheft zur ÖKUMENISCHEN RUNDSCHAU Nr. 14/15, Stuttgart 1970, S. 25

11 vgl. FRANKFURTER RUNDSCHAU vom 26.7.1980

12 SHEROVER-MARCUSE, Ricky: *Towardsa Perspectiveon UnleamingRacism: 12 Working Assump- tions,* Oakland o.J.

13 ZIEGELMAYER, Gerfried: *Rassengleichheit-Rassenmischung? Die anthropologischen Grundlagen.* Vortrag im Studium Generale der Universität Heidelberg im Wintersemester 1969/70 (überarbeitete Fassung) Köln 1971, S. 181

14 POLIAKOV, Leon/ DELACAMPAGNE, Christoph/GIRARD, Patrick: *Über den Rassismus. 16 Kapitel zur Anatomie, Geschichte und Deutung des Rassenwahns,* Frankfurt/M-Berlin-Wien 1984, S. 18

15 ebd: S. 26

16 ZIEGELMAYER, G., a.a.O.: S. 187

[17] SALLER, K.: *Judenfeindschaft als Erscheinungsform des Rassenhasses,* in: ITALIAANDER, Rolff: *Rassenkonflikte in der Welt,* Frankfurt 1966, S. 30/31

[18] vgl. BISCHOF TUTU: *»Gott segne Afrika*. Texte und Predigten des Friedensnobelpreisträgers,* hrsg. von DUWE, Freimut, Reinbek b. Hamburg 1984

[19] MÜHLMANN, Wilhelm E.: *Rassen Ethnien Kulturen,* Neuwied-Berlin 1964, S. 133

[20] HAGEMANN-WHITE, Carol: *»Thesen zur kulturellen Konstruktion der Zweigeschlechtlichkeit*,* in: SCHAEFFER-HEGEL, Barbara/WARTMANN, Brigitte (Hg): *Mythos Frau. Projektionen und Inszenierungen im Patriarchat,* Berlin 1984, 2. Aufl. S. 137

[21] Margaret Mead stellt fest:
»In jeder uns bekannten Gesellschaft hat die Menschheit die biologische Arbeitsteilung in Formen herausgestellt, die den ursprünglichen biologischen Unterschieden oft nur sehr entfernt verwandt sind. Auf dem Gegensatz der Körperform und -funktionen haben die Menschen Analogien zwischen Sonne und Mond, Nacht und Tag, Gut und Böse, Stärke und Zartheit, Standhaftigkeit und Wankelmut, Ausdauer und Verletzbarkeit aufgebaut. Manchmal wurde eine bestimmte Eigenschaft dem einen Geschlecht, manchmal dem anderen zugeschrieben. Einmal sind es die Knaben, die sehr verletzlich, also einer besonders fürsorglichen Liebe bedürftig sind, dann wieder die Mädchen.
In manchen Gesellschaftsformen müssen die Eltern fürdie Mädchen eine Aussteuer aufbringen oder eine Männerfang-Magie betreiben; in anderen besteht die elterliche Hauptsorge darin, die Knaben zu verheiraten. Manche Völker halten die Frauen für zu schwach, um einer Beschäftigung außerhalb des Hauses nachzugehen; andere betrachten die Frauen als die geeigneten Trägerinnen schwerer Lasten, »weil ihre Köpfe stärker als die der Männer sind«. Die Regelhaftigkeit der weiblichen reproduzierenden Funktionen haben einige Völker veranlasst, in den Frauen die natürlichen Quellen magischer oder religiöser Kraft zu sehen – andere denken darüber genau umgekehrt. Viele Religionen, einschließlich unserer europäischen traditionellen, haben der Frau eine untergeordnete Rolle in ihrer kirchlichen Hierarchie zugewiesen, andere haben alle ihre symbolhaften Beziehungen zur übernatürlichen Welt auf männlichen Nachahmungen der naturgegebenen weiblichen Funktionen aufgebaut. ...«
MEAD, Margaret: *Mann und Weib. Das Verhältnis der Geschlechter in einer sich wandelnden Welt,* Hamburg 1958, 12. Aufl. 1979, S. 10

[22] JANSSEN-JURREIT, Marieluise: *Sexismus – Über die Abtreibung der Frauenfrage,* München / Wien 1976, S. 702

[23] H AMOREH, Otzar (Hg): *Internationale Lehrerkonferenz zur Bekämpfung von Rassismus, Antise- mitismus und Verletzung der Menschenrechte,* Tel Aviv 1982, S. 195

[24] In den USA wurde die Bezeichnung »Neger« durch die Black Power Bewegung der 60er Jahre endgültig in den Bereich diskriminierender Bezeichnungen verwiesen. Vgl. dazu CARMICHAEL, Stokely/HAMILTON, CH. V.:
So wächst der Unwille über das Wort Neger, weil dieser Ausdruck von unserem

Unterdrücker geprägt wurde; er beschreibt damit das Bild, das er von uns hat. Viele unter uns nennen sich jetzt afrikanische Amerikaner, Afro-Amerikaner oder Schwarze, weil das *unserer* Vorstellung von uns entspricht.
CARMICHAEL, St./HAMILTON, Ch.V.: *Black Power,* Stuttgart 1968, S. 50

[25] Hinter dem zunächst neutral erscheinenden Won »Mulatte« aus dem portugiesischen »mulato«, das bereits 1604 in den deutschen Sprachgebrauch aufgenommen wurde, verbirgt sich die Vorstellung, »dass sich der Schwarze zum Weißen verhält, wie Esel zum Pferd, und dass sie zusammen einen Hybriden hervorbringen, der unfruchtbar ist.«
POLIAKOV, L./DELACAMPAGNE, CH./GIRARD,P., a.a.O.: S. 75

[26] SIEG, Rudolf: *Mischlingskinder in Westdeutschland. Eine anthropologische Studie an farbigen Kindern,* BEITRÄGE ZUR ANTHROPOLOGIE Heft 4, Mainz 1956, S. 65

[27] FISCHER, E.: *Die Rehoboter Bastard und das Bastardierungsproblem beim Menschen,* Jena 1913

[28] KIRCHNER, Walter: *Eine anthropologische Studie an Mulattenkindem in Berlin unter besonderer Berücksichtigung der sozialen Verhältnisse,* Berlin 1952, S. 1

[29] ebd: S. 1

[30] ebd: S. 3

[31] MUCKERMANN, H.: *Vererbung und Entwicklung,* Bonn 1947; ders.: *Das Rassenproblem – anthropologisch gesehen.* STIMMEN DER ZEIT, Bd. 142

[32] KIRCHNER, W., a.a.O.: S. 3/4

[33] ebd: S. 14

[34] ebd: S. 17

[35] ebd: S. 38

[36] ABEL, W.: *Über Europäer-Marockaner und Europäer-Annamiten-Kreuzungen,* Z.MORPH.ANTHR. Bd 36, Berlin 1937

[37] POMMERIN, Rainer: *Sterilisierung der Rheinlandbastarde – Das Schicksal einer farbigen Minderheit 1918-1937,* Düsseldorf 1979, S. 78

[38] MJOEN, J.A.: *Harmonie and Disharmonie Race-Crossing. Eugenics in Race and State.* Bd. 2, 1923

[39] COMAS, Juan: *Racial Myths. The race question in modern Science,* Paris 1958 4. Aufl. S. 15

[40] FRANKE, F.-.*Die geistige Entwicklung der Negerkinder.* Leipzig 1915

[41] FRANKE, F., a.a.O., zitiert nach KIRCHNER, W., a.a.O. S. 43

[42] ebd: S. 43

[43] KIRCHNER, W., a.a.O.: S. 62

[44] SIEG, Rudolf: *»Häufung von Hautaffektionen bei Mischlingen in Kinderheimen.«*In: PRAXIS DER KINDERPSYCHOLOGIE UND KINDERPSYCHIATRIE, lO.Jg. Göttingen 1961 S. 179

[45] ebd: S. 180

[46] WORLD BROTHERHOOD: *»Das Problem der deutschen Mischlingskinder.«* Zur 2. Konferenz der World Brotherhood über das Schicksal der farbigen Mischlingskinder in Deutschland 1953, Nachdruck aus BILDUNG UND

ERZIEHUNG, 7. Jg. 1954, S. 613

[47] so lautete das Thema der Konferenz

[48] EYFERTH, K./BRANDT, U./HAWEL,W., a.a.O.: S. 26

[49] vgl. FRANKENSTEIN, Luise: *Soldatenkinder. Die unehelichen Kinder ausländischer Soldaten mit besonderer Berücksichtigung der Mischlinge,* hrsg. von der INTERNATIONALEN VEREINIGUNG FÜR JUGENDHILFE, Genf, München-Düsseldorf 1954, S. 8

[50] ebd:S. 7

[51] ebd. S. 8

[52] WORLD BROTHERHOOD, a.a.O.: S. 623

[53] ebd. S. 623

[54] S4 HOFFMANN, Heinrich: *Der Struwwelpeter,* zitiert nach DELTGEN, Florian: *Der Neger im deutschen Kinder- und Jugendlied,* in: KÖLNER ZEITSCHRIFT FÜR SOZIOLOGIE UND SOZIAL PSYCHOLOGIE, 29. Jg. Heft 1 1977, S. 128

[55] DELTGEN, F., a.a.O.: S. 128

[56] HOFFMANN, H., a.a.O.: zitiert nach DELTGEN,F., a.a.O.: S. 128

[57] SONNTAGSBLATT Nr. 47 vom 19. November 1950

[58] FRANKENSTEIN,L., a.a.O.: S. 17

[59] ebd: S. 18

[60] ebd: S. 18

[61] ebd: S. 18

[62] ebd: S. 19

[63] ebd: S. 21

[64] EYFERTH, K./BRANDT, U./HAWEL, W., a.a.O.: S. 76

[65] FRANKENSTEIN, L., a.a.O.: S. 29

[66] SONNTAGSBLÄTT, a.a.O.

[67] HURKA, Herbert: *Die Mischlingskinder in Deutschland. Ein Situationsbericht aufgrund bisheriger Veröffentlichungen,* Sonderdruck der Zeitschrift JUGENDWOHL 1965 vgl. a.FRANKENSTEIN, L., a.a.O.: S. 27

[68] FRANKENSTEIN, L., a.a.O.: S. 28

[69] EYFERTH, K./BRANDT, U./HAWEL, W., a.a.O.: S. 55

[70] vgl. ebd: S. 58

[71] ebd: S. 60

[72] ebd: S. 67

[73] ebd: S. 77

[74] HESSISCHE JUGEND, hrsg. vom VORSTAND DES HESSISCHEN JUGENDRINGS WIESBADEN, Okt. 1963, Nr. 10

[75] aus: SOZIALER FORTSCHRITT, Unabhängige Zeitschrift für Sozialpolitik, 8.Jg. Berlin 1959, S. 206

Helga Emde (40 Jahre)

Als »Besatzungskind« im Nachkriegsdeutschland

Als sog. Besatzungskind bin ich im März 1946 in Bingen am Rhein geboren. Nach den wenigen Erzählungen meiner Mutter war mein Vater zu dieser Zeit als amerikanischer Soldat in Deutschland stationiert. Das ist auch schon alles, was ich über ihn weiß. Mein Vater war sehr dunkel, und ich kam als sogenannter Mischling zur Welt. Da meine Mutter mir absolut nichts über ihn sagen konnte, kenne ich ihn nicht und konnte auch keinen Kontakt zu ihm aufnehmen. Ich weiß natürlich auch nicht, ob ich irgendwelche amerikanischen Tanten, Onkel, Vettern oder Cousinen habe. Es schmerzt mich ein bisschen, dass ein ganzer Teil meiner Geschichte im Dunkeln liegt.

Aufgewachsen bin ich in einer Zeit, die noch stark von der nationalsozialistischen Vergangenheit geprägt war. Meine Kindheit unterschied sich nicht sehr von der anderer Kinder, abgesehen davon, dass ich schwarz bin.

Ich bin die einzige Schwarze in der Familie. Meine Mutter sowie meine Schwester sind weiß. Meine Mutter hielt sich an einen entsetzlichen Leitspruch: »Wer A sagt, muss auch B sagen.« Für sie hieß das, dass sie ein schwarzes Kind zur Welt gebracht hat und nun dafür geradestehen muss. Praktisch eine Art Selbstbestrafung. Ihr »Dazustehen« dokumentierte sie, indem sie es mir an nichts fehlen ließ. Ich wurde gemästet wie eine Weihnachtsgans! Mir wurde kein Einhalt geboten. Das nehme ich ihr im Nachhinein sehr übel. Statt mich mit Essen vollzustopfen, hätte mich vielleicht etwas ganz anderes mehr gesättigt. Zum Beispiel Liebe. Meine Schwester war ein zierliches, fast dünn zu nennendes Mädchen – sie hatte, was sie zu ihrer Entwicklung

brauchte, nicht nur Essen, sondern auch Liebe. Wir konkurrierten sehr miteinander.

Weder in meiner Kindheit noch als junge Erwachsene hatte ich das Glück, in meinem Umfeld mit anderen Schwarzen in Kontakt zu kommen. Es gab einfach keine. Als Kind begegnete ich lediglich schwarzen Soldaten, vor denen ich in Angst und Schrecken floh. Diese Furcht zeigt deutlich, dass ich schon sehr früh die Vorurteile und den Rassismus meiner Umgebung verinnerlicht haben muss. Schwarz gleich beängstigend, fremd, unheimlich und animalisch. Denn wie ist es sonst zu verstehen, dass ich mein eigenes Schwarzsein nicht als solches empfand? Dass ich das Lächeln eines schwarzen Mannes eher als Zähneblecken denn als Lächeln ansah? Natürlich durfte ich mit Schwarz nichts zu tun haben. Aber die Ahnung, die vernichtende Ahnung des Dazugehörens war da!

Schwarz gleich nicht existenzberechtigt. Und genauso fühlte ich mich. Immer stand ich in der hintersten Ecke, war scheu und schüchtern und glücklich, wenn ich gefragt wurde, ob ich mitspielen wollte. Aber ja, und wie gerne. Nicht existenzberechtigt. Ich durfte nirgends auffallen, sonst wäre ich nicht als kleines freches Mädchen aufgefallen, sondern als »Nigger«, »Mohrenkopf«, »Sarottimohr«. Ich durfte um keinen Preis auffallen, aber ich war schon immer für mein Alter »groß und kräftig«. Ich durfte nicht auffallen und fiel mit meinem krausen Haar und meiner schwarzen Haut jedem ins Auge.

Nicht selten erdreisteten sich die Leute, selbst im Beisein meiner Mutter, mein Haar zu »bewundern«, d.h. es anzufassen und ihrem Entzücken über das Gefühl von Rosshaar freien Lauf zu lassen. Was meine Mutter dabei empfand, weiß ich nicht. Aber es schien mir immer, dass sie sich irgendwie geschmeichelt fühlte. Vielleicht fand sie dadurch auch Beachtung. Aber über sowas wurde nie gesprochen.

Fast täglich wurde meine gute deutsche Aussprache bewundert und gleichzeitig nach meiner Herkunft gefragt. Oft kam ich mir »putzig« oder exotisch vor, aber nie wie ein Mensch mit Gefühlen. Ich musste früh lernen, Verletzungen und Kränkungen zu ertragen, d.h. sie zu verdrängen, abzuspalten, um nicht permanent verletzlich und angreifbar zu sein. Worte wie »Nigger«, »Sarottimohr«, »Negerkuss« oder »Mohrenkopf« hörte ich schon in frühen Jahren und nicht zu selten.

Schimpfnamen mit einem süßen Beigeschmack. Denn wer isst als Kind nicht gerne Süßigkeiten? Ich mochte sie gerne und habe mich immer geschämt, in einem Geschäft einen »Mohrenkopf« oder »Negerkuss« zu verlangen. In der Schule hatte ich eine Freundin, die immer über reichlich Taschengeld verfügte. Nach dem Unterricht lud sie mich nicht selten zum »Mohrenkopfessen« ein.

Da fällt mir noch ein: Im Schulchor gab es ein Lied, das ich absolut nicht mitsingen konnte – »Schwarzbraun ist die Haselnuss, schwarzbraun bin auch ich«. Wenn ich es schon hörte, bekam ich regelrechte Hitzewallungen vor Scham und glaubte, dass nun alle Schüler auf mich zeigen würden. Es war eine Qual für mich.

… so weiß wie möglich

Der weiße Mensch ist schön, edel und perfekt. Der schwarze Mensch ist minderwertig. Also versuchte ich, so weiß wie möglich zu sein.

Ab etwa meinem 13. Lebensjahr begann ich, mein »Rosshaar« zu entkrausen, damit es glatt würde, wie das von mir so bewunderte Haar der Weißen. Ich war davon überzeugt, dass ich mit glattem Haar weniger auffällig wäre. Meine Lippen kniff ich zusammen, damit sie weniger »wulstig« wirkten. Alles im Sinne von schön und unauffällig werden.

Mit 14 Jahren wurde ich nach der achten Klasse aus der Volksschule entlassen und absolvierte anschließend bei Nonnen in einem Kinderheim eine zweijährige Hauswirtschaftslehre. Diese Nonnenzeit trug nicht gerade dazu bei, mein Selbstwertgefühl zu stärken. Ich lebte nur in Zwängen, in religiösen Zwängen: Jeden Morgen sehr früh aufstehen, um die »heilige Messe« zu besuchen. Und wehe, wenn ich die Unverschämtheit besaß zu fragen, ob ich ausnahmsweise ausschlafen könnte, weil mein Dienst später begann. Dann war ich sofort «eine undankbare, kleine, niederträchtige, gottlose Person«, die froh sein sollte, ein solch gutes, geregeltes Leben führen zu dürfen.

Sexualität war natürlich tabu. Selbstverständlich durfte auch nicht darüber gesprochen werden. Nicht einmal ein kurzärmeliges Nachthemd in der größten Sommerhitze war erlaubt. Schon hieß es, frau sei schamlos. Zu Beginn meiner Pubertät wurde mir lediglich mit auf den Weg gegeben, dass ich mich von nun an von den Männern fernhalten müsse. Als ob ich vorher ihre Nähe gesucht hätte.

Ich war zerrissen, orientierungslos, ohne eigene Identität. Auch meiner Mutter war es weder zu dieser noch zu irgendeiner anderen Zeit möglich, mich zu unterstützen, mir Erfahrungen zu vermitteln oder mich aufzuklären. Sie schien eher froh, dass ich sie mit all diesen Problemen in Ruhe ließ. Wahrscheinlich weniger, weil es ihr lästig war, als vielmehr, weil sie durch ihre eigene prüde Erziehung dazu nicht fähig war. Meine Ängste vorm Schwarzsein und vor Männern waren tief in mich eingepflanzt. Wie konnte ich mich besser schützen als mit einem dicken, unattraktiven Körper? Ich fraß mir eine regelrechte Schutzmauer an. Und es war ein Teufelskreis: Ich sollte nicht auffallen – und war groß und dick. Sollte unscheinbar sein – und war groß und dick und schwarz. Und zu allem Überfluss auch noch ein Mädchen.

Mein Dasein in der männlichen Welt empfand ich oft als ein einziges Spießrutenlaufen. Ich erinnere mich an einen Spaziergang mit einigen Freundinnen. Kaum gingen wir an irgendwelchen Arbeitern vorbei, kamen sofort Bemerkungen: »Die Schwarze, die will ich« ... Innerlich erstarrte ich zur Salzsäule. Ich fühlte mich verletzt und gedemütigt und noch jetzt, wenn ich es aufschreibe, verspüre ich Wut und Hass auf diese Männer, die mich lediglich als wandelndes Sexualobjekt betrachteten.

Nach der Hauswirtschaftslehre arbeitete ich zwei Jahre als Kinderhelferin in diesem Heim, um dann mit 18 Jahren eine Ausbildung als Krankenschwester anzufangen.

Meine Schwesterntracht verhalf mir plötzlich zu einer Identität und einer Rolle. Von Kind auf war mir antrainiert worden, niemals meine wahren Gefühle zu zeigen, immer zu lächeln und den Mund zu halten. Also war ich schnell auf den Krankenhausstationen der Sonnenschein für die Patienten und Patientinnen. Dabei spielte es keine Rolle, wie es mir tatsächlich ging. Ich war eben die kleine Exotin. Immer wieder wurde ich auf mein Anderssein angesprochen und litt sehr darunter. Als Schülerin ging es mir noch ganz gut, aber nach meinem Examen arbeitete ich dann im Städtischen Krankenhaus Frankfurt-Höchst und wurde nur zu Handlangerdiensten herangezogen. Ich musste putzen und bekam keinerlei Verantwortung übertragen. Außer, dass ich unverschämt oft für die Nachtschicht, die die wenigsten gern übernahmen, eingetragen wurde. Im Nachtdienst durfte ich dann plötzlich die Verantwortung für gleich mehrere Stationen übernehmen.

Im Tagdienst passierte es hin und wieder, dass ein Arzt auf die Station kam, mich sah und mich fragte, ob denn niemand da sei. Ich war in seinen Augen niemand! Bin ich denn niemand? Ich bin eine Deutsche, ich bin hier geboren und bin doch anders. Eine Schwarze. Eine Mischung von schwarz und weiß.

Ich fühlte mich erniedrigt und diskriminiert. Nach wie vor hatte ich keinen Kontakt zu anderen Schwarzen, weil ich mein Schwarzsein am liebsten verleugnet hätte. Nicht genug, dass ich zu einer Minderheit gehörte, ich fühlte mich auch einsam und isoliert. Nicht von ungefähr wiederholte ich meine und meiner Mutter Lebensgeschichte. Mein erster Freund war ein schwarzer Soldat, und ich gebar auch ein Kind von ihm. In der ersten Zeit dieser Beziehung hegte ich sehr ambivalente Gefühle: einerseits war ich glücklich und auch stolz, einen Freund zu haben – wenigstens an diesem Punkt keine Außenseiterin mehr zu sein – und andererseits hatte ich die geheime Befürchtung, nun noch auffälliger zu sein. Nachdem diese Beziehung zu Ende war, musste ich zunächst wieder alles Schwarze aus meinem Leben »verbannen«.

Mit 23 Jahren heiratete ich – einen Weißen. Eineinhalb Jahre später kam unser Kind zur Welt. Wir sind eine sehr gemischt aussehende Familie mit den verschiedensten Schattierungen. Endlich fühlte ich mich zugehörig und auch ein Stück weit sozial anerkannt. Ein weißer Mann an meiner Seite, das konnte mir schon einige Sicherheit vermitteln, zumal wenn es immer heisst, dass nur das Weiße zählt.

Bei meinem Mann habe ich etwas gesucht, was ich nie finden konnte, nämlich Solidarität. Er konnte vieles nicht verstehen, einfach weil er weiß war. Er hat diese vielen subtilen Verletzungen und Anfeindungen nicht erfahren, die seine und leider auch meine Gesellschaft mir zugefügt haben. Immer wieder bekam ich von ihm zu hören, ich sei zu empfindlich. Das ist einfach keine Basis für eine Lebensgemeinschaft.

Und dann die Verwandtschaft. Die Schwester meines Mannes kam während ihrer Psychoanalyse zu der Feststellung, dass ihr mein Schwarzsein Angst mache und ich ihr in meiner Persönlichkeit zu stark sei. Inzwischen habe ich mich von dem Schmerz erholt, denn sie war über viele Jahre meine beste Freundin.

Eine gut katholische Tante meines ehemaligen Mannes und seiner Schwester, der Ärztin und Therapeutin, äußerte sich, ohne mich je gesehen zu haben, dass ich »dem D. (mein Mann) sowieso nicht treu sein kann, denn wer einmal mit einem »Neger« geschlafen hat, »kann das nicht«. Ja, was soll ich dazu sagen?

»Bleib Hausfrau und Mutter«

Als meine Kinder noch klein waren, fühlte ich mich unzufrieden, überfordert, eingesperrt, bildungshungrig. Mein Nachholbedürfnis gerade in bezug auf Bildung wurde noch verstärkt, weil fast alle unsere Bekannten und Freunde zu dieser Zeit Studenten oder schon fertige Akademiker waren. Und jedesmal, wenn die Rede auf meine Bedürfnisse kam, stieß ich auf Unverständnis, niemand konnte mit dem, was ich sagte, etwas anfangen. Wieso wollte ich mich weiterbilden? Auf die Schule gehen? Irgendetwas machen, um aus dem Hausfrauendasein herauszukommen?

Ich empfand mich auch als dumm, als nicht genug gebildet. Aber die Antwort meiner Freunde war, dass ich doch nicht dumm sei, dass ich doch viel leiste, dass ich doch einmal überlegen solle, was es heisst, Hausfrau und Mutter zu sein. So versuchten sie mich »aufzubauen«. Sie unterstützten und ermutigten mich nicht, sondern reduzierten mich auf die Mutterrolle. Gleichzeitig gab ich ihnen ja auch das Gefühl, dass sie etwas Besonderes seien. Indem ich mich abwertete, habe ich meine Studenten- und Akademikerfreunde aufgewertet. Und ich gab ihnen damit die Möglichkeit, dass sie an mir »Entwicklungshilfe« betreiben konnten. Selbst mein Mann nahm mich nicht richtig ernst. Auch für ihn war ich keine gleichwertige Partnerin, sondern seine Vor- zeigefrau, mit der er, wo immer wir uns sehen ließen, automatisch im Mittelpunkt stand.

Meine Beziehungen, die zu unseren Freunden sowie die zu meinem Mann, wurden erst ab dem Moment anstrengend und gespannt, in dem ich mich entschloss, doch noch einmal auf die Schulbank zurückzugehen. Ich begann, mich in Abend- und Wochenendkursen auf das Begabten-Sonderabitur vorzubereiten. Natürlich arbeitete ich weiterhin halbtags, denn wir benötigten auch das Geld. Ich arbeitete als Gemeindeschwester und später als Nachtwache in einem Krankenhaus in Frankfurt. Dennoch, meine Unzufriedenheit machte sich immer mehr spürbar, ich war einfach eine frustrierte Hausfrau und Mutter, ich schimpfte viel mit den Kindern.

Als der Mietvertrag unseres Einfamilienhauses in der Nähe Frankfurts abgelaufen war, setzte ich mich sehr stark dafür ein, dass wir wieder nach Frankfurt zurückzogen und ich somit ein Stück aus meiner Isolation herauskam. Denn ich fühlte mich wie im Gefängnis, ich hatte keinerlei Kontakte. Die Kinder hatten ihre Kindergarten- und Schulfreunde, mein Mann konnte sein Häuschen im Grünen genießen, denn er arbeitete in der Stadt und hatte Kolleginnen und Kollegen. Nach langer, mühsamer Wohnungssuche, denn nicht zu vergessen, ich bin nicht weiß, und die meisten Vermieter gaben uns einen abschlägigen Bescheid, fanden wir fast im Zentrum eine sehr schöne Wohnung. Dieser Umzug war für uns alle eine Zäsur: Die Kinder kamen in neue Schulen, in eine andere Umgebung, und ich hatte mir einen neuen Arbeitsplatz gesucht. Ich arbeitete in einem Rehabilitationszentrum für psychisch Behinderte, d.h. mit Menschen, die gerade aus der Psychiatrie entlassen worden waren und wieder lernen mussten, einen Platz in der harten Realität zu finden. Gleichzeitig bereitete ich mich abends und an Wochenenden auf die Prüfungen vor. Ich hatte eine Wahnsinnsangst durchzufallen, und die einzige Aufmunterung, die ich von seiten meines Mannes hörte, war, dass ich nach einem Misserfolg die Prüfung ja noch einmal machen könne. Ich fiel aber nicht durch und hatte sogar den gleichen Notendurchschnitt wie mein Mann, der ein Jahr vorher ebenfalls das Begabten-Sonderabitur gemacht hatte. Ich bewarb mich für einen Studienplatz und konnte mich einschreiben. Bis zu meinem Vordiplom konnte mein Mann nicht akzeptieren, dass ich auch etwas für die Uni tun musste, einiges zu lesen hatte oder Referate schreiben musste. Er blockierte mich sehr subtil in Form von »Liebe«. So fragte er mich eben, ob ich mit ihm spazieren gehen, oder ob ich mit ihm Kaffee trinken wolle ... Ich wurde immer aggressiver, ich wehrte mich gegen seine »Liebe«, die wie eine Fessel war, und gegen seine Konkurrenzgefühle.

Während meines gesamten Studiums arbeitete ich mindestens zwei bis drei Tage in der Woche und während der Semesterferien sowieso. Er konnte mir niemals vorwerfen, dass er mir mein Studium finanzieren müsse. Dazu hatte ich meinen Haushalt und meine Kinder zu versorgen. Natürlich kann nicht die Rede davon sein, dass mein Mann sich genauso verantwortlich fühlte wie ich. Oder vielleicht fühlte er sich verantwortlich, aber er entlastete mich zu Hause nicht zu 50 Prozent. Natürlich ging er einkaufen oder staubsaugte, aber das sind noch keine 50 Prozent Verantwortung. Als ich meiner Schwiegermutter von meinem Studium erzählte, meinte sie lediglich: »Und dein Haushalt?«

Wie konnte ich mir nur einbilden, dass ich die gleichen Rechte hätte wie die anderen?

Plötzlich verschoben sich die Rollen. Ich war nicht mehr die kleine dumme Exotin – ich studierte. Und niemand konnte damit etwas anfangen. Je ebenbürtiger ich den anderen wurde, desto distanzierter wurden unsere Beziehungen. Einige Freundschaften waren bald beendet. So einfach, so schnell. Selbst meine Schwester, eine Weiße, sagte einmal, dass mir eigentlich kein Studienplatz mehr zustünde, dass ich den Jüngeren den Platz wegnehmen würde, dass ich doch schon einen Beruf hätte.

Zum Glück ließ ich mich von niemandem beirren, ich studierte, fühlte mich in der Rolle einer Studentin so unendlich wohl, denn ich gehörte »dazu«, obwohl ich mein Studentendasein nie richtig genießen konnte. Ich hatte viel zu viel Verantwortung am Hals. Die einzigen, die sich freuten, waren meine Kinder. Sie haben mich in jeder Hinsicht unterstützt. Wenn ich lernen musste und sie waren leise, war das schon eine große Unterstützung.

Ich kam immer mehr in eine Krise, in eine Ehekrise und auch in eine Identitätskrise. Um für mich ein bisschen mehr Klarheit und auch Abstand von allen Ungeklärtheiten zu bekommen, entschloss ich mich, nach meinen Abschlussprüfungen als Diplom-Pädagogin, eine Reise ins südliche Afrika zu unternehmen. Und ich flog. Am 24. Dezember 1983 flog ich zum ersten Mal nach Zimbabwe, um dort für zwei Monate bei Freunden und Freundinnen zu wohnen und zu leben.

Jetzt kann ich sagen: Ich bin schwarz.
Vorurteile? Ja, was sind Vorurteile? Selten waren sie offen und direkt, dafür subtil und sogar vermeintlich freundlich.

Ich höre gerne Musik, und es fällt mir oft schwer, zuzuhören und dabei ruhig sitzen zu bleiben. Äußere ich mich, dass ich gerne tanzen möchte, heisst es gleich: »Dir liegt doch die Musik im Blut, du musst doch tanzen können«.

Natürlich muss ich auch singen können, denn alle »Negerinnen« singen doch phantastisch, besonders Gospels und Spirituals. Man denke nur an Ella und Mahalia! Und sie können nicht nur singen, sondern können sich auch – trotz Körpermasse – rhythmisch bewegen.

Es war ein langer Weg, in diesem weißen Bezugssystem zu mir selbst zu finden. Neben meinem Studium setzte ich mich auch anhand von Literatur mit den verschiedensten ethnischen Minderheiten auseinander; sehr eingehend auch mit dem Nationalsozialismus und den Juden im »Dritten Reich«. Ich fühlte und fühle mich diesen Menschen immer noch sehr nah.

Mein Bekanntenkreis besteht aus Menschen verschiedener Nationalitäten. Inzwischen habe ich auch viele afrikanische Freunde, bin gerne mit ihnen zusammen, ja, suche ihre Nähe. In ihrer Gegenwart fühle ich mich wohl, sicher, angenommen und nicht als Fremde. Doch immer wieder, wenn ich mich gerade sehr »zuhause« mit ihnen fühle, stelle ich schmerzlich fest, dass ich doch nicht ganz »dazugehöre«.

Die »Weiße Welt« ist mir vertrauter, ich bin hier unter Weißen aufgewachsen, obwohl ich auch hier nicht ganz dazugehöre, sondern zu einer Minderheit. Meine Söhne haben es leichter als ich – sie sind mit ihrem anderen Aussehen nicht alleine, sie haben mich.

Ein afrikanischer Freund erzählte mir folgendes: Bei einem Spaziergang begegnete er einer Frau mit einem Kind, das sie ganz aufgeregt auf den »Neger» aufmerksam machte. Er beugte sich zu dem Kind hinunter und fragte, wo es denn geboren sei. – »Hier«, also in Deutschland. Er fragte weiter: »Also bist du eine Deutsche?« Das Kind bejahte. »Siehst du«, erklärte er, »ich bin in Afrika geboren, also bin ich ein Afrikaner und kein ›Neger‹.«

Er empfindet das Wort »Neger« auch als Schimpfwort. Dieses Gespräch hat mich nachdenklich und auch neidisch gemacht, weil hier ein schwarzer Mensch ganz selbstverständlich auf seine Identität hinweisen konnte.

Ich habe auch eine dunkle Hautfarbe, bin aber Deutsche. Das glaubt mir niemand ohne weiteres. Früher sagte ich, um vor weiteren Fragen Ruhe zu haben, ich sei von der Elfenbeinküste. Ich kenne dieses Land nicht, aber es klang für mich so schön weit weg. Und nach dieser Antwort kamen auch keine Fragen mehr. So dumm sind die Deutschen. Ich konnte den Leuten jede Geschichte erzählen, Hauptsache, es klang ihnen fern und exotisch. Nur dass ich Deutsche bin, glaubte mir niemand. Wenn ich auf die Bemerkung «Ach, Sie sprechen aber gut deutsch« antworte: »Sie auch«, bleibt den Leuten der Mund offen stehen.

Erst in der letzten Zeit ist es mir gelungen, in meine eigene braune Haut zu schlüpfen und mich zu meinem Schwarzsein zu bekennen. Nach langer anstrengender, harter Arbeit in meiner Psychoanalyse kann ich sagen: »Ja, ich bin schwarz«. Ich kann meine weißen wie auch meine schwarzen Anteile akzeptieren und empfinde darin keinen Bruch. Dies verdanke ich nicht zuletzt der grenzenlosen Geduld meines Therapeuten, der mich auf diesem steinigen Weg begleitete, auf der Suche nach meinem Selbst, nach meiner Identität, nach meinen Wurzeln.

Der Revolutionär

nein mutter, ich sage dir nicht, dass ich mich von
deinem gott losgesagt habe
ich bin ein revolutionär
ich weiß, dass ich euch alle damit treffe, nur deshalb heirate ich sie, die schwarze, die nicht zu uns passt
ich bin ein revolutionär
schaut, ich verlasse sie schon wieder – ich gehe um zu kämpfen, bitte nehmt mich wieder auf, denn ihr könnt stolz auf mich sein
ich bin ein revolutionär
ich weiß, was ich euch schulde, auch dir mutter, deshalb komme ich zurück
ich bin doch dein sohn. vergib meine revolte.
aber ab heute bestimme ich über meine Unterhosen, mutter.
das ist dein preis.

Der Schrei

weil armut erfinderisch macht, hatte ich immer sachen zum spielen.
und dann freunde, viele, scharenweise.
sie spielten mit meinen sachen und machten sie kaputt.
liefen weg. und ich war wieder alleine.
warum?
lasst mich mit!
ich möchte zu euch gehören, aber sie waren einfach weg. Sarotti-mohr, Mohrenkopf.

warum schämt ihr euch? warum bemitleidet ihr mich? warum quält ihr mich?
Nigger.

lasst mich wie ihr sein.
schaut, ich mache mein haar glatt,
meine lippen schmal und kleide mich hübsch.
Exotin.

ich bin ein mensch, ein weibliches wesen, versteht ihr mich nicht?
Sex.
ihr macht mich ungleichwertig, hausfrau und mutter.
Neinnnnnn. bitte, versteht mich denn niemand.
Doch.
wir alle, aber bleibe wie du bist und verändere dich nicht, nein, keine bildung, wo bleiben sonst wir ? ? ? ? aber versteht mich doch, ich will gleichwertig sein, aber doch bitte nicht wie wir! du gehörst nicht zu uns.
HILFE sie wollen mich steinigen und fast schaffen sie es.

King Charles

C 6784

Verlag Berliner Künstlerbilder

Astrid Berger (42 J.)

»Sind Sie nicht froh, dass Sie immer hier bleiben dürfen?«

Mein Versuch, etwas über mich zu berichten, soll mit einem anderen Menschen beginnen, meinem Vater. Er ist wohl der Mensch, der mich entscheidend geprägt hat, obwohl ich ihn schon sehr früh verlor – er starb, als ich elf Jahre alt war.

Mein Vater, Kala King, wurde 1895 in Duala in Kamerun geboren, das damals deutsche Kolonie war. Er kam vor Beginn des 1. Weltkriegs nach Deutschland, und bei der Einreise änderten die deutschen Behörden seinen Namen in Gottlieb Kala Kinger um. Hier machte er eine Lehrerausbildung. Seine Vorstellung sowie die der Deutschen war, dass er nach Abschluss der Ausbildung nach Kamerun zurückkehren sollte. Es kam jedoch anders: während des Studiums lernte er seine Frau kennen und entschied sich, in Deutschland zu bleiben. Natürlich konnte er als Afrikaner in seinem Beruf nie arbeiten – niemand hätte ihm eine Lehrerstelle gegeben. So entschlossen die beiden sich, als Tanzpaar in Varietés aufzutreten. Von dieser Tätigkeit konnten sie recht gut leben.

Ich erinnere mich noch gut an die Erzählungen meines Vaters über diese Zeit. Einmal nähte seine Frau ihm ein Frauenkostüm, und er trat in einer Nummer als Mädchen auf und erschien dann in der nächsten wieder im Frack. Alle Zuschauer sagten hinterher: »Ach, das ist der Bruder von dem jungen Mädchen.« – Manchmal, wenn meine Eltern ganz gut drauf waren, haben sie uns etwas vorgesteppt.

Während des Kriegs hatte mein Vater eine Beziehung mit einer anderen Frau, aus der ich hervorging. Ich kam in Schwerin an der Warthe in einem Kloster auf die Welt, wo man mich sogleich zum

Mitglied der katholischen Kirche machte, obwohl meine Mutter keiner christlichen Glaubensgemeinschaft angehörte. Die Bedingung dafür, dass sie ihr Kind dort bekommen konnte, war, dass ich sofort katholisch getauft wurde. Ich lebte die ersten Jahre bei meiner Mutter in der DDR. Mein Vater besuchte uns regelmäßig. Meine Mutter arbeitete und hatte noch zwei Töchter, die um einiges älter waren als ich. Während der Woche lebte ich in einem Hort, am Wochenende kam ich nach Hause. Als ich fünf Jahre alt war, einigten meine Mutter und mein Vater sich und entschieden, dass ich zu ihm ziehen sollte; er wollte unbedingt, dass ich bei ihm lebte. Zu dieser Zeit arbeitete mein Vater schon beim Film und Theater. Wir zogen dann bald nach West-Berlin um – mein Vater wurde als unerwünschter Ausländer in der DDR angesehen, da er immer in West-Berlin gearbeitet hatte. Ich war gern mit meinem Vater mitgegangen, aber der Wechsel in den »Westen« war für mich zunächst furchtbar. Insbesondere mein erster Schulbesuch, denn in der Zeit war es noch etwas völlig Außergewöhnliches, als schwarzes Kind in der Schule zu erscheinen. Die Klassenlehrerin

Astrid Berger und ihr Vater Gottlieb Kala Kinger

guckte mich an und sagte laut: »Das ist ja ein hochinteressanter Fall!« Ich war ein »Fall«, kein Mensch – wie sollte ich damit umgehen?

Gerade bei solchen Ereignissen war es so wichtig für mich, meinen Vater zu haben. Wenn ich nach Hause kam und erzählte, was man zu mir gesagt hatte, unterstützte er mich immer und sagte: »Das sind arme Menschen«. Er konnte als Schwarzer hier ganz gut leben, fühlte sich nicht angegriffen. Wenn Leute ihn auf seine Hautfarbe ansprachen, lachte er und erklärte ihnen Dinge über Afrika.

Aber er hat mir schon auch gesagt: »Du musst immer auf dich halten, vergiss nicht, dass die auf dich mit dem Finger zeigen.« So war es dann auch. Ich ging auf eine Mädchenschule und war dort immer das einzige »Ausländerkind«. Und wenn irgendetwas passiert war, hieß es: »Das war die Schwarze.«

Meine Pflegemutter hatte sich aufgrund ihrer Erfahrungen als Jüdin im 3. Reich die Haltung angeeignet, »nur nicht auffallen.« So war sie auch wenig geneigt, mich offensiv zu unterstützen. Bei meinem Vater hatte ich jedoch immer das Gefühl, er hätte nichts auf mir sitzen

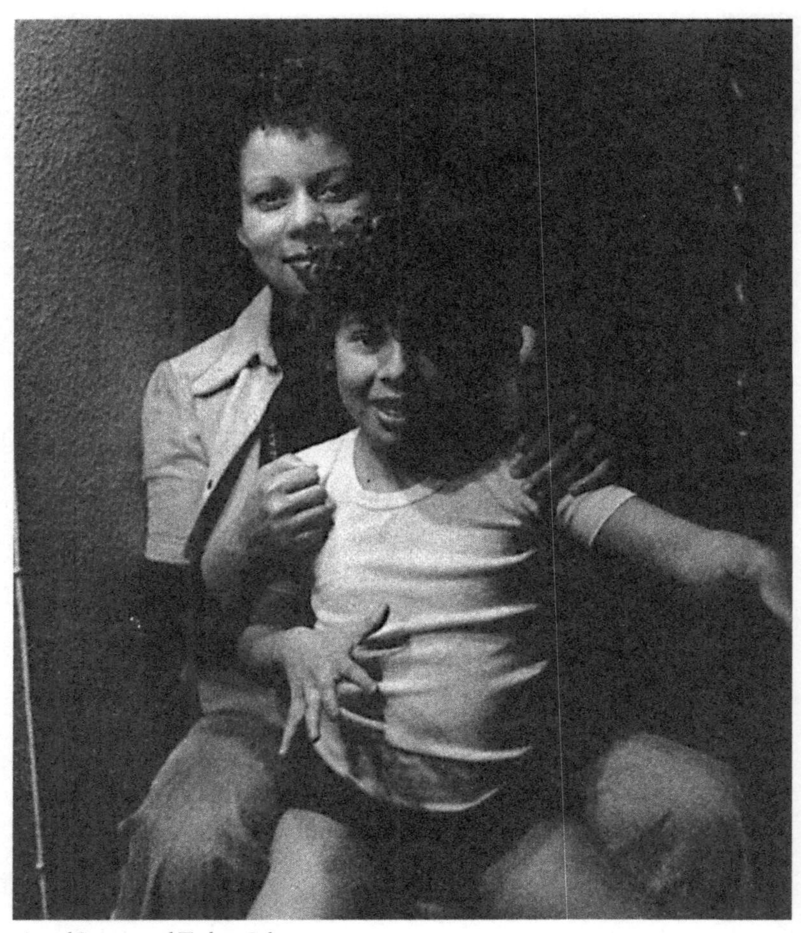

Astrid Berger und Tochter Julia

lassen, wenn mir Unrecht geschehen wäre. Daher kann ich auch meine Tochter ganz gut verteidigen und hinter ihr stehen. Es war sehr wichtig für mich, die sechs Jahre einen Menschen zu haben, auf den ich mich blind verlassen konnte – ich habe nie wieder von einem Menschen soviel Zuwendung bekommen.

In diesen Jahren lebten wir mit der Frau meines Vaters, ihrer Mutter, die übrigens meinen Vater sehr mochte, und ihrer Schwester zusammen. Vater spielte in Filmen und im Theater, z.B. in »Königliche Hoheit« und »Meine drei Engel«. Er verdiente gut, und wir führten ein angenehmes Leben. Lieber hätte ich es jedoch gesehen, wenn mein Vater die Möglichkeit gehabt hätte, in seinem Beruf als Lehrer zu arbeiten. Die Filmszene war doch nicht so angenehm, und viele Afrikaner und Afro-Deutsche, die dort arbeiteten, beschönigten ihre Situation vor sich selbst und logen sich etwas vor, indem sie sagten: »Die brauchen uns.« Der Verdienst ist gut, aber entweder du spielst den nackten Wilden oder die nackte Wilde oder Dienstbotenrollen. Es werden keine schauspielerischen Fähigkeiten verlangt, nur dass du anders aussiehst. Aber wenn du keine Wahl hast, dann beschönigst du eben das, was dir bleibt.

Ich selbst hatte auch einige Rollen als Kind und später als Studentin. So spielte ich in »Perlicke-Perlacke« den »Kleinen Muck«, war ein Dienstmädchen in »Nach dem Sündenfall« im Schillertheater und hatte eine Rolle in Giraudoux' »Judith«. In diesen Jahren lernte ich viele der Landsleute meines Vaters kennen, eigentlich war es wie eine Großfamilie. Mit einigen habe ich auch heute noch Kontakt.

Mein Vater starb überraschend mit 60 Jahren. Er brach auf der Bühne mit einem Schlaganfall zusammen. Ich lebte weiter bei seiner Frau, die mir eine äußerst strenge Erzieherin war. Sie klemmte mir Bücher unter die Arme und brachte mir so feine Tischmanieren bei. Selbstverständlich hatte ich beim Essen nur zu sprechen, wenn das Wort an mich gerichtet wurde. Sie schickte mich auf das Gymnasium und wollte mich durch Klavierunterricht und Tennisstunden zur »höheren Tochter« erziehen. Ihre Vorstellungen einer höheren Tochter hinderten sie allerdings nicht daran, mich mit 13 Jahren nackt in dem Film »Liane im Urwald« als Wilde herumspringen zu lassen. Ich selbst empfand das zu dem Zeitpunkt auch nicht als Problem, zumal die Erwachsenen, die ich kannte, dort dasselbe taten. Ich war zum ersten Mal in Italien, wo die Dreharbeiten stattfanden, bekam 100 Mark pro Tag, was viel Geld war, und war sehr froh, der strengen Erziehung für ein paar Tage entkommen zu sein.

Mit 18 Jahren begann ich ein Musikstudium in Klavier und

Gesang. Der Mann, den ich dann heiratete, studierte Musik, und er und seine Kommilitonen ermutigten mich dazu. Ich war erfolgreich und hatte auch keine Probleme als Afro-Deutsche. Musikstudenten sind sowieso Außenseiter. Darüber hinaus gab es zu der Zeit viele Afro-Amerikaner/innen, die berühmte Sängerinnen und Sänger und auch nicht begrenzt in ihren Rollen waren.

Nach neun Jahren Studium war ich so weit, dass ich ein Angebot für ein Engagement an der Kieler Oper hatte, wo ich auch als Solistin auftreten sollte. Zu der Zeit hatte ich mich aber schon entschieden, dass ich ein Kind haben wollte, und war schwanger. Das Gehalt, das mir geboten wurde, war sehr niedrig, und ich wollte mich auch nicht von meinem Mann finanziell abhängig machen. Ich hätte mit meinem Kind nach Kiel gehen müssen. Die Schwierigkeiten, eine solche Karriere mit Kind zu machen, schienen unüberwindlich. Ich schlug das Angebot ab.

Eineinhalb Jahre später trennte ich mich von meinem Mann und beschloss, einen Beruf zu erlernen, mit dem ich unabhängig sein und unsere Existenz sichern konnte. Ich verkaufte meinen Flügel und machte eine Krankenschwesternausbildung – ich hätte es nicht aushalten können, den Flügel weiter in meinem Leben zu haben. Heute arbeite ich immer noch in diesem schönen, aber schweren Beruf. Ich habe es in der Laufbahn so weit gebracht, wie es geht und meine auch, dass ich alles, was ich anfangen würde, gut machen würde. Aber begabt fühle ich mich eigentlich nur für die Musik.

In meinem zweiten Lebensjahrzehnt lernte ich, die Männer kritischer zu betrachten und entdeckte, dass sie teilweise rassistische Ausbeuter waren. So erklärte mir ein Freund, mit dem ich ein Jahr zusammenlebte, auf meine Frage, warum er mich liebe: »Ein Mannequin oder eine Stewardess kann ich täglich haben, eine schwarze Frau aber nicht.« Ich habe mich am gleichen Tag von ihm getrennt.

Als ich meine Tochter Julia auf die Welt brachte, war ich 25 Jahre alt. Ihr Vater ist Italiener. Das Kind und ich haben eine Zeitlang bei seinen Eltern in der Nähe von Neapel gelebt. Sie sind herzensgute Leute, und auch heute nach 15 Jahren haben wir noch eine schöne

Verbindung. Leider konnte ich die Beziehung zum Vater meines Kindes nicht aufrechterhalten. Ich hätte mir für Julia so sehr eine intakte Familie gewünscht, eine Familie, wie ich sie als Kind selbst vermisst habe. Für mich war diese Trennung trotzdem der richtige Entschluss. Ich habe versucht, meiner Tochter eine gute Mutter und Freundin zu sein und sie zu einem furchtlosen, geraden Menschen erzogen.

Ich habe mich oft überfordert gefühlt als alleinerziehende, berufstätige, gewerkschaftlich aktive und politisch engagierte Frau. Nicht nur, aber auch durch die Behandlung, die ich als Afro-Deutsche erfahre. Öfter werden Fragen an mich gestellt wie: »Sind Sie nicht froh, dass Sie immer hier bleiben dürfen?« Und es ist enorm schwierig, den Fragenden zu erklären, dass ich eine Deutsche bin und nirgends anders hingehen kann. Durch meine schwarze Haut befinde ich mich so oft in der Position der Erklärenden und der sich Verteidigenden, und das ist schon so, solange ich denken kann.

Auch in meinem Berufsleben habe ich vor allem, aber nicht nur von Patienten Diskriminierungen wegen meiner Hautfarbe hinnehmen müssen. So hat mir beispielsweise eine 170 kg schwere Frau, die zu faul (nicht etwa zu krank) war, sich alleine zu waschen, gesagt: »Sie als schwarze Schickse können sich doch freuen, überhaupt in Deutschland arbeiten zu dürfen, also waschen Sie mich jetzt!«

Aber ich habe schon so viel in meinem Leben erfahren und so viel geschafft, dass ich es auch überstehe, wenn mir eine Person so etwas sagt.

Miriam Goldschmidt

»Spiegle das Unsichtbare, spiel das Vergessene«

Miriam Goldschmidt ist Schauspielerin spanisch-jüdischer und afrikanischer Herkunft. Sie wuchs in Düsseldorf auf und hatte nach ihrer Ausbildung Engagements unter bekannten deutschen Regisseuren wie Kortner, Buckwitz, Zadek und Hollmann und spielte in vielen Orten. 1971 entschloss sie sich, zu Peter Brook nach Paris zu gehen – sie ahnte, dass sie in seiner Truppe einem lebendigeren Theater begegnen würde. Brook nahm sie in das »Centre International de Recherche Theatrale« auf. Er sah die Aufgabe des Theaters immer darin, die Verkrustungen von Sprache, Gestik, Gefühlen aufzubrechen, die »erste Natur« des Menschen freizulegen. Zusammen mit dem multinationalen Ensemble des Centre wollte er jedoch auch eine neue Beziehung zwischen Schauspielern und Publikum schaffen, eine einfache Form, die »einen zur Welt des Handelns, aber auch zur Welt der inneren Eindrücke tragen kann, die Wege finden kann, die die innere und die äußere Welt verbinden.«

Miriam Goldschmidt erwähnte eine Übung, die die Gruppe zusammen machte und die den Gehalt des Vorhabens von Brook und den Schauspieler/innen, an etwas Essentielles heranzukommen, verdeutlichte: »Wir standen in einem Kreis und haben alle langsam einen Stab vom Boden in die Luft erhoben. Es war gleichgültig, wie unterschiedlich wir waren, aus welchen Lebenszusammenhängen wir kamen, es ging nur darum, gemeinsam diese Bewegung zu vollziehen, zu fühlen, wer zu schnell oder zu langsam war, eine Einheit zu

Miriam Goldschmidt mit Sohn (Foto: Ruth Walz)

erlangen. Hier entstand ein Moment, der den Kern von Religion, von Kult zum Leben brachte. Wir haben mit diesem Vorgang häufig das Stück ›Conference of the Birds‹ beendet, und die Zuschauer – ob in Afrika, in Europa, in den USA – waren immer, wenn wir es zusammenbekamen, wie gebannt. Es entstand ein seltener Augenblick gemeinsamen Verstehens.«

Für die Schauspielerin Miriam Goldschmidt bedeutete diese Zeit mit dem Brook-Ensemble einen intensiven Prozess der Arbeit an sich selbst, für sich selbst und gleichzeitig an der Gesellschaft und für die Gesellschaft. Sie reisten nach Afrika mit dem Stück »Conference of the Birds« und erweiterten diese Vorstellung in Australien und den USA um die Stücke »L'Os«, »Ubu Roi« und »The Ik«. In Alfred Jarrys »Ubu Roi« spielte Goldschmidt mit großem Erfolg die schillernde Rolle der Mutter Ubu.

1980 verließ sie das Brook-Ensemble, um ein Engagement bei Peter Stein an der Schaubühne in Berlin anzunehmen, wo sie seither mit dem Schweizer Schauspieler Urs Bihler und ihren beiden Kindern lebt. Sie trat u.a. in den Stücken »Die Neger«, »Kalldewey« und »Dibbuk« auf und spielte in Bochum unter der Regie von Tabori in »Peepshow« und unter Langhoff in »Titus Andronicus«.

Miriam Goldschmidt verfasste in den 70er Jahren selbst ein Theaterstück, das sie zusammen mit Urs Bihler u.a. in Basel aufführte. Mit »Emo und Sanu« gelang es ihr, die Erfahrung, die sie bei Brook machte, auch an Kinder weiterzugeben. Die Reaktion von Kindern sieht sie als einen wichtigen Test an, ob Theater bei den Zuschauern etwas bewirkt:

»Die Neugier des Kindes ist international und kommt aus dem Bedürfnis, etwas zu lernen. Neugier muss befriedigt werden, sonst entartet sie und wird aggressiv ... Es fiel uns auf, dass die Themen: Geburt, Liebe, Familie, Angst, Eifersucht und Tod in den drei Kontinenten, die wir bespielten, immer wieder zentrale Themen der Kinder sind ...

Ich denke an das Kind ohne Beine in Afrika, an das Kind im Keller, an das Kind im Mülleimer, an die Kinder, die noch nie einen Baum gesehen haben – die Taubstummen, die Blinden, die Vergewaltigten, Entwürdigten, Verstoßenen, an die Kinder aus ›gutem Haus‹, an diese Kinder denke ich. Es muss, wenn so viele Kinder trotzdem fähig sind, sich etwas unter Liebe, Geburt, vor allem Angst vorzustellen, etwas Gemeinsames in unseren Handlungen, Wünschen und Möglichkeiten zur

Verständigung unter uns Menschen geben. Da sehe ich einen Weg für unser Theater: die Suche nach Kräften und neuen Ausdrucksformen. Da sehe ich auch einen Weg für Erzieher und Pädagogen.«*

Was Miriam Goldschmidt hier für Kinder sagt, gilt ihr auch für erwachsene Zuschauer: »Gutes Spielen ist wie eine Reinigung. Du bist wie gebadet, es gibt einen Duft an dir, den du noch nie gehabt hast, den du noch nie in der Welt gespürt hast.«

Eine jiddische Legende **
Solange das Kind im Bauch der Mutter wohnt, steht ihm ein Engel mit einer brennenden Kerze zur Seite und lehrt es alles, was es zu lernen gibt. Wird das Kind geboren, bläst der Engel die Kerze aus. Dann hat das Kind alles vergessen.

* *
*

Mein Engel schenkte mir zum Trost einen Spiegel und sagte:
»Spiegle das Unsichtbare Spiel das Vergessene«
Darauf verschwand mein Engel
und hinterließ eine Dunkelheit
die dem Verstand verschlossen bleibt
Er kehrte zurück in der Gestalt
eines Hundes
Ich gab ihm den Namen
Instinkt
So werde ich langsam zu dem
was ich vergessen habe
Erinnern wird mein Herbst sein
Wissen mein Winter

* zitiert in Peter Burri, »Beispiele für aufgehobene Entfremdung,« Nationalzeitung Basel, 22. 7. 1974, S. 23.

** übernommen aus »Theater 1984«, Jahrbuch der Zeitschrift *Theater Heute.*

Mit achtzehn Jahren verfasste ich einen Text, der folgendermaßen endete:
»Noch einen Schritt zurück und
ich bin bei dir
Bin weil ich nicht bin
Ich bin drüben«

Einmal stand ich am Meer rittlings
auf einem Sandhügel
Ich hielt die Löcher
einer barocken Querflöte
das Vermächtnis meines toten Geliebten
dem Wind entgegen
Atlantischer Wind fuhr ein
in die Flöte
sie sang
Der Tote hatte Platz in einem Loch Er lebte
Womöglich bin ich keine Schauspielerin
sondern ein Loch
Schmerz rundet mich

Haut den Bimbo
Spielzeug 1950

Malvorlage für die Farbe Schwarz

Alltäglicher Rassismus in Kinder- und Jugendbüchern

Die meisten der in den 50er und 60er Jahren geborenen Afro-Deutschen wuchsen, wie auch die vorhergehende Generation, ohne Kontakte zu anderen schwarzen Kindern und/oder Erwachsenen auf. Trotz der zunehmenden Zahl von afrikanischen und afro-amerikanischen Student/innen, afrikanischen Flüchtlingen und afro-amerikanischen Armeeangehörigen sind Schwarze nach wie vor eine relativ kleine Bevölkerungsgruppe in der Bundesrepublik. Ihre Gesamtzahl wird verschiedentlich mit 100.000 angegeben, wobei der Anteil von Afro-Deutschen auf etwa ein Drittel geschätzt wird.1 Vor allem außerhalb von Universitätsstädten sind Schwarze immer noch eine höchst seltene Ausnahme, und wahrscheinlich begegnen, insgesamt gesehen, die meisten weißen deutschen Kinder Menschen afrikanischer Herkunft zunächst in ihren Bilderbüchern, Kinderliedern und -spielen, bevor es zu persönlichen Kontakten kommt. Aus diesen imaginären Zusammentreffen entstehen oft die ersten Voreingenommenheiten, die die reale Konfrontation mit Afro-Deutschen und Afrikaner/innen überschatten und nachhaltig beeinflussen können. Wirft man einen Blick auf das Afrika-Bild, das die deutschsprachige Kinder- und Jugendliteratur jungen Menschen vermittelt, so stößt man immer wieder auf Kolonialklischees, offenen und subtilen Rassismus. Viele der altbekannten Erzählungen, in denen Menschen afrikanischer Herkunft beschrieben werden, stammen aus dem 19. Jahrhundert, aus der Hochblüte von Sklavenhandel und kolonialistischer Ausbeutung. Sie verbreiten wie eh und je, in unveränderter Form oder in Neuauflage, die gängigen diffamierenden Stereotype vom arbeitsscheuen, hässlichen, dummen, exotischen und wilden/grausamen afrikanischen Menschen, der der Belehrung durch weiße Europäer bedarf und ansonsten für die »Zivilisation« als untauglich befunden wird.

Das weitverbreitete und beliebte Lied von den »Zehn kleinen Negerlein« ist eines von vielen, das die Unfähigkeit und Unvollkommenheit von Afrikanern kindgerecht vor Augen führt. Als doppelt verniedlichte

Wesen, als *kleine* Neger*lein,* werden sie in das in Deutschland bzw. Europa spielende Handlungsgeschehen eingeführt, und in jeder Situation, in der ihre Integrationsfähigkeit auf die Probe gestellt wird, scheitern sie. In der harmlosesten Fassung gibt es ein einziges überlebendes »Negerlein«, das nur deshalb nicht dem Tode geweiht ist, weil es so gescheit ist, nach Afrika zurückzukehren. Dort heiratet es und bleibt es. In den Versionen, wo kein Zurück eingeplant ist, muss auch das letzte »Negerlein« sterben: »Da waren alle futsch.«

Zehn kleine Negerlein Refrain:
Ein klein, zwei klein, drei klein, vier klein, fünf klein Negerlein
sechs klein, sieben klein, acht klein, neun klein, zehn klein Negerlein.

1. Zehn kleine Negerlein, die schliefen in der Scheun.
   Das eine ging im Heu verlorn. Da waren's nur noch neun.
2. Neun kleine Negerlein, die gingen auf die Jagd.
   Das eine wurde totgeschossen. Da waren's nur noch acht.
3. Acht kleine Negerlein, die gingen Kegel schieben.
   Das eine hat sich totgeschoben. Da waren's nur noch sieben.
4. Sieben kleine Negerlein, die gingen mal zur Hex.
   Das eine hat sie weggehext. Da waren's nur noch sechs.
5. Sechs kleine Negerlein gerieten in die Sümpf.
   Das eine ist drin stecken blieben. Da waren's nur noch fünf.
6. Fünf kleine Negerlein, die tranken gerne Bier.
   Das eine hat sich totgetrunken. Da waren's nur noch vier.
7. Vier kleine Negerlein, die kochten einen Brei.
   Das eine hat sich totgegessen. Da waren's nur noch drei.
8. Drei kleine Negerlein, die machten groß Geschrei.
   Das eine hat sich totgeschrien. Da waren's nur noch zwei.
9. Zwei kleine Negerlein, die fuhren mal nach Mainz.
   Das eine ist in'n Rhein gefallen. Da war es nur noch eins.
10. Ein kleines Negerlein, das war erstaunlich schlau.
    Es ging zurück nach Kamerun und nahm sich eine Frau.
    (Volksweise)

Text: Und wenn die beiden zehn Kinder haben, geht die Geschichte von vorne los.[2]

Ebenso wie Dummheit und Naivität sind Zügellosigkeit und grausamer Kannibalismus wesentliche Eigenschaften afrikanischer Menschen in Abenteuerbuch und Comic. Im Fahrtenlied »Negeraufstand ist in Kuba«, das spontan in Jugendgruppen entstanden sein soll, wird das Klischee des bestialischen Wilden derart auf die Spitze getrieben, dass eine Steigerung kaum noch vorstellbar ist.

Negeraufstand ist in Kuba
Schüsse hallen durch die Nacht,
in den Straßen von Havanna
stehen Neger auf der Wacht.

Refrain:
Umba, umba, assa
umba, umba, ass
umba, eeo, eeo, eehh.

In den Straßen fließt der Eiter,
der Verkehr geht nicht mehr weiter,
an den Ecken sitzen Knaben,
die sich an dem Eiter laben.
(Refrain)

Und der Jo mit seinem Messer
ist der ärgste Menschenfresser,
schneidet ab nur Ohr und Nasen
und versucht dadurch zu blasen
(Refrain)

In der großen Badewanne
sucht die Frau nach ihrem Manne,

doch sie fand nur ein paar Knochen,
die noch etwas nach ihm rochen.
(Refrain)

Und der Häuptling Scharfer Zacken,
der frisst einen weißen Backen,
und von einem Säuglingsknochen
lässt er sich 'ne Suppe kochen.
(Refrain)

In den Nächten gellen Schreie,
Köpfe rollen hin und her.
Schwarze Negerhände greifen
nach dem Goldzahn und nach mehr.
(Refrain)

In Gesträuch und in Gestrüppe
hängen menschliche Gerippe,
und die Neger und die Kleinen
knabbern schmatzend an Gebeinen.
(Refrain)

In den Bäumen hängen Leiber,
und darunter stehen Weiber,
und die denken wie besessen
an das nächste Menschenfressen.
(Refrain)

In den Flüssen schwimmen Leichen
mit den aufgeschlitzten Bäuchen,
drinnen stecken noch die Messer,
vergessen haben sie die Menschenfresser.
(Refrain)

> Als der Aufstand war verronnen,
> schien die liebe gute Sonnen
> auf die prallen schwarzen Wänste,
> die da litten Stuhlgangängste.
> (Refrain)[3]

Schwarze Menschen sind per se hässlich – diese Botschaft wird besonders eindeutig in der Geschichte von Richard von Volkmann-Leander, »Der kleine Mohr und die Goldprinzessin«, vermittelt:

> »Es war einmal ein armer kleiner Mohr, der war kohlschwarz und nicht einmal ganz echt in der Farbe, so dass er abfärbte. Abends war sein Hemdenkragen stets ganz schwarz, und wenn er seine Mutter anfasste, sah man alle fünf Finger am Kleid. Deshalb wollte sie es auch nie leiden, sondern stieß und schuppte ihn stets fort, wenn er in ihre Nähe kam. Und bei den ändern Leuten ging es ihm noch schlimmer.
> Als er vierzehn Jahre alt geworden war, sagten seine Eltern, es sei höchste Zeit, dass er etwas lerne, womit er sein Brot verdienen könne. Da bat er sie, sie sollten ihn in die weite Welt hinausziehen lassen und Musikant werden lassen; zu etwas anderem sei er doch nicht zu gebrauchen.
> Doch sein Vater meinte, das wäre eine brotlose Kunst, und die Mutter wurde gar ganz ärgerlich und erwiderte weiter nichts als: ›Dummes Zeug, du kannst nur etwas Schwarzes werden!‹«[4]

Das »arme« Kind, das nicht nur schwarz ist, sondern zu allem Überfluss auch noch abfärbt, wird schließlich Schornsteinfeger, bekommt jedoch keinen Gesellenbrief, weil sich bei der Prüfung herausstellt, dass die Schwärze des »Mohren« nicht vom Reinigen der Kamine herrührt, sondern »Mohrenschwärze« ist.

> Da merkten alle mit Entsetzen, wie es um ihn stand.«[5]

Fortgejagt, findet er alsbald Anstellung bei einem Ehepaar, wo er nichts weiter zu tun hat, als hinten auf dem Kutschenwagen zu stehen, »damit man gleich sähe, dass vornehme Leute kämen.«[6] Auch hier wird er fortgejagt, als der »Herr« entdeckt, dass der kleine Mohr abfärbt. Bezeichnend sind die tröstenden Worte der Ehefrau des vornehmen Mannes:

> »Freilich, ein großes Unglück sei es, ein Mohr zu sein, und besonders einer, der abfärbe. Doch er solle nicht verzagen, sondern brav und gut bleiben, dann würde er mit der Zeit noch ebenso weiß werden wie die ändern Menschen.«[7]

Tatsächlich wird der »Mohr« im Laufe seiner Wanderschaft durch fleißiges Üben auf der Geige, die er von der Frau mit auf den Weg bekommen hat, immer weißer. Als er eines Tages der hübschen Goldprinzessin begegnet, die ihn wegen seiner inzwischen »mausgrauen« Erscheinung als Freier verschmäht, verurteilt er sich selbst für sein vergebliches Bemühen um ihre Zuneigung, die ihm doch gar nicht zustehen kann:

> »Die Goldprinzessin wolltest du heiraten? Ganz dumm bist du! Da darfst du dich nicht wundern, wenn die Leute dich auslachen.«[8]

Als er der schönen Frau zum zweiten Male begegnet, ist sie inzwischen zur Blechprinzessin heruntergekommen, die nur noch auf Jahrmärkten vorgeführt wird. Da sie sich nicht fremdbestimmen lassen wollte und wählerisch einen Freier nach dem anderen abblitzen ließ, bröckelte ihr Gold nach und nach ab, bis sie nur noch Blech war. Da steht sie nun, für ihre Widerspenstigkeit mit Hässlichkeit bestraft, während der »Mohr«, der sich um Anpassung bemühte, entsprechend belohnt wurde, indem er nun ein stattlicher weißer Mann geworden war, der »längst auch nicht ein Tüpfchen Schwarzes mehr an sich hat (hatte)«[9]. Die Rassismus und Sexismus lehrende Geschichte endet in der vorhersehbaren Warnung, »dass vielerlei abgeht im Leben, Hübsches sowohl wie Hässliches, und dass daher alles darauf ankommt, was drunter ist.«[10]

Die Geschichte von R.v.Volkmann ist wie das Lied von den »Zehn kleinen Negerlein«, für das die »Ten little indians« von Frank Green als Vorlage diente, in der Mitte des 19. Jahrhunderts geschrieben worden. Neuere Geschichten, Erzählungen und Reisebeschreibungen bereiten oft nicht weniger unverhüllt ähnliche rassistische und sexistische Klischeevorstellungen auf.

Schon die Figuren werden normalerweise so konstruiert, dass sich Jungen mit der männlich-weißen Hauptfigur, Mädchen mit der weiblich-weißen Nebenfigur identifizieren, und Schwarze, wo immer die Handlung spielt, als mehr oder weniger unbedeutende Randfiguren auftreten. Häufig tauchen sie als Boys/Dienstmädchen, Jagdgehilfen und Tierpfleger auf.

Brigitta Benzing, die über 400 Kinder- und Jugendbücher einer kritischen Analyse unterzogen hat, beschreibt das so: »Die Afrikaner sind hier nur Bestandteil der exotischen Szenerie.«[11]

Die Beziehung von Schwarzen zu Weißen ist fast immer ein unabänderliches und unhinterfragt bleibendes Untergebenenverhältnis, was sich, über die persönliche Ebene hinaus, in der kritiklosen Hinnahme der Abhängigkeitsverhältnisse von Industrieländern und in Unterentwicklung gehaltenen Ländern fortsetzt. In jedem Fall scheinen Herrschaft und Knechtschaft nicht miteinander historisch-gesellschaftlich verbunden, sondern biologisch-naturbedingte Zwangsläufigkeiten zu sein, die unabhängig voneinander Bestand haben. Entsprechend können die weißen Helden in der Rolle von wohlwollenden Missionaren und Entwicklungshelfern auftreten, die die afrikanischen Menschen aus ihrer vorsintflutlichen Existenz herausführen wollen, ein Vorhaben, das viel Einfühlungsvermögen und Fingerspitzengefühl erfordert:

> »Lieber Leser, hast du je versucht, dir vorzustellen, wie ein Mensch aus der Eisenzeit reagieren würde, wenn er plötzlich

> mitten ins zwanzigste Jahrhundert versetzt würde? Wir wissen nicht, was er denken und fühlen würde, doch wir können ziemlich sicher sein, dass er viel Angst und Verwunderung empfinden und vieles falsch machen würde. In Wirklichkeit leben aber noch heute viele Menschen auf der Erde, die mit jenen Eisenzeitmenschen verglichen werden können.«[12]
> »Noch ist viel zu tun. Die Vereinten Nationen und die großen Industrieländer helfen mit Geld und Ausbildern. Von dem Geld werden Krankenhäuser, Schulen, Fabriken, Kraftwerke und Verkehrswege gebaut.«[13]

In Abenteuer-, Sach- und Schulbüchern werden Geschichte und Gegenwart so behandelt, dass Plünderung und Unterwerfung der heute abhängigen sogenannten »Dritte-Welt-Länder« einfach nicht thematisiert werden. Dadurch wird weißen Kindern geradezu nahegelegt, gegenüber Menschen aus diesen Ländern rassistische, paternalistische Überlegenheitsgefühle zu entwickeln.

Durch Hervorheben der scheinbar uneigennützigen Hilfeleistungen, die heute erbracht werden,

> »wird die moralische ein- und Umkehr der ehemaligen kolonialmächte vorgegaukelt, wird so getan, als ob investitionen in der ›dritten welt‹ den menschen dort zugute kämen, wird verschwiegen, dass der gesamte profit in die zentren zurückgezogen wird, die produkte, die hergestellt werden, ausnahmslos nach marktinteressen westlicher konzerne hergestellt werden, wird verschwiegen, dass verkehrsplanung, schulbau, etc. ausschließlich neokolonialen zielen dient: der rascheren erschließung von rohstoffgebieten, der heranbildung einer nationalen bourgeoisie in schulen und universitäten, die im interesse des ausländischen kapitals mit entsprechenden privilegien das eigene volk unterdrückt.«[14]

Die Infizierung mit Mythen, Halb- und Unwahrheiten beginnt in der Kinderstube, wird z.B. in der einseitigen Berichterstattung der Massenmedien fortgesetzt und führt zu einer tiefgehenden Verwurzelung im kollektiven Bewusstsein der Gesellschaft. G.W. Allport schreibt über Ursprung und Funktion des Vorurteils in der Gesellschaft:

> »Im Kern jeder gegliederten und geschichteten Gesellschaft liegt die mögliche Versuchung, ökonomische, sexuelle, politische und Statusgewinne durch Ausbeutung von Minderheiten in voller Absicht (oder auch ganz unbewusst) zu erhalten. Um in den Genuss dieser Gewinne zu kommen, wird das Vorurteil von denen verbreitet, die daraus den höchsten Vorteil ziehen«.[15]

Vorurteile erfüllen so gesehen also systemstabilisierende Funktionen. Sie verschleiern und harmonisieren bestehende Abhängigkeitsverhältnisse zugunsten der von ihnen profitierenden Machthaber.

Afro-Deutsche zwischen Selbstbehauptung und Selbstverleugnung

> »Ein Mensch, der die Sprache besitzt, besitzt auch die Welt, die diese Sprache ausdrückt und impliziert.«[16]

Nicht nur in vielen Abenteuerbüchern, auch in vielen Schulbüchern werden Menschen aus Afrika als »Auch-Menschen« einer »Rest-Welt« (Dritten Welt) dargestellt.[17] Das positive Bild des Menschen aus der eigenen, »Ersten Welt« entsteht in diesen Büchern aus der Abwertung kultureller Ausdrucksformen von Menschen in verarmten Ländern, deren Sprache, Religion und Kunst im Vergleich mit der eigenen als minderwertig eingestuft werden.

Schwarzen Kindern, die in Deutschland aufwachsen, wird durch solche Darstellungen ein positiver Zugang zu ihrer afrikanischen Herkunft erschwert. Ihnen werden subtil Gefühle von Unterlegenheit und Minderwertigkeit vermittelt, die sich hinderlich auf die Entwicklung eines positiven Selbstbildes auswirken können besonders, wenn sie nicht genügend von anderer Seite korrigiert werden. Um es mit Fanon auszudrücken:

> «... ich beginne in dem Maß darunter zu leiden, kein Weißer zu sein, in dem der Weiße mir eine Diskriminierung aufzwingt, mich zu einem Kolonisierten macht, mir jeden Wert, jede Originalität auspreßt, mir sagt, dass ich in der Welt schmarotze, dass ich mich so schnell wie möglich der weißen Welt anpassen müsse, ...«.[18]

Afro-Deutsche wachsen in der Regel mit weißen Bezugspersonen auf und finden im Lauf ihrer Sozialisationsgeschichte oft nur wenig Möglichkeit zur positiven Identifikation mit Menschen afrikanischer und/ oder afro-deutscher/europäischer Herkunft:

1. Afro-Deutsche kommen in den Kinder- und Jugendbüchern, die sie lesen, normalerweise nicht vor. Wenn Menschen mit schwarzer Hautfarbe als Darsteller auftreten, dann sind es fast ausschließlich Afrikaner/innen in den bereits erwähnten Klischeerollen. Für Mädchen sieht es noch ungünstiger aus, denn:

> »Menschen sind in Kinderbilderbüchern meist männlich, Polizisten, Soldaten, Feuerwehrmänner, Schausteller, Bauarbeiter. Sofern Frauen überhaupt einen Beruf ausüben, arbeiten sie im Dienstleistungsbereich, in der Landwirtschaft, im Handel oder in der Schule. Während sich Bilderbuchjungs sportlich betätigen, sitzen Bilderbuchmädchen lieber, basteln oder machen Handarbeiten. Durch eine Untersuchung der 112 in Bonner Kindergärten meistgelesenen Bilderbücher hat Cornelia Hagemann von der Pädagogischen Hochschule Rheinland herausgefunden, dass bereits das Kleinkind im Bilderbuch eine von Männern beherrschte Welt kennenlernt, in der die Männer aktiv und die Frauen passiv sind.«[19]

2. Eine positive Identifikation mit afrikanischer Herkunft ist desweiteren erschwert, weil »schwarz« im abendländischen Kulturkreis das Böse und Unerwünschte symbolisiert. Das sichtbarste Zeichen der Andersartigkeit, die Hautfarbe, wird auf diese Weise mit einem negativen Vorzeichen versehen.
3. Im Schulunterricht wird die Geschichte von Schwarzen kaum thematisiert und wenn, dann oft nur im Zusammenhang mit und unter Beschönigung der europäischen Geschichte. Bei der Behandlung der Geschichte Amerikas beispielsweise wird oft verschwiegen, dass die Hälfte der Amerikaner, die die Verfassung der USA entwarfen, Sklavenhalter waren, und dass per Beschluss (dem Dred-Scott-Beschluss 1857) Schwarze von den festgesetzten Grundprinzipien ausgeschlossen wurden.
   Die Geschichte Afrikas beginnt in deutschen Schulbüchern nur in Ausnahmefällen vor der »Entdeckung«[20] des Kontinentes durch Europäer. Auf diese Weise setzt sich weiterhin die Vorstellung fest, Afrika habe keine eigene Geschichte, zumindest keine, die erwähnenswert wäre.
4. Dass mit der deutschen Kolonialgeschichte auch eine Geschichte von Afrikaner/innen und Afro-Deutschen in Deutschland verbunden ist, wird in Geschichtsbüchern meines Wissens bislang überhaupt nicht erwähnt. Die argumentative Aufarbeitung des Nationalsozialismus erfolgt oft nur ansatzweise und geschieht mit Blick auf die Massenvernichtung von sechs Millionen Juden, unter teilweise gänzlicher Ausblendung der Verfolgung und Vernichtung anderer »Minderheiten«[21]. Dabei werden die angesprochenen Verbrechen nicht selten als katastrophales Ergebnis der Tyrannei Hitlers (miss)deutet, ohne sie im Fortlauf deutscher Geschichte zu interpretieren. Schüleraufsätze spiegeln dies sehr deutlich:

> »Zehntausende von Juden wurden vergast. Ich weiß nicht warum, aber Hitler hatte schon immer etwas gegen Juden.« (Berufsschüler, 17 Jahre)[22]
> »Hitler wollte ein reines deutsches Volk mit blonden Haaren

und blauen Augen und das, obwohl er selber dunkle Haare und dunkle Augen hatte.«
(Berufsschülerin, 16 Jahre)[22]

5. Die Individualisierung und Verdrängung geschichtlicher Tatbestände verhindert eine wirkliche Auseinandersetzung mit den gesellschaftlichen Strukturen. Gerade in bezug auf die Kolonialzeit dürfte es schwer fallen, die begangenen Verbrechen und Massenmorde auf diese Weise zu entschuldigen, denn es gab keinen »Hitler«, dessen diktatorischer Herrschaft alle Greuel in die Schuhe geschoben werden könnten. Eine kritische Auseinandersetzung mit dieser Zeit hat bislang allerdings kaum stattgefunden. »Im Gegenteil – wegen der schwärmerischen Begeisterung der Kolonialtäter und Kolonialschriftsteller bleibt aus den wenigen Jahrzehnten deutscher Kolonialbetätigung nur eine Art Rausch zurück.«[23] In deutschen Geschichtsbüchern wird zwar darauf hingewiesen, welche Mächte aus welchen strategischen Motiven zu den verschiedenen Zeitpunkten und an den verschiedenen Orten um Einflusssphären rangelten, nicht jedoch mit welchen Mitteln, mit welchen Konsequenzen und auf wessen Kosten.
Nicht nur Vertreter rechtsextremer Gruppen versuchen, die Anwesenheit von Ausländern und die Entstehung bikultureller Familien als Gefahr für das deutsche Volk hinzustellen. Auch führende Politiker und angesehene Wissenschaftler reden von »Überfremdung«, »Unterwanderung« und »sozialem Sprengstoff«. Die Bundesrepublik versteht sich bislang nicht als Einwanderungsland und verweigert den oft bereits seit mehreren Generationen hier lebenden »Ausländer/innen« die Bürgerrechte. Sie sperrt sich damit gegen die Entfaltung einer multikulturellen Gesellschaft und sorgt dafür, dass für Menschen aus anderen Kulturkreisen ein »Gastarbeiterstatus« festgeschrieben wird. Abgesehen davon, dass Gäste normalerweise nicht zum Arbeiten »eingeladen« werden, wird von Ausländern indirekt und ausdrücklich verlangt, dass sie die Bundesrepublik verlassen sollen,

sobald ihre Arbeitskraft nicht mehr gebraucht wird. Obwohl die Bundesrepublik zum industriellen Aufschwung auf ausländische Arbeitskräfte angewiesen war und weiterhin sein wird[24], wurden bei der Anwerbung von Frauen und Männern aus den europäischen Nachbarländern keine Vorbereitungen für deren soziale Integration und Verbleib getroffen[25]. Immer noch wird Integration mehr als einseitiger Prozess der Anpassung von Ausländern an die deutsche Gesellschaft verstanden, denn als wechselseitiger Prozess des Aufeinanderzuge- hens, in dem auch die deutsche Gesellschaft eine neue kulturelle Identität finden muss, die nicht auf Absonderung und Ausgrenzung beruhen kann. Längst gehören türkische Kebab, griechische Gyros, italienische Pizza, indische und afrikanische Tees, zu Selbstverständlichkeiten im bundesdeutschen Alltag; vor den Menschen, die durch ihren Beitrag zur kulturellen Vielfalt diese Bereicherung ermöglichen, wird jedoch immer wieder gewarnt. Zwar werden selten offen rassistische Äußerungen laut, die den hier lebenden Menschen das Lebensrecht absprechen, Äußerungen wie die des CDU-Abgeordneten Spranger entlarven allerdings, dass der Mythos vom deutschen Volk als ethnischer Einheit lebt und geschürt wird:

> »Wir müssen die berechtigten Sorgen der deutschen Bevölkerung ernst nehmen. Dies gilt vor allem für die Menschen, die sich um ihre eigene Identität sorgen, weil sie fürchten, im eigenen Land zur Minderheit zu werden.«26

Afro-Deutsche, Asiatisch-Deutsche, Sinti-Deutsche und andere »Bindestrich-Deutsche« scheint Spranger nicht zur deutschen Bevölkerung zu zählen. Für die Betroffenen bedeutet das, trotz deutscher Staatsangehörigkeit und Aufwachsen in der deutschen Gesellschaft, in eben dieser Gesellschaft nicht erwünscht und wahrgenommen zu sein. Durch ihr Sichtbarwerden als Ausländer/innen werden sie zumeist als solche behandelt. Als Menschen, die eigentlich nicht ins Land gehören.

Das sind Menschen wie wir

Nee! Wir haben wirklich nichts gegen die Schwarzen
Meine Frau und Ich
wir fahrn ja auch jedes Jahr
nach Afrika
: Diese einfache Kultur, das unbeschwerte Leben das ist echt
mal ganz was anders und wie die tanzen können herrlich
Wir sind wirklich der Meinung dass alle Menschen *gleich* sind.
Niemand sollte diskriminiert werden, bloß weil er *anders* ist.
Dass die Afrikaner auf 'ner ändern Entwicklungsstufe stehn ist
natürlich klar
Nun ja
man sieht ja
wie wenig sie ihre
Hungerkatastrophen
in den Griff kriegen
war ja bei uns früher auch mal
Überbevölkerung und so
Wir müssen aufhören jedes Jahr
diese Millionen Entwicklungshilfe auf den schwarzen
Kontinent zu blasen
: Was machen die denn mit dem Geld?
Aufrüsten und
sich gegenseitig
die Köppe einschlagen.
Und wie die ihre Frauen behandeln! schrecklich!
Nee! also die müssen erstmal zur Vernunft kommen.
Sonst vermehren se sich wie die Fliegen und liegen uns bloß auf
der Tasche.
Also bei aller Liebe und Zuneigung
so dick hab'n wir's ja ooch nich.

May Opitz

Afro – Deutsch

„Jetzt siehst du, was sie mit all den Sachen für die Dritte Welt machen."
(Bild am Sonntag 7.12.1980)

Sie sind afro-deutsch?
… ah, ich verstehe: afrikanisch *und* deutsch.
Ist ja 'ne interessante Mischung!
Wissen Sie: manche, die denken ja immer noch, die Mulatten,
die würden's nicht so weit bringen, wie die Weißen
Ich glaube das nicht.
Ich meine: bei entsprechender Erziehung …
Sie haben ja echt Glück, dass Sie *hier* aufgewachsen sind. Bei
deutschen Eltern sogar. Schau an!
Wollen Sie denn mal zurück?
Wie? Sie war'n noch nie in der Heimat vom Papa?
Ist ja traurig … Also, wenn Se mich fragen:
So'ne Herkunft, das prägt eben doch ganz schön.
Ich z.B., ich bin aus Westfalen, und ich finde, da gehör' ich
auch hin …
Ach Menschenskind! Dat ganze Elend in der Welt!
Sei'n Se froh,
dass Se nich im Busch geblieben sind.
Da wär'n Se heute nich so weit!

Ich meine, Sie sind ja wirklich 'n intelligentes Mädchen.
Wenn Se fleißig sind mit Studieren,
können Se ja Ihren Leuten in Afrika helfen: Dafür
sind Sie doch prädestiniert,
auf Sie hör'n die doch bestimmt, während unsereins –
ist ja so'n Kulturgefälle …
Wie meinen Sie das? Hier was machen. Wat woll'n Se denn hier schon machen?
Ok., ok., es ist nicht alles eitel Sonnenschein. Aber ich finde, jeder sollte erstmal vor seiner eigenen Tür fegen!
May Opitz

Afro – Deutsch

… hm, ich verstehe.
Kannst ja froh sein, dass de keine Türkin bist, wa? ich meine: ist ja entsetzlich diese Ausländerhetze, kriegste denn davon auch manchmal was ab?
Na ja, aber *die* Probleme habe ich auch.
Ich finde, man kann nicht alles auf die Hautfarbe schieben,
und als Frau hat man's nirgendwo einfach.
Z.B., ne Freundin von mir:
die ist ziemlich dick, was die für Probleme hat!
Also dagegen wirkst Du relativ relaxed.
Ich finde überhaupt,
dass die Schwarzen sich noch so'ne natürliche
Lebenseinstellung bewahrt haben.
Während hier: ist doch alles ziemlich kaputt.
Ich glaube, ich wäre froh, wenn ich Du wäre.
Auf die deutsche Geschichte kann man ja wirklich nicht stolz sein, und so schwarz bist Du ja auch gar nicht.

May Opitz

Einstellung der Deutschen gegenüber verschiedenen Ausländergruppen

	Positiv	neutral	Negativ	Keine Angaben
Spanier	26	55	15	4
Jugoslawen	24	53	19	4
Griechen	24	56	16	4
Italiener	19	51	26	4
Portugiesen	14	61	19	6
Vietnamesen	13	56	26	5
Türken	8	40	48	4
Perser	7	50	38	5
Schwarzafrikaner	7	55	33	5
Nordafrikaner	6	55	33	6
Pakistani	5	48	42	5

Umfrage von INFAS (1981/82)[27]

Afro-Deutsche erfahren von klein auf ihre bi-kulturelle Herkunft als außergewöhnlich und sehen sich zudem damit konfrontiert, dass ihr afrikanisches Äußeres für viele kulturelle Rückständigkeit und zahlreiche andere als unerwünscht geltende Eigenschaften signalisiert.

Durch ihr Sichtbarwerden in der sich überwiegend als weiß begreifenden deutschen Gesellschaft sind sie gezwungen, sich mit ihrer Identität auseinanderzusetzen. Im ungünstigsten Falle kommt es dabei zur Annahme von gegen sie gerichtetem Rassismus, der dann zu Selbstverachtung und Selbstverleugnung führt. Viele Afro-Deutsche kennen den Wunsch, weiß zu sein, der mit Erkennen der Andersartigkeit Kindheitsphantasien bestimmt und/oder den Wunsch, irgendwann in ein Land auszuwandern/zu fliehen, in dem sie nicht mehr auffallen, sich nicht mehr als Ausnahme erleben müssen. Im Leben mancher Afro-Deutscher spiegelt sich der gesellschaftliche Rassismus in zeitweiser oder fortwährender Anpassung an Klischeevorstellungen, die das Image von Schwarzen bestimmen. Sie lassen sich in die Rolle der artigen, temperamentvollen und lustigen Wilden drängen, die weißen Menschen das Leben versüßen.

Exotik lässt sich allerorts gut verkaufen. Das sich als alternativ verstehende Berliner Stadtblatt »Zitty« wartete im Oktober '82 mit einem Titelblatt auf, das Sexismus und Rassismus nicht eindeutiger hätte zur Schau stellen können. Unter der Überschrift »Schwarze in Berlin. Schön und kaffeebraun« zeigt sich ein Afrikaner im Tigertanga. Von der weißen Frau, die ihn von hinten umschlungen hält, sind nur die Arme und die Hände mit rotlackierten Fingernägeln zu sehen; der Afrikaner selbst ist ohne Kopf abgebildet. Der Artikel reihte sich in eine Serie ein, die unter dem Motto »Jetzt wird's farbig« über mehrere Ausgaben lief.

Sehnsüchte nach einer anderen, heileren Welt, die so gänzlich andere Verlockungen verspricht als die eigene, werden von allen Verkaufsbranchen, insbesondere der Tourismusbranche, schon seit langem angesprochen und ausgebeutet. Nicht zufällig lockt ein Reiseunternehmen wie Hapag-Lloyd für seine Kreuzfahrten nach Afrika, Indien und Indonesien mit »Begegnungen mit den Ärmsten der Armen«28. Mit dieser Werbung sollen alle jene angesprochen werden, die den Verlust von Emotionalität und Naturverbundenheit bedauern, und sie sollen dazu ermuntert werden, das Verlorengegangene woanders mühelos zu konsumieren. Wünsche nach Außergewöhnlichkeit und Andersartigkeit werden oft auch auf Afro-Deutsche projiziert. Das bedeutet für die Betroffenen, dem Druck von Erwartungen ausgesetzt zu sein, die nichts mit ihrer Person und Identität zu tun haben. Afro-Deutschen gelingt es – sofern sie den Versuch dazu unternehmen – nur selten, den Wunschträumen der Suchenden entgegenzukommen. Sie haben, abgesehen von ihrer äußeren Erscheinung, oft nur sehr wenig Exotisches zu bieten: sie sprechen die deutsche Sprache perfekt, haben vielfach deutsche Namen, oft keinen direkten Bezug zu Afrika oder Amerika und leben einen ganz gewöhnlichen deutschen Alltag.

Die »Zwischenwelt« als Chance

Der überwiegend versteckte Rassismus in dieser Gesellschaft beeinflusst die Fremd- und Selbstwahrnehmung von Afro-Deutschen in der Weise, dass sie sich in einer Art Zwischenwelt erleben. Afro-Deutsche erwerben im Laufe ihrer Sozialisationsgeschichte ein besonderes Gefühl für die Wahrnehmung der angenehmen und unangenehmen Seiten von Sonderbehandlung aufgrund ihrer afrikanischen und/oder afro-deutschen Herkunft. Es ist ihnen nicht möglich, den afrikanischen oder den deutschen Teil ihrer Herkunft gänzlich abzustreifen oder unkenntlich zu machen. Jeder Versuch in dieser Richtung ist letztlich zum Scheitern verurteilt; Umdichtungsillusionen können nur mit Verdrängung und Ausgrenzung aufrechterhalten werden. Der Wunsch, weiß zu sein oder als exotisch empfunden zu werden, zwingt dazu, alles Schwarze oder besser alle Schwarzen aus dem Blickfeld zu verbannen und sich von ihnen abzusetzen. »Ich bin afro-deutsch« heisst dann: »Ich bin nicht richtig schwarz, nicht so wie die anderen, die wirklich Probleme haben und /oder die wirklich rückständig sind.« Diese Verdrängung ändert nichts an der Erwartungshaltung der anderen. Sie versperrt den Zugang zu Solidarität mit anderen Afro-Deutschen und Afrikaner/innen – und bringt nur den Vorteil, sich durch Abgrenzung nach allen Seiten eine Position von Einzigartigkeit sichern zu können.

Da, wo Afro-Deutsche den von außen auferlegten, scheinbaren Widerspruch von Afrikanisch- und Deutschsein nicht für sich annehmen, kann ein Selbstbewusstsein erwachsen, das keine derartige Abgrenzung nötig hat. Welchen Weg Afro-Deutsche gehen, hängt letztlich von ihren individuellen Möglichkeiten und ihren Interessen ab und von ihrer Bereitschaft, aufeinander zuzugehen.

In den letzten Jahrzehnten haben sich Schwarze überall auf der Welt mehr Beachtung erkämpfen können und damit zur tieferen und ehrlicheren Auseinandersetzung mit Rassismus gezwungen. Das blieb und bleibt vor allem für die jüngeren Afro-Deutschen nicht ohne Auswirkung. Im Vergleich zu den Generationen der Kriegs- und Nachkriegszeit wird es ihnen weitaus leichter fallen, Möglichkeiten und Mut zu finden, ihre Situation und Interessen in der deutschen Gesellschaft sichtbar zu machen.

Exotik
nachdem sie mich erst anschwärzten
zogen sie mich dann durch den kakao
um mir schließlich weiß machen zu wollen
es sei vollkommen unangebracht
schwarz zu sehen.

May Opitz

Rassismus hier und heute

[1] genaue Zahlen sind bislang nicht verfügbar
[2] zitiert nach FREMGEN, Gisela (Hg):... *und wenn du dazu noch schwarz bist. Berichte schwarzer Frauen in der Bundesrepublik,* Bremen 1984, S. 39
[3] DELTGEN, Florian: *Der Neger im deutschen Kinder- und Jugendlied,* in: KÖLNER ZEITSCHRIFT FÜR SOZIOLOGIE UND SOZIALPSYCHOLOGIE, 29. Jg. H. 1 1977. S. 124/125
[4] in: VOLKMANN-LEANDER, Richard v.: *Träumereien an französischen Kaminen,* Bremen 1969, Aufl. S. 163
[5] ebd: S. 164
[6] ebd: S. 165
[7] ebd: S. 166
[8] ebd: S. 171
[9] ebd: S. 173
[10] ebd: S. 174
[11] BENZING, Brigitta: *Zum Afrika-Bild in deutschsprachigen Kinder- und Jugendbüchern,* in: SCHULE UND DRITTE WELT Nr. 45, Texte und Materialien für den Unterricht, hrsg. vom BUNDESMINISTERIUM FÜR WIRTSCHAFTL. ZUSAMMENARBEIT, Bonn 1974, S. 10
[12] OLSON, K.: *Aus Njagwe wird Peter,* zitiert nach BENZING, B., a.a.O.: S. 13
[13] CLAYTON, Robert/MILES, John: *Zentral- und Ostafrika. Eine Geographie und Völkerkunde für junge Leser,* Band 9, zitiert nach BECKER, Jörg/OBERFELD, Charlotte (Hg): *Die Menschen sind arm, weil sie arm sind,* Frankfurt 1977, S. 128
[14] FROMLET, Wolfram: *»Die Menschen sind arm, weil sie arm sind. Die »Dritte Welt« im Sachbuch für Jugendliche der BRD«* in: BECKER, H./OBERFELD, C., a.a.O.: S. 128
[15] ALLPORT, Gordon W.: *Die Natur des Vorurteils,* Köln 1971, S. 242
[16] FANON, Frantz: *Schwarze Haut, weiße Masken,* Frankfurt/M. 1980, S. 14
[17] vgl. FOHRBECK, Karla/WIESAND, Andreas J./ZAHAR, Renate: *Heile Welt und Dritte Welt. Schulbuchanalyse,* Opladen 1971.
[18] FANON, F., a.a.O.: S. 65
[19] aus: FU-INFO: *»Bilderbücher: Männer aktiv, Frauen passiv•,* Berlin 1982, S. 14
[20] Europa blieb scheinbar unentdeckt!?
[21] ich setze hier den Begriff Minderheit in Anführungszeichen, denn nur Mächtige verhängen unter Ausnutzung ihrer Macht über andere den Status von »Minderheit«, »Randgruppe« oder »Außenseiter«.
[22] aus: BOSSMANN, Dieter (Hg): *Folgen eines Tabus: Auszüge aus Schüleraufsätzen heute,* Frankfurt 1977, zitiert nach BECKER, Jörg: *»Die verpassten Chancen der Erneuerung. Rassismus im deutschen Kinderbuch«,* in: RENSCHLER, Regula/

PREISWERK, Roy (Hg): *Das Gift der frühen Jahre,* Basel 1981, S. 201

[23] PACZENSKY, Gert v.: *Die Weißen kommen,* Hamburg 1970, S. 52

[24] »Die Volkswirtschaften aller industriell hochentwickelten Staaten Westeuropas werden auch für die Zukunft auf ausländische Arbeitnehmer angewiesen sein, wie den Prognosen zum wirtschaftlichen Geschehen und zum Arbeitskräftebedarf zu entnehmen ist.«
CAPPENBERGER GESPRÄCH: *Ausländerpolitik im Zielkonflikt.* Köln 1982, S. 28

[25] »In dieser Phase bestimmen rein wirtschaftliche Interessen das Ausmaß der Anwerbung und damit den Umfang der Ausländerbeschäftigung. Die Folgewirkungen der Hereinnahme einer großen Zahl ausländischer Arbeitskräfte wurden nicht eingeplant und blieben vollkommen unberücksichtigt.«
aus: *Leitlinien der Landesregierung NRW zur Ausländerpolitik,* hrsg. vom MINISTER FÜR ARBEIT GESUNDHEIT UND SOZIALES DES LANDES NRW, Düsseldorf 1981, S. 21

[26] aus der *Ansprache des Parlamentarischen Staatssekretärs im Bundesministerium des Innern* SPRANGER, Carl-Dieter, in: *betrifft: Ausländerpolitik,* hrsg. vom BUNDESMINISTER DES INNERN, Bonn 1983, S. 92

[27] INFAS: *Meinungen und Einstellungen zu Ausländerproblemen – Endbericht* – Bonn/Bad Godesberg 1982, zitiert nach TSIAKALOS, Georg: *Ausländerfeindlichkeit – Tatsachen und Erklärungsversuche,* München 1983, S. 104

[28] SCHÜTT, Peter: *Der Mohr hat seine Schuldigkeit getan. Gibt es Rassismus in der Bundesrepublik?,* Dortmund 1981, S. 39

Bildnachweis

Seite 126: THEYE, Thomas (Hg): *Wir und die Wilden. Einblicke in eine kannibalische Beziehung,* Hamburg 1985. Seite 137, 138: FOHRBECK, Karla/ WIESAND, Andreas: *Wir Eingeborenen. Magie und Aufklärung im Kulturvergleich,* Opladen 1981. Seite 140: Titelblatt der Berliner Stadtzeitung ZITTY, Okt. 1982

Laura Baum (22. J.), Katharina Oguntoye (27 J.), May Opitz (25 J.) (und Dagmar Schultz)

Drei afro-deutsche Frauen im Gespräch – Der erste Austausch für dieses Buch

»Schönsein« – was heisst das?

Katharina: Gestern ging ich an drei Typen vorbei, und einer von denen sagte: »Achtung Schwarz!« Ich merkte sofort einerseits diese Ablehnung von Schwarz und andererseits aber auch, dass sowas mitgeschwungen hat wie – »naja, ist doch interessant.« Ich habe dann auch gar nicht darauf reagiert, weil ich viel zu sehr damit beschäftigt war, dieses Zweiseitige zu verstehen.

Laura: Ich begegnete neulich zwei besoffenen Typen. Der eine meinte, als ich vorbeilief, zum anderen: »Guck mal!«, der andere: »Kohlenanzünder, hoffentlich brennt er«. Darauf sagte der eine: »Ach, die sieht doch gut aus«, und der andere antwortete: »Die ist doch nicht europäisch.«

Als farbige Frau wirst du meistens als exotisch betrachtet, das entspricht auch dem üblichen Klischeebild, das überall verbreitet wird. Bei Männern ist das, glaube ich, anders.

Katharina: Da wir nicht als europäisch wahrgenommen werden, entsteht bei uns dieses Gefühl, anders zu sein.

Vorhin hast du von deiner Mutter erzählt, die gemeint hat, wenn du dich mehr ins Afrikanische entwickelst, also mehr afrikanisch als europäisch aussiehst, dass du dann weniger gemocht wirst. Ich erinnere mich daran, wie eine Freundin einmal zu mir sagte, ich würde doch bestimmt mehr meinem Vater ähnlich sehen. (Sie kannte weder meinen Vater, noch hatte sie je ein Bild von ihm gesehen.) Ich weigerte mich heftig, das anzunehmen, und war innerlich sehr verwirrt darüber, dass ich mich so dagegen sträubte. Denn ich weiß, dass ich meinem Vater ähnle und auch immer ein bisschen stolz darauf war.

Es war vielleicht so wie in der Situation mit den drei Typen: Ich habe mich dagegen gewehrt, in eine bestimmte Schublade gesteckt zu werden, und gleichzeitig fühlte ich mich schlecht dabei, weil ich mich da mit auch von afrikanisch aussehenden Frauen abgegrenzt habe. Afrikanerinnen fallen aus dem europäischen Schönheitsideal raus; für sie gibt es nur die Rolle der »exotischen Schönheit«. Und so wollte ich nicht gesehen werden. Richtig in Wut bringt mich dabei, dass es mir in dieser Gesellschaft so schwer gemacht wird, Afrikanerinnen schön zu finden. Es gibt keine Worte, mit denen ich ohne diese ungleich bewerteten Ideale afrikanisches Aussehen bei Afrikanerinnen und auch bei mir beschreiben kann. – Nicht meine braune Haut gilt als schön, sondern meine hellbraune Haut ... Mit meiner breiten Nase ging es mir ähnlich: Ich habe sie einerseits abgelehnt, weil sie mich afrikanischer macht, und andererseits hatte ich ein ungutes Gefühl dabei, weil mir breite Nasen bei anderen gefallen.

May: Ich habe lange dieses Bild mit mir rumgetragen, hässlich zu sein, weil ich afrikanisch aussehe. Irgendwann habe ich das glücklicherweise überwunden. Inzwischen würde ich sogar ganz gern 'ne breitere Nase haben. Ich finde breite Nasen total super.

Allerdings hat es mich sehr bedrückt, als ich in Kenia festgestellt habe, wie unheimlich wichtig es dort ist, mindestens so wichtig wie hier, eine schmale Nase, glatte Haare zu haben und möglichst nicht so dunkel zu sein. Es gibt dort Cremes, um die Hautfarbe aufzuhellen, und für wichtige Feste versuchen die Frauen, mit heißen Kämmen ihre Haare zu glätten. Zwei Schwestern, die ich kennenlernte, haben sich in Tansania unwohler gefühlt als hier – mehr beobachtet und mehr bewundert, dort eben aufgrund ihrer helleren Hautfarbe.

Katharina: Es muss für sie ganz schön frustrierend gewesen sein, wieder rauszufallen, gerade wenn die beiden geglaubt haben, dass sie in Tansania endlich einmal nicht mehr auffallen ...

May: Ja, ihr Vater meinte, sie müssten sich für ein Leben hier in

Deutschland oder in Afrika entscheiden, und in Afrika wäre es auf jeden Fall leichter für sie. Die beiden haben widersprochen und meinten, in Tansania hätten sie ständig ungewollt im Mittelpunkt gestanden.

Katharina: Das hat ja dann auch gar nichts mit dir selbst zu tun, sondern nur damit, wie hell oder dunkel deine Hautfarbe ist.

Dagmar: Du hast einmal gesagt, dass du dich jetzt als schöne Frau begreifst und dir das früher nicht so ging. Weisst du, wie und wodurch sich das geändert hat?

Katharina: Ich war ein hässliches Entlein, aber alle wussten, dass ich ein Schwan werde. Ich wusste nicht wie – ich war so klein und fett und hatte einen kurzen Hals, aber alle haben immer gesagt: »Du wirst 'ne schöne Frau.« War das bei dir anders?

May: Ja, das Dumme dabei war, dass zu der Zeit, als ich es nötig gehabt hätte, niemand zu mir gesagt hat, dass ich schön sei. Ich weiß noch, dass sich das geändert hat, als ich mich Hals über Kopf verliebt habe. Da gings mir total gut, und da fand ich mich dann auch schön. Ich weiß noch genau, dass ich mich damals irgendwo in einem Spiegel gesehen habe und mich schön fand. Aber ich glaube, das kam mehr aus einem inneren Gefühl heraus. Es ging mir gut, und die Welt war ziemlich rosarot. Zu der Zeit haben mir zum ersten Mal Leute gesagt, dass ich schön bin, auch Frauen.

Katharina: Es hat auch viel mit dem Gefühl zu dir selbst zu tun, wie häufig du solche Komplimente kriegst.

May: Ja, es ist oft so; wenn ich mich mies fühle und in den Spiegel gucke und denke: »Mein Gott, nee«, dann kommt meistens auch niemand auf die Idee, mir zu sagen, dass ich gut aussehe.

Laura: Von der Pubertät weiß ich von mir, dass ich mich total hässlich gefühlt habe. So hässlich, dass ich richtig Komplexe hatte, mich nicht auf die Straße getraut habe und verkrampft war.

May: Ja und neulich habe ich mal wieder Bilder aus dieser Zeit, wo ich mich so hässlich gefühlt habe, gesehen. Da fand ich mich echt hübsch und war ganz erstaunt darüber.

Katharina: Bei mir war das eher umgekehrt: Ich finde mich auf den Bildern hässlich und kann überhaupt nicht verstehen, wieso Leute zu mir gesagt haben, dass ich schön wäre. Vielleicht lag es auch an meinem sonnigen Gemüt und hatte mit dem Äußeren nicht soviel zu tun.

May: Mir wurde zwar nie gesagt, dass ich hübsch sei, aber ich habe mich dennoch zugehörig gefühlt, spürte, dass die anderen gerne mit mir zusammen waren, mich lustig fanden. Vielleicht spielten da auch mehrere Sachen zusammen. Z.B. haben mir meine Eltern nie erlaubt, Kleidung anzuziehen, die »in« war. Ich musste immer die Sachen von einer entfernten Cousine nachtragen, die dreimal so dick war wie ich. Meine Oma hat kurz oben ein Gummiband reingezogen und fand das dann »hübsch«. Ich lief dann mit diesen Bottichen rum. Ich durfte auch keine langen Hosen anziehen und war immer ein bisschen ausgeschlossen, vor allem weil es zu der Zeit sehr wichtig war, Jeans oder Cordhosen und nicht karierte Faltenröcke anzuziehen.

Laura: Bei mir war das Gegenteil der Fall – meine Mutter hat mich immer fein rausgeputzt. Ich habe öfter mitbekommen, dass ich als Kind oder Jugendliche als hübsch bezeichnet wurde. In der Pubertät, als ich mich so hässlich gefühlt habe, war ich immer ganz baff darüber. Meistens bezog ich das darauf: »Naja, die hat ein hübsches Gesicht«. Mit der Zeit wurde das immer mehr. Ich konnte das gar nicht glauben oder annehmen, denn wenn ich mich im Spiegel ansah, wurde mir schlecht. Jetzt höre ich nicht mehr hübsch, sondern »schön«. Anfangs war ich angenehm überrascht, weil die Leute mir etwas zusprachen, was ich selbst gar nicht gesehen habe. Und langsam finde ich auch, dass ich schön bin.

Katharina: Es ist auch wirklich die Frage, was schön und was hässlich ist. Ich habe schon oft schöne Menschen nur mit viel Abstand betrachtet, weil ich sie in ihrem Ausdruck sehr hässlich fand.

Dagmar: Das Wort »schön« hat ja eine andere Bedeutung als »hübsch« oder »gutaussehend«. Verbindet sich das mit dem, was ihr eben erzählt habt?

Laura: Mir fällt dazu ein, wie es auf mich gewirkt hat, wenn Leute mir zu verstehen gaben, dass meine Hautfarbe für sie im Vergleich zu weiß einen »exotischen« Reiz hatte, schön verbunden mit fremd, aber nicht ganz so fremd wie schwarz. Ich erlebe dieses »schön« in der Schule andauernd. Eine Mitschülerin sagte, dass Mulatten besonders schöne Menschen seien. Weiß findet sie blass, ganz schwarz dagegen auch nicht gut, weil sie da keine Gesichter erkennt, die seien viel zu dunkel. Die Mischform wird als unheimlich erstrebenswert empfunden.

Katharina: Ich kann das nicht ernst nehmen. Die Deutschen legen sich im Sommer in die Sonne, um so braun wie ich zu werden. In diesem Fall soll es positiv sein, eine andere Hautfarbe zu haben. Ansonsten ist es nicht positiv. Ich bin sehr misstrauisch, wenn ich so etwas höre.

Laura: Es bedeutet auch, dass die Leute sich mit rein äußerlichen Sachen selbst abwerten. Das gibt dann ein sexistisches Klischee- oder Idealbild von schönen farbigen Frauen, die singen, tanzen, lachen und sonstwie erotisch und exotisch sind. Ich hatte kein gutes Gefühl mehr, als ich merkte, dass mit diesem »schön« auch Erwartungshaltungen verbunden sind: nicht europäisch oder deutsch, d.h. cool und relativ ruhiges Temperament, sondern ganz bestimmte andere Vorstellungen. Das hat mich gestört, und ich wollte denen auch nicht entsprechen. Manchmal war es auch angenehm, aber insgesamt nicht.

Katharina: Hättest du lieber weiß sein wollen?

Laura: Das kann ich so nicht sagen; aber ich wollte diesen Besonderen-Status nicht.

Dagmar: Du hast eben gesagt, manchmal war es angenehm. Was waren denn die angenehmen Teile?

Laura: Das hat mit meinem Selbstbewusstsein zu tun, das früher nicht so ausgeprägt war. Durch den Besonderen-Status bekam ich eine Art Bestätigung, die mir manchmal auch gereicht hat, wenn ich mich schlecht gefühlt habe. Ich wurde zwar nicht als gleich anerkannt, bekam aber dafür auch ein Plus. Das war mir irgendwo angenehm, obwohl ich ein ambivalentes Verhältnis dazu hatte.

May: Es ist wirklich so eine Sache mit dem »schön«. »Schön« heisst eigentlich mehr, dass die Leute einen interessant finden, weil man diese Hautfarbe hat und weil sie erwarten, dass hinter dieser Hautfarbe eine spannende Geschichte steht. Viele Leute setzen voraus, dass ich einen besonderen Bezug zu Afrika habe, auch wenn ich erkläre, dass ich dort nie gelebt habe. Sie erzählen mir, dass sie in Afrika waren, einen Trommelworkshop gemacht haben und es faszinierend finden, wie Afrikaner tanzen … Ich frage mich immer, warum die mir das alles erzählen. Wenn sie dann tatsächlich merken, dass ich keine afrikanische Sprache spreche und nicht afrikanisch tanzen kann, lässt das Interesse schnell nach: »Ach, dann bist du ja schon ziemlich europäisiert.«

Laura: So extrem kenne ich das kaum. Oft merke ich zwar Enttäuschung, aber auch ein gewisses Interesse. Die Leute sehen ja, dass es so schön, wie sie sich das ausgemalt haben, doch nicht ist. Aber es bleibt immer noch ein Restchen, das sie anhimmeln können. Ich habe oft bei den Leuten ein Gefühl von Minderwertigkeit festgestellt, und dass ich mit meiner »Besonderheit« ganz bewusst idealisiert werde, wie ein Wunschbild. Damit kann ich schlecht umgehen, weil ich nun mal keine Märchenprinzessin bin und nicht aus sonstwoher mit tollen Gewächsen und Gerüchen komme …

Mir ist es oft passiert, dass wenn Leute mich nach meinem Namen gefragt haben, und ich antwortete: »Laura«, Reaktionen kamen wie: »Der Name ist ja gar nicht exotisch«. Ich wurde öfter mit so einem bestimmten wohlgefälligen Lächeln betrachtet, wo ganz klar war, dass ich selbst überhaupt nicht gesehen wurde. Als mich z.B. mal jemand mit »Hallo Trixi« ansprach und ich antwortete, ich sei Laura und nicht Trixi, meinte der: »Ach, ihr Mulattinnen seht doch alle gleich aus.« Immer diese Verallgemeinerungen und Verwechslungen …

Katharina: Die haben mich auch immer sehr misstrauisch gemacht. Eigentlich habe ich nur meiner Freundin Karin geglaubt, wenn sie sagte, sie habe eine Frau gesehen, die mir ähnlich sehe. Ansonsten habe ich erstmal grundsätzlich bezweifelt, dass mir eine ähnelt. Als der Afro-Look modern und damit klar war, dass alle die einen Afro-Look hatten, gleich aussahen …

Laura: Ja, Angela Davis oder Joan Armatrading …

Katharina: Bei Joan Armatrading dachte ich selbst, ich sehe ihr ähnlich, und wenn das welche sagten, die mich nicht näher kannten, war das für mich auch o.k.

Wie sehen uns andere – wie gehen wir damit um?
May: Ich erlebe oft, dass die Leute ihre Erwartungen über das stellen, was ich ihnen sage. Wenn ich erzähle, dass ich hier aufgewachsen bin und mein ganzes Leben hier verbracht habe, kann es dennoch sein, dass hinterher die Frage kommt: »Ja, und wann gehen Sie zurück?« Bescheuert. Ich habe ab und zu das Gefühl, nirgendwo hinzugehören; andererseits bin ich hier aufgewachsen, spreche diese Sprache, fühle mich eigentlich hier sicher und kann mich ausdrücken, wie ich es will. Ich teile den Lebenshintergrund mit diesen Leuten hier, auch wenn sie mich nicht akzeptieren. »Ja, ich bin deutsch,« sage ich vielleicht schon aus Trotz, um sie in ihrem Schwarz-weiß-Denken zu verunsichern.

Katharina: Ich habe auch immer große Lust, die Leute von ihrer bornierten Haltung wegzubringen, deutsch sei eben blond und blauäugig. Es gibt soviele verschiedene Arten von Menschen hier.

May: Ich dachte auch oft, ich müsste mich dafür rechtfertigen, dass ich hier bin. Inzwischen weiß ich, ich bin eben so und frage ganz frech, ob was nicht stimmt, wenn jemand zweifelnd guckt. Oft erkennen die Leute selbst ihr festgefahrenes Denken und mit welcher Selbstverständlichkeit sie die intimsten Dinge fragen.

Katharina: Soweit ich das kenne, haben Mischlinge in Gruppen immer besondere Positionen. Ich glaube, das kommt daher, dass wir uns auch produzieren, weil wir auffälliger sind und uns mit unserem afrikanischen und deutschen Teil auseinandersetzen müssen. Dadurch entwickeln wir eine Wendigkeit, die sonst gar nicht gefordert ist und einem weißen Kind so nicht zugestanden würde. In einem Seminar hat mich z.B. eine Frau angesprochen, ich hätte mich wohl schon vorher in Gruppen gut ausdrücken können. Man erwartet nicht von mir, dass ich gut deutsch spreche, und ich stelle mich einfach so dar. Das wird dann als intelligent ausgelegt.

Laura: Ja, das passiert häufiger. Die Leute denken, ich sei Ausländerin. Spreche ich einwandfrei deutsch, kommt diese »Huldigung«.

May: Die Art, wie sie einen ansprechen, hat was Väterliches, Bevormundendes an sich. Diese Haltung nehmen sie sofort ein. Sofort, wenn sie mich sehen, denken sie, dass ich kein Deutsch kann. Ich erinnere mich an einen Bäcker, zu dem ich oft ging, und der mir jedesmal mit aufwendigen Gesten dies und jenes erklärt hat. Einmal erzählte er sogar, wie das Wetter sei … da habe ich nur noch gelacht.

Katharina: Dieses ewig gleiche Spiel macht es schwer, in wirklichen Kontakt zu kommen. Wenn jemand sich so verhält, ziehe ich mich zurück.

Laura: Auf dieser Kaufmannsebene kannst du es ja auch nur mehr oder weniger akzeptieren, dich darüber ärgern oder lächeln, ändern tut sich nichts. Ab und zu sage ich: »Ich bin Deutsche«. Wenn ich ansonsten Leute kennenlerne, habe ich sie schon oft darauf angesprochen, dass ich nicht anders bin als irgendjemand anderes und nicht möchte, dass sie mir aufgrund meines Aussehens irgendwelche Erwartungen entgegenbringen. Nachdem wir uns besser kannten, bestätigten mir oft Leute, dass sie mir gegenüber Erwartungen hatten und dadurch, dass ich sie darauf angesprochen hatte, auch eine Ebene da war, dies zu verändern.

May: Ich finde das auch immer sehr nervend, egal, wo ich hingehe, weiß ich genau, jetzt wirst du gleich von irgendeinem Typen angesprochen, besonders auf Feten: »Ja, wo kommst du denn her?«

Laura: Nur von Typen, nicht von Frauen?

May: Bei mir sind es meist Typen. Neulich kam auf einer Öko-Fete ein Typ an und fragte, wo ich herkäme. Ich antwortete, aus Münster. Da hat er nachgebohrt, bis ich halt gesagt habe, dass mein Vater aus Ghana sei. Dann meinte er: »Ich habe eine Verlobte in Ruanda, und du erinnerst mich sehr an sie.« Mich interessierte das überhaupt nicht, da hatte er auch schon ein Bild von dieser Verlobten aus der Tasche gekramt. Ich sah ihr gar nicht ähnlich. Er klebte mir an den Fersen, bis ich ihm klipp und klar sagte, dass ich keine Lust hätte, mich mit ihm zu unterhalten.

Neulich hat mich wieder einer so angequatscht: »Woher kommen Sie? Wo sind Sie geboren?« – »Ich komme aus Münster und bin in Hamburg geboren.« Schließlich habe ich dann doch zu seiner Zufriedenheit preisgegeben, woher meine Eltern sind. Worauf er allerdings nicht gefasst war, das war die Fragerei, die ich nun anfing: »Und woher kommen Sie? Und Ihr Vater? Und Ihre Mutter?« Der Mann war sichtlich verdutzt, hat aber brav geantwortet.

Laura: Mir fällt dazu auch ein, dass die Leute afrikanischen Männern und Frauen oft was zusprechen, was ihnen selbst fehlt. Ich werde oft mit dieser sexistischen Sicht konfrontiert, Afrikaner seien nicht richtig zivilisiert und hätten daher ein urwüchsiges Rhythmusgefühl, könnten ihre Gefühle besser ausleben, weil sie nicht wie die Europäer dermaßen an Normen gebunden seien ...

Katharina: Sie projizieren diese Bilder einfach auf die Menschen, ohne genau hinzugucken.

Laura: Und dieses Bild wird durch die Medien immer wieder verbreitet.

Katharina: Vor allem von der Unterhaltungsindustrie – der Höhepunkt ist ja der Zitty-Titel »Jetzt wird's farbig«.*

Laura: Jetzt wird's bunt, amüsant, Action gegen grau, gegen trostlos, gegen weiß, gegen Langeweile.

May: Im Mai war in Münster ein Bundeskongreß aller entwicklungspolitischen Gruppen. Ich hatte vorher einen Artikel über neokoloniale Denkstrukturen und Neorassismus geschrieben und ihn in meinem Arbeitskreis verteilt. Die Leute dort fanden ihn so gut, dass sie mich aufforderten, ihn ans Stadtblatt zu schicken. Der Artikel war aus verschiedenen Perspektiven geschrieben, was ich alles nicht gut finde, an anderen, an meiner Arbeitsgruppe und an mir selbst. U.a. schrieb ich, dass ich früher aus einem Je-weißer-desto-besser-Denken heraus betont hätte: »Ich bin nicht schwarz – ich bin Mulattin.« Der Artikel wurde übernommen, und in der Einleitung stand prompt: »M.O. hinterfragt unser Denken und Handeln, sie fragt als Mitglied der Solidaritätsbewegung, und sie fragt als Mulattin.« Als ich die Einleitung sah, war ich sehr enttäuscht, schließlich ist es eine alternative Zeitung, und der Typ ist entwicklungspolitisch sehr engagiert und hat diverse eigentlich sehr gute Bücher über Südafrika geschrieben.

Katharina: Zwischen 15 und 20 habe ich häufig erlebt, dass ich nicht nur nach Afrika oder Amerika gesteckt wurde, sondern dass alle möglichen Nationalitäten mich für sich in Anspruch nahmen. Z.B. kam einmal ein Sinti auf mich zu und fragte, ob ich nicht eine Sinti sei, und war total enttäuscht, dass ich keine bin. Dasselbe passierte mir mit einem Filipino, mit einem aus Grenada und mit noch anderen. Alle meinten, ich wäre aus ihrem Land. Ich fühlte mich ganz merkwürdig in Anspruch genommen.

May: Ich werde auch schnell zugeordnet: nach Nordafrika, nach Südafrika, nach Argentinien oder Hawaii oder Indien – je nachdem, wo die Leute grade in Urlaub waren und dann meinen, dass ich für dort besonders typisch wäre.

Laura: Diese Erfahrungen habe ich hier noch nicht gemacht, davon abgesehen, dass ich für eine Amerikanerin gehalten werde. Aber in der DDR kam ich für die Leute entweder aus Afrika oder aus Cuba. In der DDR war aber immerhin klar, dass ich nicht nordamerikanischer Abstammung bin, das ist dort sehr selten.

Katharina: Es ist ein eigenartiges Gefühl, wenn alle möglichen Kulturbereiche mich für sich in Anspruch nehmen können. Ich bin dadurch auf die Idee gekommen, ich könnte mich eigentlich für dies und jenes ausgeben, ich bin eigentlich nichts – passe überall hin.

May: Früher glaubte ich, ich passe nirgendwo hin, weil ich überall total auffallen würde. Ich dachte, ich kann nie einfach mal ich sein, ich laufe immer mit dieser Hautfarbe rum. Damals hat mich die Vorstellung von einem Land wie Brasilien, wo die Bevölkerung gemischt ist, beruhigt; dort könnte ich, ohne besonders aufzufallen, aufgenommen werden. Das hat mir ein Gefühl von Internationalität gegeben.

Katharina: Das kenne ich auch, aber es ist auch schwierig: ich bin keine Sinti, ich bin auch nicht von den Philippinen oder von Grenada;

ich kann mich auch nicht dafür ausgeben, weil mir das Gefühl fehlt, wie es ist, von dort zu sein. Mir wurde klar, dass ich mich als Deutsche fühle und mich damit auch am meisten verbindet: meine Sprache, mein Aufwachsen hier. Ab einem gewissen Zeitpunkt war das meine Identifikationsmöglichkeit. Die Identifikationsmöglichkeiten, die mir durch das Vereinnahmen eröffnet wurden, haben mich sehr verwirrt; ich fand es zwar spannend, mich international zu fühlen, aber es hat mich auch überfordert.

May: Das sind im Grunde genommen auch zwei verschiedene Dinge: einmal, von außen beurteilt zu werden, und zum anderen, sich selbst einer Gruppe zugehörig zu fühlen.

Zu dem Beurteilt- und Vereinnahmt-werden gehört auch, dass mir z.B. Türken ihr Leid über die Deutschen klagen und mich überhaupt nicht als Deutsche sehen. Ich kann ihre Schwierigkeiten zwar verstehen, gehöre aber dennoch nicht zu ihnen. Seit mir dieser Konflikt klar ist, fühle ich mich bewusster als Deutsche und erkenne auch die Unterschiede, die trotz aller Gemeinsamkeiten durch die Diskriminierung auch da sind.

Katharina: Ich hatte auch immer was dagegen, mit Schwarzen gleichgesetzt und damit von Deutschen ausgegrenzt zu werden.

Ich war mal mit einem Afro-Deutschen in einer amerikanischen Disco. Einerseits fand ich es toll, dass da nur Afro-Amerikaner waren, andererseits habe ich mich auch wie in einem Getto gefühlt, wo ich mich nicht frei bewegen und verhalten kann, weil ich mich zu wenig in dieser Gruppe auskenne. Ich hätte mich da rein begeben müssen – und ich will aber sein wie ich bin.

May: Wie meinst du das, sein wie du bist?

Katharina: Ich war z.B. bereit, Kontakt als Afro-Deutsche mit Schwarzen aufzunehmen, habe mich aber sofort zurückgezogen, wenn sie mich vereinnahmen wollten.

May: Gegen das Vereinnahmen wehre ich mich genauso. Mir passiert es gelegentlich, dass Afrikaner es total schlimm finden, dass ich noch nie in Ghana war und keine afrikanische Sprache spreche. Ich versuche ihnen dann zwar zu erklären, dass für mich andere Sachen wichtig sind. Aber wenn sie das gar nicht verstehen, ziehe ich mich schnell zurück, weil ich mit dieser Situation nicht fertig werde.

Katharina: Ein Afrikaner sagte mal zu mir, er fände meine Haare so toll. Ich hatte sie damals eingedreht, dadurch waren sie sehr glatt und lagen in großen Locken, es sah sehr schön aus. Er meinte, damit hätte ich in Afrika die größten Chancen und fragte, ob ich nach Afrika wollte – für ihn war das der natürlichste Wunsch. Einerseits fand er glatte Haare und das Europäische an mir schön und andererseits meinte er, ich gehöre nach Afrika.

Laura: Noch mal zu dem Heimatgefühl: Mir wurde in der DDR ganz krass bestätigt, dass ich fremd bin und nicht als Deutsche gesehen werde. In den Kleinstädten ist es ganz stark, aber auch in Ost-Berlin haben sich die Leute oft nach mir umgedreht: »Guck mal«. Ich habe kein Heimatgefühl, weil dieser Druck von außen so groß war. Ich spreche grade mal deutsch, das ist das einzige, womit ich mich identifizieren kann. Deutsche zu sein, ist für mich eine Definition, die mir andere durch einen Ausweis und durch die Sprache geben, aber im Prinzip fühle ich mich als Garnichts, noch nicht mal international. Diesen Sommer in Paris hatte ich zum ersten Mal das Gefühl, dass ich nicht auffalle, dass sich nicht extra jemand nach mir umdreht, mich mit einem extra Lächeln beschenkt, eben weil es in Paris so viele afrikanisch abstammende Menschen gibt. Das war ganz wichtig für mich; ich fühlte mich einfach integriert – auf der Straße, in der U-Bahn – obwohl ich die Sprache nicht konnte.

Hier habe ich kein Heimatgefühl, weil mir z.B. andauernd Verkäuferinnen sagen: »Sie sprechen aber gut deutsch.« Mir wird ständig bescheinigt, dass ich nicht deutsch bin. Irgendwie finde ich das auch schlimm für mich, und es hängt sicherlich auch mit dem

Wechsel aus dem Osten zusammen und damit, dass ich in der DDR x-mal umgezogen bin. Ich war an keinen Ort gebunden, nur in Ost-Berlin habe ich über 10 Jahre gelebt; trotzdem verbindet mich nicht sehr viel damit, höchstens meine Beziehungen zu Freunden, die mich auch geprägt haben. Das ist meine eigentliche Identifikation, das was mich und meine Persönlichkeit ausmacht, und hat mit national nichts zu tun.

Katharina: Zu mir sagte neulich in einem Blumenladen auch mal wieder eine Frau: »Sie sprechen aber gut deutsch«. Ich antwortete, ich sei hier aufgewachsen, da sagte sie ganz freundlich: »Ein deutsches Mädchen«, und ich habe mich total drüber gefreut. Sie hat sich nicht durch meine Antwort irritieren lassen, und es wurde ihr auch nicht peinlich, sondern hat mich einfach bestätigt.

Ich möchte nicht weiß und auch nicht schwarz sein

Katharina-, Ich würde mich nicht als weiß bezeichnen, insofern ist es auch nicht ganz korrekt zu sagen, ich sei schwarz. Manchmal fühle ich mich aber wie eine Weiße.

Laura: Ich fühle mich zwar nicht weiß, aber es gibt Situationen, in denen mir nicht mehr bewusst ist oder bewusst gemacht wird, dass ich farbig bin.

May: Ich erinnere mich an einen Traum, in dem ich ein schwarzes Röckchen und eine weiße Bluse anhatte. Ich bin rumgehüpft wie im Halmaspiel. Ich weiß genau, dass ich weiß war und einen Pferdeschwanz hatte.

Danach habe ich mich gefragt, ob das vielleicht daran liegt, dass ich normalerweise nur Weiße um mich sehe. Ich registriere meine Hautfarbe nur bewusst, wenn mich Leute darauf ansprechen. Kennt ihr sowas auch?

Katharaina: Nicht als Traum, aber als Phantasie.

Laura: Nein, eigentlich nicht. Aber ich habe mir mal überlegt, warum ich stolz darauf bin, farbig zu sein. Ich möchte nicht weiß und auch nicht schwarz sein, ich möchte auf jeden Fall farbig sein. Das hängt sicherlich auch mit den Vorteilen zusammen, die ich dadurch habe.

May: In der Grundschule bekam ich in einem Theaterstück eine Hauptrolle als Teufelchen. Alle meinten, ich wäre doch für die Rolle ideal, weil ich mich nicht mehr anzumalen brauchte. Ich habe das Teufelchen dann auch mit Stolz und Eifer gespielt. Als wir allerdings später ein Theaterstück aufführen sollten, in dem wir alle als Engelchen in der Bäckerei im Himmel arbeiteten, hatte ich plötzlich Angst, nicht mitspielen zu dürfen. Ich dachte: »Au weia, ein schwarzes Engelchen, das passt ja wohl nicht.« Ich war ganz froh, als ich merkte, dass ich mitspielen durfte.

Katharina: Ich erinnere mich, dass ich als Kind mit anderen über meine Hautfarbe geredet habe, dass meine Hautfarbe wie Kaffee mit viel Milch aussieht. Ich fand das eine sehr schöne Farbe und die anderen auch. Bis ich etwa 10 Jahre alt war, habe ich mich weder als weiß noch als schwarz empfunden. Ich habe mich als normales deutsches kleines Mädchen gefühlt, auch in Afrika. Dort habe ich auch den afrikanischen Teil in mir gesehen, aber auch den Unterschied zu den Leuten in Afrika – für sie war ich »Eubio«, die Europäerin – weil ich anders aussah. Ich fühlte mich in Afrika als Deutsche, weil ich deutsch nicht mit Hautfarbe in Verbindung gebracht habe. Ich hatte natürlich auch afrikanische Verwandte und war froh, dass ich auch zu denen gehörte. Ich wäre aber nicht auf die Idee gekommen, mich anders zu fühlen als meine norwegische Freundin mit blonden Haaren. Es gab dort englische und deutsche Kinder und eine Familie mit vier afro-amerikanischen Kindern. Da von außen dazu nichts gesagt wurde, kam mir das ganz normal vor.

Die ersten Reaktionen kamen in Heidelberg, für die weißen Leute in Heidelberg war ich was Besonderes. Damals fing ich an, mir Gedanken darüber zu machen, was ich nun eigentlich bin. Ich war nicht nur in Afrika gewesen, sondern auch noch in der DDR geboren. Sie sagten z.B.: »Du sprichst Hochdeutsch«, weil ich keinen süddeutschen

Akzent hatte. Ich hatte auch noch afro-tschechische und englische Cousins. Aus diesem Zusammenhang heraus bin ich allmählich davon abgekommen, mich als Deutsche fühlen zu wollen, sondern als Afro- Europäerin. Inzwischen hat sich auch das wieder verändert, es gibt kein Europa, in dem ich mich zuhause fühlen kann.

Laura: Weil du immer als eine Fremde betrachtet wirst?

Katharina: Ja, ich denke, mein Bewusstsein als Afro-Europäerin ersetzt mir nicht das Gefühl von Da-gehöre-ich-hin. Deswegen kann ich trotzdem vertrieben werden.

May: Ich finde eigentlich den Begriff »afro-deutsch« oder »afro-europäisch« ganz gut. Ich bekenne mich dazu, dass ich anders aussehe, vielleicht mich auch anders bewege, auch aufgrund meiner Herkunft und der dadurch bedingten Lebenssituation in mancher Hinsicht anders denke oder anders fühle, aber ich möchte nicht in eine schwarze oder weiße Schublade gesteckt werden.

Katharina: Früher hatte ich den Wunsch, mich als »normal« weiß zu empfinden, so stark, dass ich einfach so getan habe, als sei das so. Dieses Bedürfnis, mich anpassen zu wollen, ist immer noch unterschwellig bei mir drin. Obwohl ich mich jetzt bewusst mit meinem Schwarzsein auseinandersetze und das Wort »Neger« positiv bewerte, lege ich mich dennoch nicht gerne in die Sonne, um nicht dunkler zu werden. Wenn ich blass aussehe, fühle ich mich weniger fremd und kann mich freier bewegen.

May: Früher dachte ich auch, dass ich weniger auffallen würde, wenn ich heller wäre. Jetzt wäre ich gerne schwarz, einfach so.

Katharina: Dann würdest du nach Afrika passen.

May: Nein, nicht deshalb. Diesen Wunsch hatte ich mal, als ich dachte, ich passe hier nirgendwo rein, aber das ist Quatsch. Eine Zeitlang sagten alle, dass ich nach Afrika zu meinem Vater gehöre, fragten, ob ich nicht die Staatsangehörigkeit und seinen Namen annehmen und dahin ziehen wollte. Ich fühlte mich richtig ausgegrenzt und merkte die Unterschiede zu Afrikanern – ich spreche nicht die Sprache, kenne vieles aus der Kultur nicht oder lehne es ab.

Katharina: Es ist ein Mehr-anders-sein als hier.

Ich hatte eine Zeitlang die Idee, irgendwann in der afroamerikanischen Gemeinschaft in USA unterzutauchen und dort eine Heimat zu finden.

Dagmar: Warum sagt ihr immer untertauchen, verschwinden statt aufgenommen werden?

Katharina: Endlich mal untertauchen, endlich mal nicht die Ausnahme sein.

Was bedeutet es, »Ausnahme« zu sein?
Katharina: Als Kind habe ich mich oft gemein gefühlt – die Leute waren so nett zu mir und ich immer abwehrend und arrogant.

Am meisten Spaß hatte ich, wenn ich meine Freunde mit einbeziehen konnte, wenn z.B. jemand neu in die Klasse kam und dann dumm fragte. Ich habe kräftig mitgespielt – ich hatte damals oft Lama-Pullis an und wurde immer gefragt, ob die aus Afrika seien. Diese typisch lateinamerikanischen Pullis, die damals »in« waren und alle trugen, waren dann plötzlich von meiner Oma aus Afrika, und überhaupt habe ich diese Geschichte gerne ausgebaut. Die Leute haben das auch noch geglaubt und die anderen sich tüchtig amüsiert.

May. In der Grundschule wurde ich oft gefragt, wo ich herkomme. Und einer Freundin habe ich dann immer die tollsten Geschichten von Afrika erzählt.

Wir hatten einmal einen Schüleraustausch mit Israel, und die

Israelis waren zwei Wochen bei uns. Bei einem Ausflug lief hinter uns eine deutsche Familie und die dachten, ich gehöre zu den Israelis. Sie meinten, es sei alles so schön hier. Ich tat so, als würde ich kaum was verstehen, als sie mir auch noch das Wort Eichhörnchen beibringen wollten, habe ich mich ganz blöd angestellt.

Katharina: Eine Gratwanderung zwischen Sich-Lustigmachen und einen Vorteil ausnutzen! An einem Arbeitsplatz kokettiere ich damit, dass ich eine andere Hautfarbe habe und ein bisschen hübsch bin, um leichter was durchzusetzen oder weil es einfach der angenehmste Weg für mich und die anderen ist. Wenn eine meiner Kolleginnen was gegen meinen Arbeitsstil sagt, lache ich sie an. Dann sagt sie nichts mehr.

Dagmar: Das erinnert mich an eigene Erfahrungen mit der Frauenrolle, wenn einer auf Lächeln abfährt, dann lächle ich eben manchmal, obwohl ich das eigentlich nicht gut finde, bei sowas mitzuspielen.

Laura: Ja, bei meiner Arbeit habe ich mich manchmal bewusst naiv angestellt, um mir Sachen vom Leib zu halten, das hatte nicht unbedingt mit meinem Farbigsein zu tun.

In der Schule in der DDR hatte ich im Vergleich zu meinen Mitschülern bestimmt einen Bonus.

Dagmar. Meinst du, dass die Lehrer/innen zum Teil Angst hatten, als rassistisch angesehen zu werden, wenn sie dich bestraft hätten?

Laura: Ja, aber es hatte auch eine andere Seite – ich hatte zwar einen Bonus, war etwas Besonderes und wurde aber auch nicht so ernst genommen wie die anderen. – Die ist sowieso anders, an sie werden andere Ansprüche gestellt, sie ist auch intelligenter. Sie muss mit ihrer Umwelt mehr kämpfen, von daher ist sie kritischer und oppositioneller.

Katharina: In diesem Denken steckt auch Mitleid.

In der Schule dachte ich oft, dass unterprivilegierte Kinder das viel dringender gebraucht hätten als ich. Z.B. war da ein Junge namens Giovanni: er war Italiener und wohnte im Fleim; er wurde nur »Itaker« geschimpft, und auf den hat kein Lehrer Rücksicht genommen. Der durfte sich nichts rausnehmen, weil er Schwierigkeiten mit seiner Umwelt hatte, im Gegenteil, er hat auch noch die Vorurteile der Lehrer abgekriegt.

Laura: Ich wurde einmal zu einer Physikolympiade delegiert, als ich dort reinkam, wurde ich mit einem wohlwollenden Lächeln gefragt, ob ich denn nicht auch schon bei der Matheolympiade gewesen sei. Da mochte ich nicht nein sagen.

Mitunter habe ich auch gehört, wie sich Lehrer über mich unterhielten: «Das ist aber ein hübsches Mädchen.« – »Ja, und so intelligent.« Entsprechend wurde ich denn auch stinkarrogant.

Katharina: Bei mir war es eher so, dass mich die Lehrer bloß nicht bevorzugen wollten. »Du brauchst überhaupt nicht mit deinen Kulleraugen zu kommen«, hat eine mal zu mir gesagt. Ich fand das eigentlich gut, dass die mich nicht rausheben wollten.

Dagmar: Das ist eine Erklärung, eine andere wäre, dass sie nicht ertragen konnten, dass du besser warst als die anderen.

Laura: In der Schule hier in West-Berlin wird nicht so ein Personenkult betrieben wie in der DDR. Hier gibt es soviele Individualitäten, dass du schon ganz besonders auffallen musst, um anerkannt zu werden. Die Lehrer erwarten auch nichts besonderes von mir.

May: Eine Ausnahme zu sein, wird hier im allgemeinen nicht mit hohen Erwartungen an Intelligenz und Leistung verknüpft. Von daher werden Afro-Deutsche in Schulen und dergleichen auch nicht oder selten bevorzugt.

Laura: Ja, bevorzugt werde ich hier nicht.

May: Ich erinnere mich an einen Biologie-Lehrer, dem ich unterstelle, dass er mich wegen meiner Hautfarbe nicht ausstehen konnte. Seine Art, Themen zu behandeln, bei denen es um Rassen ging usw., brachte seinen ganzen Rassismus zum Ausdruck, und einige Mitschüler haben das dann auch noch von ihm übernommen. Es war entsetzlich für mich, zumal Biologie mein Lieblingsfach war. Ich schrieb fast alle Arbeiten mit Eins und bekam immer die Endnote Vier. Als ich diesen Lehrer darauf ansprach, begründete er die Vieren mit Notizen über mich, die er nebenher gemacht habe. Ich konnte nichts dagegen unternehmen. Irgendwann in der Oberstufe ging's plötzlich besser, ich weiß nicht warum.

»Es gibt keinen selbstverständlichen Namen für uns«
Laura: Was meinst du damit: »Sie kann den afrikanischen Anteil ihrer Persönlichkeit nicht aus ihrem Leben/Sein ausschließen«?

Katharina: Ob ich darüber nachdenke oder nicht, ob ich mich mit anderen darüber auseinandersetze oder auch nicht, das ändert nichts daran, dass ich afrikanische Anteile habe – mein Aussehen, eine Art des Ausdrucks oder z.B. diese Art, die Hand zu halten – du hältst sie genauso, es sieht auch schön aus.

Durch die Zeit, die ich in Afrika gelebt habe, ist mir bewusst, welche Teile von mir dort gelebt haben und hier in Deutschland einfach nicht existieren. Weil sie keiner haben will, vor allem auch meine Freunde und Freundinnen nicht. Ich überlege, wie das kommt, und glaube, dass uns rassistische Strukturen daran hindern, darüber zu reden. Außerdem steckt viel ungreifbare Angst dahinter.

May: Es gibt ja auch keinen selbstverständlichen Namen für uns wie etwa bei Afro-Amerikanern, in Deutschland drucksen alle rum: Mischlinge, Farbige, Mulatten, Schwarze oder Neger.

Laura: Mir ist es schon unangenehm, das Wort »Neger« auszusprechen, es ist negativ geprägt und wird negativ benutzt.

Katharina: Mein Vater, meine Großmutter und andere Verwandte, die ich während meiner Zeit in Afrika kennengelernt habe und mag, sind schwarz. Ich will mich von ihnen nicht abgrenzen, deshalb habe ich mich selbst als Schwarze definiert. »Neger« nenne ich mich nur selten oder eher im Scherz.

May: Ich finde es auch schwierig, einerseits weil sich Afrikaner offensiv manchmal zum Negersein »bekennen«, und andererseits bedeutet gerade »Neger« in der deutschen Sprache alles mögliche: »Neger« sind alle, die irgendwie dunkler sind, egal, wie sie aussehen oder wo sie herkommen, es wird alles über einen Kamm geschoren. Außerdem steht Neger in vielen Redewendungen für Sklave und sonstwas. Als ich kürzlich nach Berlin fuhr, tankte der Fahrer an der letzten Tankstelle vor der DDR-Grenze und meinte: »Jetzt tanken hier noch mal die ganzen BRD-ler, damit sie den *Negersprit* in der DDR nicht tanken müssen«. Oder ein Freund von mir sagte zu seinem Bruder: »Ich nehme heute dein Auto, du kannst dich ja von irgendeinem anderen Neger nach Hause bringen lassen.« Wenn allerdings ein Kind sagt: »Guck mal, Mutti, ein Neger«, finde ich das was anderes.

Mit Begriffen wie »farbig« oder »schwarz« ist es ähnlich. Ich empfinde »farbig« für mich z.B. nicht unbedingt negativ, damit konnte ich mich lange Zeit eher identifizieren als mit »schwarz«, weil es den Unterschied zu Afrikaner/innen nicht auslöscht. Eine Südafrikanerin in meinem Arbeitskreis, die in Südafrika als »farbig« gilt, mag dieses Wort nicht und findet »Mischling« besser, was ich für mich wiederum nicht akzeptieren kann. «Neger« zu ihr zu sagen, ist mir noch fremder, da ich damit auch bestimmte Merkmale verbinde. Sie hat glatte Haare und sieht eher indisch aus als afrikanisch.

Inzwischen ist im Verlauf unserer Diskussion der Begriff »afrodeutsch« entstanden.

Katharina: Ich will auch nicht »Neger« als Bezeichnung einführen, fände aber eine Diskussion darüber wichtig. Ich habe es satt, mich von den Menschen in Afrika abzugrenzen, nur weil die hier dauernd Sprichwörter benutzen wie: »Schwarz wie ein Neger«, »Du kannst dir einen anderen Neger suchen«.

May: Das sehe ich auch so.

Und ich muss auch daran denken, dass meine hellere Hautfarbe ein Bonus war, als ich mit einem Schwarzen zusammen war. Vielleicht möchte ich deshalb jetzt lieber dunkler sein, auf diesen Bonus kann ich echt verzichten, darauf, dass die Leute mich schön und interessant finden, weil ich dunkel, aber nicht ganz dunkel bin. Zusammen mit ihm kam ich kaum in eine Disco rein, während ich alleine eine kleine exotische Attraktion bin. Auf der Straße wurden wir ganz ungeniert angestarrt, und ich habe mehr Bemerkungen als sonst mitbekommen. Die dachten ja auch, ich verstehe die Sprache nicht. Überhaupt habe ich die Umgebung viel feindlicher erlebt und mich stärker als Schwarze gefühlt.

Katharina: Du hast dich wohl auch mehr eingelassen als ich; ich empfand meine hellere Haut als Bonus, mit dem ich auch Afrikaner unterstützen konnte. Wollte ich mit einem Afrikaner in einer Disco oder in einem Lokal nicht blöd angeguckt werden, habe ich den Kellner gleich auf distanzierte Art in reinstem Hochdeutsch angesprochen. Wir wurden dann nicht mehr angemacht.

Laura: Ich habe mich mit Afrikanern und Afro-Deutschen immer ganz wohl gefühlt, da war ich nicht mehr allein die Ausnahme. Wenn ich mit weißen Freunden auf der Straße rumlaufe, werde ich von Kopf bis Fuß gemustert.

Wie begegnen wir uns?

Dagmar: Ihr habt mal erzählt, wenn afro-deutsche Frauen Zusammentreffen, würde das Unsicherheit und vielleicht auch Konkurrenz bedeuten, vielleicht weil ihr dann nicht mehr allein die Ausnahme seid.

Ist das einer der Gründe, warum es bisher so wenig Kontakt unter Afro-Deutschen gibt?

Laura: Wenn ich auf der Straße Afrikanerinnen begegne, lächeln sie meistens offen und freundlich; ganz anders afro-deutsche Frauen, da kommt zuerst ein abschätzender Blick und dann vielleicht was anderes. Ich habe auch gemischte Gefühle, möglicherweise aus Konkurrenz, ich weiß es nicht. Bei Katharina ist es mir nicht so gegangen, das ist allerdings sehr selten.

Katharina: Mich hast du aber auch ganz schön kritisch angeguckt.

Laura: Ja, ich war auch total verunsichert.

May: Ich fand dich auch ein bisschen cool.

Dagmar: Was hast du denn in der Situation gedacht?

Laura: »Ach, das ist die May! Die sieht ja auch ganz gut aus.«

Katharina: Diesen abschätzenden Blick gibt es ja überhaupt unter Frauen, ich weiß nicht, ob das der Grund ist, warum wir uns nicht gegenseitig ansprechen und kennenlernen. Mir fällt es leichter, zu farbigen Männern Kontakt aufzunehmen; da fällt die Konkurrenz in einer Gruppe weg. Als ich dich, Laura, kennenlernte, hatte ich auch ambivalente Gefühle, einerseits wollte ich mich dir gegenüber solidarisch zeigen und andererseits dachte ich, wenn sie mich als Konkurrentin sieht, werde ich sauer und verhalte mich genauso.

Laura: In der DDR lernte ich auch farbige Frauen kennen, und es war immer viel schwieriger, mit ihnen zusammenzukommen als mit anderen. Zunächst wegen diesem gegenseitigen Abchecken, aber dann auch, weil uns andere oft verwechselt haben: »Ach, ihr seht doch alle gleich aus«. Die wollten einfach nicht zur Kenntnis nehmen, dass wir verschiedene Namen haben, verschiedene Frauen sind. Das ist mir oft passiert, vorwiegend mit Männern. Ich erinnere mich, dass ich lange mit einer farbigen Frau an der Volkshochschule war, die war so groß wie ich, ansonsten sahen wir uns nicht ähnlich. Wir wurden beide von unseren Bekannten mit dem Namen der ändern angesprochen, ich dachte, die spinnen alle. Zwischen der farbigen Frau und mir herrschte absolute Konkurrenz, es ärgert mich auch heute noch, wie das zwischen uns war. Ich kannte sie schon flüchtig, bevor wir in diese Klasse kamen. Irgendwann kamen wir auf einem Fest ins Gespräch, und ich ließ mir ihre Adresse geben. Ich fragte sie, ob wir uns mal treffen könnten, aber sie hatte nie Zeit. Als wir dann zusammen in einer Klasse waren, bin ich wieder auf sie zugegangen. Sie hatte aber nichts Besseres zu tun, als Leute gegen mich aufzuhetzen und über mich herzuziehen. Anfangs wusste ich nichts anderes, als es genauso zu machen, bis ich mich schließlich rausgehalten habe.

Katharina: Es besteht kein Unterschied zwischen einer Feindschaft zwischen zwei weißen Frauen oder einer schwarzen und einer weißen Frau.

Laura: Doch, denn Konkurrenz kannst du nur haben, wenn zwei sich ähnlich sind – und wenn's die Hautfarbe ist. Ich stehe nie in Konkurrenz zu weißen Frauen.

Katharina: Ich ständig. In der Schule z.B. empfand ich meine Hautfarbe als Vorteil, so wie andere meinetwegen sich gut ausdrücken, gut rechnen konnten. Dadurch kam es einfach zu Konkurrenz. Wenn ich afro-deutschen Frauen begegne, passiert etwas anderes: Da verspüre ich eine Anziehung, denke, wir könnten uns eigentlich was geben, und zum ändern gehen wir aneinander vorbei. Ich erinnere mich an eine Balletttänzerin, die auch jeden Kontakt mit mir abblockte. Zuerst dachte ich, es läge daran, dass sie zwei Jahre älter ist oder einen ganz anderen Lebensstil hat. In Heidelberg bin ich eine Zeitlang auch immer wieder einer farbigen Frau mit faszinierend grünen Augen

May Ayim und Katharina Oguntoye (Foto: Dagmar Schultz)

begegnet. Sie war immer sehr distanziert. Zu ihr traute ich mich nicht Kontakt aufzunehmen, aus Angst vor Konkurrenz.

Dagmar: Um was oder wen konkurrierst du denn?

Katharina: In erster Linie geht es um Zuneigung und Anerkennung, vielleicht auch um die eigene Identität.

May: Das kenne ich auch. Ich erinnere mich auch an eine farbige Frau, die ich unheimlich schön fand, und die ich mich nicht traute anzusprechen aus einer Mischung von Respekt und Unterlegenheitsgefühl. Mir kam in diesem Zusammenhang auch der Gedanke, dass ich meine Hautfarbe für einen Pluspunkt halte, zusätzlich zu dem, dass ich vielleicht wirklich gut aussehe.

Feindschaften mit afro-deutschen Frauen kenne ich keine, es gab auch keine in meinem Alter. An der Schule war ein vier Jahre jüngeres Mädchen; wir sind uns zwar öfter begegnet, haben uns aber nie angesprochen, obwohl ich das gerne getan hätte. Ich wollte sie nicht allein wegen ihrer Hautfarbe anreden, ich hätte das auch nicht gemocht. Weil ich zur Zeit diese Interviews mache, habe ich sie neulich angesprochen, und es war dann auch ganz toll. Ich brauchte bei ihr einen Anlass, während ich sonst bei Menschen, die mir sympathisch sind, schon einen Weg finde. Dabei ist es total aufregend, afro-deutsche Frauen kennenzulernen. Neulich habe ich in einem Arbeitskreis zu Südafrika eine Südafrikanerin getroffen: Wir haben unheimlich viele Parallelen bei uns festgestellt, sie ist auch bei verschiedenen Pflegeeltern aufgewachsen, die meinen ziemlich ähnlich waren – wir waren beide ganz sprachlos und begeistert.

Eleonore Wiedenroth (30 J.)

Was macht mich so anders in den Augen der anderen?

Ich bin Deutsche, und ich bin dunkel. So dunkel nun auch wieder nicht. Oft habe ich in den Spiegel geschaut und mich gefragt, was mich nun eigentlich unterscheidet, was mich so anders macht in den Augen der anderen. Innerlich bin ich deutsch durch meine deutsche Umgebung, die Schule, mein Zuhause – deutsch eben. Und trotzdem wurde mir immer wieder nahegelegt, dass ich genau das nicht wäre. Aber warum? Es hängt eben alles an Äußerlichkeiten.

Die deutsche Sprache hat für braune Haut nur Bezeichnungen, die dem Bereich des Essens und Trinkens entliehen sind, wie »schokoladenbraun« oder »kaffeebraun«. Wer für mich eine Zuordnung auf der Farbskala sucht, könnte mich vielleicht bei »milchkaffeebraun« einstufen. Gibt es das überhaupt? Oh ja, in der Wahrnehmung der Leute gibt es eine Unsumme von Schattierungen und entsprechende Benennungen. *Ihnen gemeinsam ist die Abweichung von der allgemein nicht benannten Norm, dem Weiß-Sein.*

Aber gleich, wieviele Nuancen benannt werden, es läuft immer auf dasselbe hinaus: Du wirst gebrandmarkt (ach nein, gekennzeichnet) als Nicht-weiß. Und die vielen Schattierungen sind letztlich gar nicht mehr wichtig. »Nicht-weiß« ist eben in erster Linie »schwarz«.

Die Benennung der vielen Schattierungen ist nicht zuletzt deswegen so unbeholfen, weil sie zutiefst unehrlich ist. »Schwarz – Weiß«, auf diesen Gegensatz lässt sich die mühselig aus den Fingern gesogene Differenzierung im Nu reduzieren. Die Farben werden nicht wertfrei gese hen. »Weiß«, die »Abstraktion« aller Farben, wird gleichgesetzt mit der Reinheit (hygienisch und moralisch), mit der Vollkommenheit. »Schwarz« hingegen, die »Subtraktion« aller Farben, steht für Schmutz, das Schlechte schlechthin, für das bedrohliche Nichts.

Es schickt sich hierzulande nicht, eine Person offen zu verleumden. Aber darauf lässt sich auch leicht verzichten, da durch die hier gültige Farbsymbolik eine Diffamierung der Schwarzen unterschwellig, und damit auch effektiver, geschieht.

Das Schwarz-Weiß-Raster in den Köpfen vorausgesetzt – und es ist vorauszusetzen – und die Wahrnehmung genügen, dass du auf die nichtweiße Seite gehörst, und du wirst als *Auch-Mensch* eingeordnet. Schwarze sind schließlich auch Menschen. Wenn diese Tatsache einer Erwähnung bedarf, ist sie wohl nicht so selbstverständlich, wie der Satz gerade glauben machen will. Es ist liebenswürdig gemeint, die verschiedenen Schattierungen der Nicht-Weißen hervorzuheben. Denn damit wird die Botschaft übermittelt: »Du bist ja gar nicht so schwarz, du bist ja »nur«...« Ich bin also nicht ganz so schmutzig, schlecht, bedrohlich, nur ein bisschen. Es ist gewiss nicht böse gemeint. Und wenn ich ab und zu den Mund aufmache und mich gegen solche Zuordnungen wehre, tja, dann bin ich überempfindlich, dann ist mit mir nicht gut reden. Ja richtig, über diesen Punkt will ich schon lange nicht mehr reden: Ich bin schwarz – und nicht dunkel-, hell- oder sonstwie-braun.

Ich will einen Stein ins Rollen bringen

Erst seit ich nicht mehr in der Verteidigungsposition bin und sage: »Ich bin nicht anders, nehmt mich doch bitte als Mensch an«, erst seit ich zu meiner »Andersartigkeit« stehe, kann ich entsprechend agieren. Heute stehe ich dazu, Deutsche zu sein – und Schwarze zu sein. Allein meine Existenz ist hierzulande Stein des Anstoßes. Aber heute stolpert mensch nicht unversehens über mich und meine Erscheinung. Heute bin ich es, die anstößt, ich will einen Stein ins Rollen bringen. In dieser Gesellschaft ist ein Denk- und Umlernprozess vonnöten, damit mir und meinesgleichen – wenn auch nicht heute, so aber morgen – ein gleichberechtigtes Leben eingeräumt wird.

Ellen Wiedenroth mit Mutter

Ich finde, wir dürfen nicht als Einzelne in der weißen Gesellschaft untertauchen, sondern müssen als Gruppe gegen Diskriminierung vorgehen, müssen lernen, uns gemeinsam zu wehren. Ich bin oft sprachlos oder kann nicht reagieren, und ich glaube, viele von uns haben gelernt, den Mund zu halten.

Die leisen Töne, die immer wieder auf einen herniederprasseln, sind es, die einem das Leben schwer machen. Das fängt an bei der freundlich gemeinten Erkundigung, wieso ich so gut die deutsche Sprache beherrsche. Es geht weiter bei dem deutschen Familiennamen, den ich als Frau mir wohl durch Heirat erworben hätte. Es setzt sich fort in peinlichen Komplimenten, wie schön doch so ein exotisches Aussehen sei, und endet mit dem Trostpflaster, dass ich sooo dunkel ja nun auch wieder nicht sei.

Überall dasselbe – bei der Arbeitssuche, bei der Wohnungssuche. Immer muss ich mich doppelt und dreifach ausweisen, beweisen, dass ich Deutsche bin, meine Existenzberechtigung vorweisen. »Ach so, wir dachten, Sie seien Ausländerin.« Ausländer sind anders, sie werden ausgesondert, sie sind – ebenfalls – Auch-Menschen. Wer aus dem Raster fällt, gehört eben nicht dazu. Schwarz sein und deutsch sein, da stimmt doch was nicht, da ist doch was faul. Schwarze Deutsche werden aus dem Denkmuster ausgeklammert, sie existieren gar nicht im Bewusstsein der meisten Bundesdeutschen. Und genau an diesem Punkt müssen wir ansetzen. Die anderen müssen Notiz von uns nehmen, müssen sich mit unserer Existenz bewusst auseinandersetzen, müssen uns als Realität erfahren.

Wohlbehütet in einer »heilen« Welt

Gleich nach meiner Geburt kam ich für kurze Zeit in ein Kinderheim, weil meine Mutter Geld verdienen musste. Dann hat sie sich bemüht, eine Pflegefamilie für mich zu finden, weil Heime nicht gut sein sollen für kleine Kinder. Die erste Familie war nicht gut, dann kam ich zu einer anderen, wo ich bis zum 7. Lebensjahr blieb. Daran habe ich nur sehr schwache Erinnerungen.

Meine Mutter wollte mich nicht mehr anderen Leuten überlassen, und es ergab sich, dass sich eine ältere befreundete Kollegin anbot, sich um mich zu kümmern. Sie hat mich an Enkelin statt aufgezogen. Nach einem Jahr sind meine Mutter, die Frau und ich zusammengezogen.

Aus dieser Zeit ist mir eigentlich nichts an Ausgrenzung in Erinnerung geblieben. Erst als ich in die Schule kam, dämmerte es mir allmählich. Meine erste Lehrerin hat mich des öfteren bewusst vor den anderen herabgesetzt, wenn ich laut war oder die Schulaufgaben nicht hatte.

Meine Mutter hat immer sehr empfindlich reagiert, wenn ich ihr solche Sachen erzählt habe; ich glaube, sie hat immer sofort an die Hautfarbe gedacht, aber sie hat nie ein Wort darüber verloren. Hautfarbe war kein Thema.

In meiner Umgebung gab es überhaupt keine anderen schwarzen Kinder oder Erwachsenen. Aber die Leute in diesem Vorstadtmilieu waren immer ganz neugierig, wer ich bin und was ich mache. Schwierigkeiten sind aber eigentlich keine auf mich zugekommen. Höchstens, dass ich für einen Elternabend mal ausgesucht wurde, um ein

Gedicht vorzutragen. Es war mir ja so peinlich, im Rampenlicht zu stehen. Ich kann nicht mit absoluter Sicherheit sagen, dass ich wegen meiner Hautfarbe ausgewählt worden war, es war nur so ein Gefühl.

Als einschneidendes Erlebnis habe ich in Erinnerung, wie ein Junge in der Grundschule »Neger, Neger!« hinter mir her rief. Ich hatte das Wort noch nie gehört, aber allein schon der Klang…, ich war verletzt.

Ich heulte den ganzen Tag, ohne ein Wort darüber sagen zu können. Als ich es dann endlich meiner Mutter erzählen konnte, fing sie ebenfalls an zu weinen, ohne mir das jedoch zu erklären. Ich hatte erwartet, dass sie mir hilft und mich tröstet und dass dann alles vorbei wäre. Meine Mutter kam aber mit der Situation überhaupt nicht zurecht. Ich hörte auf zu weinen, ich war einfach baff.

Ich dachte mir, dass »Neger« etwas furchtbar Negatives sein muss und reagiere immer noch sehr allergisch auf dieses Wort. Ich kann auch nicht nachvollziehen, wie jemand das in normaler Rede benutzen und meinen kann, es sei völlig wertfrei.

Solange ich im Haushalt meiner Mutter aufwuchs, lebte ich geborgen und abgeschirmt von der Außenwelt. Mutter vermied es pein liehst, Probleme anzusprechen und womöglich auszudiskutieren. Der trügerische Schein konnte nur mit Schweigen erkauft werden. Probleme wurden draußen vor der Tür abgestreift wie der Schmutz von den Schuhen. Drinnen war die »heile Welt«.

Meine Mutter war ängstlich: also war ich nie alleine. Es war schon eine Glanzleistung, wenn ich alleine zur Schule und zurück lief. Das war mir regelrecht antrainiert worden, und ich hatte auch richtig Angst, vom Weg abzukommen. Ich durfte kaum Freundinnen besuchen, weil ich den Weg dorthin hätte alleine gehen müssen, hätte alleine anklopfen oder klingeln müssen und sagen: »Da bin ich.«

Und so waren meine Spielkameradinnen die Bücher, die Puzzle- und Geduldspiele, die Puppen. Nein, mir ging es nicht schlecht. Ich hatte alles, ein Zuhause, viele Spielsachen, schöne Kleider und gute Noten. Ich zählte immer zu den Klassenbesten, und Leistung verschafft Anerkennung.

Meine Bücher führten mich weit weg von mir in ferne Länder

und vergangene Welten. Ich war vernarrt in die ägyptische Kunst. Die Menschen waren schön. Ich ersehnte mir auch so schönes blauschwarzglänzend langes Haar und sann oft darüber nach, wie ich meine Haare auch so hinkriegen könnte. Mein eigenes Haar war nichts dagegen. Immer musste es eingedreht, immer geschnitten werden. Es wurde gebändigt und ich mit ihm.

Als Kind hatte ich keine Phantasien, in denen ich mir gewünscht hätte, weiß zu sein. Als ich in der Pubertät merkte, dass Hautfarbe sehr viel ausmacht – obwohl das unausgesprochen war –, dachte ich: »Ach, wäre ich doch schwarz! Wenn ich schon schwarz sein soll, warum bin ich es dann nicht?« Das war mein Problem.

Ja, ich hatte eine behütete Kindheit, aber ich wurde melancholisch, grübelte viel und glaubte irgendwann, dass ich nicht mehr weiter könnte.

Ich verabschiedete mich mit einem Brief an meine Mutter und sah dem Tod täglich ins Auge. Ich wollte vom Balkon springen, aber jedesmal hielt mich die Angst zurück, ich müsste vielleicht verkrüppelt weiterleben. Meine Mutter fand den Brief, als ich den Selbstmordgedanken schon wieder beiseite geschoben und mir meine allzu große Angst vor einem solchen Schritt eingestanden hatte. Nur hatte ich eben das Dokument meiner Verzweiflung nicht zerstört, denn die Verzweiflung bestand nach wie vor. Meine Mutter war verletzt. Wie konnte ich nur auf solche Ideen kommen, wie konnte ich ihr so etwas antun, wo sie sich doch für mich einsetzte, aufopferte? Ich schämte mich.

Auf der Suche nach meiner schwarzen Identität und einer Heimat

Sobald ich mich aus der geborgenen Welt meiner Mutter löste, schlug mir die Welle der kühlen Ablehnung jäh ins Gesicht.

Mein Bewußtwerden, als Nichtweiße auf einen bestimmten Platz verwiesen und an den Rand gedrängt zu sein, veranlasste mich dazu, mehr Kontakt zu Schwarzen zu suchen. Der Mythos der internationalen schwarzen Solidarität wurde mein Leitfaden.

Im Universitätsbereich begegnete ich vielen Afrikanern, mit denen ich auf Anhieb gut auskam. Uns verband etwas, das nicht benannt zu werden brauchte. Ich hatte hier gefunden, was mir in meinem bisherigen Leben so sehr gefehlt hatte, nämlich eine Nische, wo mein Deutschsein oder Nichtdeutschsein kein Thema war. Das Schwarzsein eröffnete mir eine neue Ebene von Gemeinsamkeiten mit Menschen. Ich erlebte Offenheit, Freundlichkeit, selbstverständliches Akzeptiertwerden. Ich war »sister«, ich gehörte dazu. Aus einer passiven Haltung wurde eine aktive: Ich wollte schwarz sein.

Bei meinen ersten Freunden hatte ich als feste Perspektive ins Auge gefasst, mit ihnen in ihr Land zu gehen. Was mich allerdings immer hellhörig gemacht hat, war die Äußerung von Schwarzen: »Du musst nach Afrika gehen, da gibt es keinen Rassismus. Im Gegenteil, wenn du kommst, wird man dich besonders aufmerksam behandeln.« Ich dachte dann, da bist du ja wieder etwas Besonderes, wirst mehr geachtet, weil du Europäerin bist. Ich habe mir das stillschweigend angehört, ohne darauf reagieren zu können.

Lange Zeit wollte ich auswandern. Ich wollte in ein afrikanisches Land, wo ich mir Identität, ein Stückchen heile Welt versprach. Die USA als Auswanderungsziel kamen gar nicht in Frage, denn ich wollte nicht offenen Auges vom Regen in die Traufe rennen. Ich machte viele Reisen und kam dabei auch nach Nord- und Westafrika. Vor allem in Liberia hatte ich ein Schlüsselerlebnis, das mich zurückwarf auf die Tatsache, dass ich keine Afrikanerin bin, dass ich nicht ohne weiteres z.B. Liberianerin sein konnte oder sonst in irgendeine andere Haut schlüpfen und meine Vergangenheit abstreifen konnte. Meine Ankunft in Monrovia, Liberia, betrachtete ich als den ersten Schritt, mich auf dem afrikanischen Kontinent einzuleben, hier wollte ich heimisch werden. Bei meiner Abreise war ich jedoch völlig verwirrt und fühlte mich in meinen Grundfesten erschüttert. Was war geschehen?

Ich wohnte bei der Tante meines damaligen Verlobten, weil die Familie ihr Haus nicht gut genug für mich hielt. Ganz verstanden habe ich das nicht, vor allem, warum ich nicht einmal tagsüber dorthin gehen konnte. Auf Sitte und Form wurde sehr großer Wert gelegt. Diesem Zwang unterlag ich in Deutschland nie. Ich habe das alles mehr aus Interesse mitgemacht, als dass ich mich damit identifiziert hätte.

Bei einem Spaziergang am Strand beobachtete ich Kinder, die im aufgehäuften Müll offensichtlich nach etwas Verwertbarem suchten. Sie riefen mir nach: »Weiße, Weiße«, und ich war wieder abgestempelt und fühlte mich gebrandmarkt. Ich hatte geglaubt, mir eine schwarze, eine afrikanische Identität aneignen zu können, und dieses Mal wurde mir hinterhergerufen, ich sei weiß.

Ich war fassungslos und konnte auch mit niemandem darüber reden. Sehr viel später fand ich eine Erklärung für diesen Vorfall: Mein Benehmen, die beobachtende Distanz, hatte mich verraten; ich war an jener Szene einerseits zu distanziert und andererseits zu interessiert für eine Einheimische vorbeigegangen. Mein Verhalten hatte mich als Europäerin gekennzeichnet. Da im Klischee die Europäer weiß sind, so war ich eben in diesem Moment zu einer »Weißen« geworden. »Weiß« war in diesem Fall eine soziale Kategorie, nicht anders wie es sich mit der Zuordnung für »Schwarz« verhält.

Später glaubte ich eine Zeitlang, in Hawaii mein Paradies zu finden. Es gibt dort sehr viele Mischungen – Asiaten, Europäer … du kannst die Leute nicht mehr eindeutig zuordnen. Ich dachte: »Ah, das ist schön. Da gehst du unter.« Hawaii kam aber auch bald nicht mehr in Frage, als ich merkte, wie amerikanisiert dort alles ist. Amerika war nie ein Bezugspunkt für mich gewesen.

Danach legte ich meine Auswanderungspläne beiseite.

Eine neue Etappe auf meiner Suche nach mir selbst begann. Ich suchte nicht länger nach einer mystischen Heimat, irgendwo außerhalb der Bundesrepublik. Vorerst wusste ich nicht, was ich überhaupt suchte. Mit der Zeit kam ich darauf, dass, wenn ich nicht nur überleben, sondern schlicht leben wollte, ich dies als erstes hier in der Bundesrepublik durchsetzen sollte. Schließlich bin ich hier zu Hause. Dies ist meine Heimat, auch wenn so viele meiner Mitbürger meinen, meine Heimat müsse dort sein, wo ich den Leuten äußerlich gleiche. Heimat ist ein innerer Bezugspunkt. Sie bezeichnet Vertrautheit, Gewohnheit

– aber auch Geborgenheit, Sicherheit, Zuflucht, sie steht für das Gefühl dazuzugehören. Auf all dieses erhebe ich Anspruch. Ich lasse mir meine Heimat nicht verweigern. Heimatlos – der fatalste Ausdruck des Verlassenseins, des Ausgestoßenseins.

Auf der Suche nach meinem Vater
(Aus einem Gespräch zwischen Eleonore Wiedenroth und May Opitz)

Eleonore: Mein erster Freund war Afrikaner. Ich stellte mir nie einen weißen Freund vor, das war ganz klar für mich.

Zu Hause habe ich davon nichts erzählt. Als meine Mutter dann doch von meinem Freund erfuhr, ist sie halb ausgerastet. Sie wollte jeden weiteren Kontakt unterbinden, und wir haben uns nur noch heimlich getroffen. Zum offenen Konflikt ist es darüber nicht gekommen, weil ich wegen des Studiums sowieso in eine andere Stadt gezogen bin.

May: Hat dir deine Mutter nie erklärt, warum sie es so schlimm findet, dass du einen schwarzen Freund hast?
Eleonore: Statt einer Erklärung hat sie gesagt, dass mein Vater sehr unzuverlässig gewesen sei und sie im Stich gelassen habe. Sie hat irgendwann beschlossen, dass er nicht mehr zur Tür reinkommt. Wohl stellvertretend waren mit meinem Vater auch alle anderen Schwarzen gemeint. Von außen hatte ich ja mit Schwierigkeiten wegen meines schwarzen Freundes gerechnet, aber von meiner Mutter …

Als ich von zu Hause wegzog, war die Tür für mich zugefallen, ich habe allerdings den Kontakt zu meiner Mutter nie ganz abzubrechen gewagt. Die ersten Jahre wollte meine Mutter den Kontakt mit meinem Vater, man kann fast sagen, gewaltsam aufrechterhalten. Er sollte sehen, wie ich mich entwickle, und ich sollte die Möglichkeit haben, ihn auch kennenzulernen. Mein Vater hat das wohl alles nicht so ernst genommen, hat ab und zu mal geschrieben, aber nicht regelmäßig. Ich selbst habe ihm nie geschrieben. Meine Mutter hatte eine Zeitlang noch sein Bild stehen, aber irgendwann ließ sie es stillschweigend verschwinden.

May: Hast du dir als Kind vorgestellt, deinen Vater mal zu besuchen?
Eleonore: Eigentlich erst, als ich mich nach dem Abitur von zu Hause gelöst habe. Ich hatte viele afrikanische Freunde, praktisch als Vaterersatz. Im Gespräch mit H. und C. ist mir auch aufgefallen, dass bei uns afro-deutschen Frauen Vatersuche und Suche nach schwarzen Männern oft zusammenfällt. Ich wollte nie einen weißen Freund haben, Schwarzsein und Mannsein waren für mich gekoppelt. Als ich das gemerkt habe, wollte ich meinen Vater kennenlernen.

Über caritative Verbände in den USA, die Suchdienste anbieten, startete ich die ersten Aktionen. Nachdem sie zu nichts führten, legte ich die Sache erst mal wieder beiseite. Als ich vor zwei Jahren einen Freiflug nach Jamaika hatte, machte ich eine Woche in New York Zwischenstation und begann, ernsthaft zu suchen. Gott sei Dank gab es im Telefonbuch nicht so viele mit demselben Namen, und ich fand ihn ziemlich schnell.

Es hat mir gut gefallen, dass seine ganze Familie von mir wusste. Mein Vater reichte mich denn auch mit einem gewissen Vaterstolz herum und meinte, ich würde bleiben.

Seine Kinder weigerten sich allerdings, mich kennenzulernen. Ich sah sie einmal kurz und dann nie wieder. Vielleicht haben sie mich als Bedrohung empfunden, obwohl ich keine Ansprüche stellen wollte. Mein Vater meinte allerdings, ich müsste fortan mit allen Verwandten und Halbgeschwistern Kontakt halten, denn wenn es mal um die Aufteilung seines Erbes ginge … So weit wollte ich gar nicht denken.

May: Wolltest du weiter Kontakt halten?
Eleonore: Ja, das schon. Aber nicht in dem Sinne, dass ich glaubte, nun meine Familie gefunden zu haben. Am besten habe ich mich noch mit meiner Großmutter, der Mutter meines Vaters, verstanden. Letztendlich aber schreibe ich bisher nur meinem Vater und seiner Frau, mit der ich auch gut ausgekommen bin. Das Resultat ist allerdings, dass er nicht mehr selbst schreibt, sondern seine Frau. Das hat er mit meiner Mutter auch gemacht, ohne sich dabei was zu denken. Das war schon eine Frechheit.

Meiner Mutter hatte ich vorher nicht gesagt, dass ich meinen Vater besuchen würde. Hinterher hat sie es ganz gut aufgenommen. Sie meinte nur, dass sie es verstehen könnte, wenn es für mich wichtig sei, aber sie wollte aus der Sache herausgehalten werden. Da wurde mir erst klar, was ich mir für Schwierigkeiten aufgehalst hatte. Mein Vater wollte unbedingt meine Mutter wiedersehen, aber sie wollte das nicht. Ich dachte, »Nun steh' ich dazwischen!«, denn ich hatte zunächst den Anspruch, dass mein Vater mich hier besucht und sieht, wie ich lebe. Und wenn er sich nicht davon abbringen ließe, bei meiner Mutter zu erscheinen?

Wir wir mit dem Erleben von Angst umgehen
May: Bei dem Treffen von Afro-Deutschen heute machte sich jemand um den Schutz der Veranstaltung Gedanken, weil er befürchtete, dass vielleicht Neonazis auftauchen könnten. Ich hatte vorher auch schon daran gedacht, vor allem weil dieses Treffen auch über die Presse öffentlich angekündigt wurde. Angst scheint bei vielen ein zentrales Thema zu sein.
Eleonore: Bei mir auch. Alle Ausländerfeindlichkeit richtet sich ja letztendlich auch gegen mich, und ich glaube, wenn Neonazis sehen, dass es uns als Gruppe gibt, kann es gefährlich werden.

May: Neonazis äußern sich auch über »Mischlinge« – ich habe schon einmal etwas von denen darüber gelesen.

Eine Zeitlang hat mich richtig die Angst gepackt, vor allem als ich bei den Nachforschungen für meine Diplomarbeit gemerkt habe, was schon alles vorgefallen ist – besonders in Berlin und Hamburg. Damals wollte ich nach Berlin ziehen und hatte richtig Bedenken, ob ich das überhaupt machen soll. Schließlich bin ich doch dahin gezogen, aber die Angst vor neonazistischen Ausschreitungen machte mir ganz schön zu schaffen. In Osnabrück standen mal zwei Typen mit Hakenkreuzen auf den Lederjacken vor mir am Bahnhofsschalter. Als ich das registriert habe, bin ich erst mal in Deckung gegangen.
Eleonore: Die Angst blockiert mich richtig, mich mit Ausländerfeindlichkeit zu beschäftigen. Ich will gar nicht alles darüber

wissen. Hätte ich noch mehr Informationen, als die, die einem täglich sowieso schon ins Auge fallen, dann würde ich mich noch mehr ängstigen. Ein Mainzer Vorort ist eine Hochburg von Neonazis, wo auch deren überregionale Koordination stattfindet. Ja, und manchmal habe ich richtig Angst, in Mainz zu sein. Es kommt immer auf meine Stimmungslage an, aber im Endeffekt fühle ich mich hilflos.

May: Wir sind mit unserer Hautfarbe auch immer sichtbar. Anders als Kinder aus bi-nationalen Verbindungen, die weiß sind.
Eleonore: Ja, wir tragen unseren Angriffspunkt immer mit uns herum. Wir können nie »untertauchen«, auch ohne diese Bedrohung nicht. Ich kann nie »einfach so« herumlaufen.

May« Das sagt H. auch, und ich war erschüttert, als sie erzählte, dass sie früher nicht ohne Maske nach draußen konnte – im wahrsten Sinne des Wortes. Sie musste sich erst die Augen schminken, die Fingernägel lackieren ...

Vielleicht sind aus Angst auch viele nicht zu dem Treffen gekommen. Einzelgängertum kann ja durchaus zunächst ein Vorteil sein.
Eleonore: Ja, das ist klar, aber ich möchte mich mit diesem Punkt jetzt nicht beschäftigen.

May: Ich komme immer wieder zu diesen Fragen in bezug auf Solidarität: Wie weit will ich gehen? Z.B. bei der Jobsuche, wenn da steht: »Nicht für Ausländer.« Bisher habe ich solche Jobs nie angenommen, auch wenn ich wegen meiner deutschen Staatsangehörigkeit die Möglichkeit gehabt hätte. Aber wie lange kann ich mir das noch leisten? Das gleiche gilt für Diskotheken, wenn da steht: »Off limit« – das gilt für Schwarze, aber in der Regel nicht für Frauen. Normalerweise gehe ich in solche Schuppen nicht rein, aber wie weit geht die Solidarität meiner Freunde? Wie verhalte ich mich ihnen gegenüber, wenn sie trotzdem reingehen? Und was machen die dadurch mit mir?
Eleonore: Viele verletzen, ohne es zu wollen, mit ihrer Gutmütigkeit, mit ihrem »Wohlwollen«. Klar, durch jahrelang gemachte Erfahrungen – ich

spreche jetzt nur über die negativen – reagiere ich auf bestimmte Reize gespannt, gereizt. Oft kann ich dabei sehen, dass jemand aus Unbedarftheit, aus Unwissenheit mit mir zum Beispiel ein Gespräch anfängt und führt, das ich in genau der gleichen Form schon hunderttausendmal erlebt habe. Die Begegnungen laufen oft so stereotyp ab. Nicht die Dummheit oder Borniertheit einer einzelnen Person, sondern die Tatsache, dass ich der gleichen dümmlichen, mir unangenehmen Situation wieder und wieder ausgesetzt bin, das ist es, was mich am meisten aufregt.

Und dann ärgere ich mich und bin wie gelähmt, kann meinen Unmut nicht loslassen. Ich habe so gut gelernt zu schlucken, dass ich selbst dann meistens den Mund nicht aufkriege, wenn ich dabei bin, mich an einem Brocken zu verschlucken. In solchen Situationen kann ich mich nur sehr schwer behaupten.

May: Immer wieder rechtfertigen, erklären, durchboxen. Für mein Studium wollte ich in einem Zentrum für Körperbehinderte in München ein Praktikum machen. Ich habe mich dort vorgestellt und danach wurde mir gesagt, dass ich das Praktikum im Prinzip machen könne, weil sie auch Leute suchen würden. Allerdings könnten sie mir ein Vorgespräch mit denen, die ich zu betreuen hätte, nicht ersparen. Ich war sehr erstaunt, denn ich wusste, dass das dort nicht üblich ist, und habe mich gefragt, wo die Bedenken und Vorsichtsmaßnahmen anfangen. Bei einer Punkerin? Bei einer Japanerin? Bei einer Spanierin? Wie schwarz musst du sein, damit ein Vorgespräch nötig ist?

Als ich diesen Vorfall anderen erzählt habe, fanden die das eher belanglos, eine Kleinigkeit, über die man sich nicht aufzuregen braucht. Aber ich wollte dort erst mal nicht arbeiten.

Eleonore: Ich habe mit einer guten Freundin mal über verschiedene Grade von Diskriminierung gesprochen. Sie hat Probleme mit dem Dicksein und empfindet sich dadurch manchmal als unweiblich, weil sie einem gewissen Schönheitsideal nicht entspricht. Sie wird deswegen oft blöde angemacht. Also meint sie, dass sie Diskriminierung so erfährt wie ich. Ich finde, das lässt sich nicht einfach so vergleichen und auf dieselbe Stufe stellen. Es kommt so vieles zusammen. Wenn ich das alles zusammenrechne, ist es unfaßbar. Und sie glaubt, das Unfaßbare reduzieren zu können auf das Dicksein in unserer Gesellschaft.

May: Ich werde auch von meinen Freunden teilweise gar nicht als Schwarze wahrgenommen, und sie versuchen oft das, was mir wichtig ist, zu bagatellisieren.

Wenn ich mich z.B. über Redewendungen wie »Such' dir doch einen anderen Neger!« aufrege, kommt so ein beruhigendes »Stimmt schon«, ohne dass sie wirklich darüber nachdenken. Ich komme mir dann vor wie ein Kindchen, dem über den Kopf gestreichelt wird, damit es ruhig ist.

Ich habe wirklich Angst, auf den Rassismus meiner Freunde zu stoßen und damit auch auf die unumgängliche Frage: Wer sind eigentlich meine Freunde und Freundinnen? Wie weit würden die für mich gehen? Ich könnte dann heulen, weil ich merke, dass ich im Grunde wahrscheinlich ganz alleine bin.

Eleonore: Ich versuche ab und zu, mich im Nachhinein an Situationen zu erinnern, die ich nicht in Ordnung fand. Wenn ich dann merke, dass da etwas nicht gestimmt hat, kann ich auch nicht mehr so gut mit den Leuten auskommen. Deshalb bin ich mit so wenigen befreundet. Ich bin sehr schnell bereit, auch wieder auf Distanz zu gehen.

May: Ich bin auch sehr vorsichtig und skeptisch und darauf gefasst, fallengelassen zu werden. Bevor es soweit kommt, ziehe ich mich gewöhnlich zurück. Schwarzsein heisst dann ab und zu, sich zwischen Freunden vereinzelt zu fühlen.

Eleonore: Insofern habe ich auch eine Maske. Ich erwecke den Anschein, völlig souverän durch die Welt zu gehen. Ich spüre manchmal richtig, wie ich beim ersten Schritt aus der Haustür die Schultern nach hinten ziehe und einen völlig geraden Gang annehme. Ich kann überhaupt nicht lässig gehen. Wenn ich so durch die Straßen laufe, bin ich unnahbar.

May: Aufrechten Gang habe ich eine Zeitlang richtig trainiert. Das war während der Schulzeit, als ich mich von verschiedenen Seiten nicht ganz akzeptiert und für voll genommen fühlte. Ich habe eine Fassade von »Keiner kann mir was« aufgebaut. Aufrechter Gang ist für uns auch eine Maske, die nicht so leicht durchschaut wird, diese Haltung gilt ja als typisch afrikanisch.
Eleonore: Ja genau, alles angeboren … *(lachend)*

Corinna N. (26 J.)

Das alte Europa trifft sich woanders

»Gezeugt wurdest du im Wald, darum bist du immer so wild«, sagte immer mein Vater. »Weisst du, damals konnte man sein Mädchen nicht mit aufs Zimmer nehmen. Wir hatten uns lieb, aber die Umstände ließen es nicht zu, dass wir zusammenblieben. Die Familie deiner Mutter wollte kein farbiges Kind im Haus haben.«

Somit kam ich gleich nach der Geburt in ein Heim außerhalb von Stuttgart, wo ich sechs Jahre lang blieb.

Ich erinnere mich nicht groß an damals. Blobbie war wichtig für mich, Blobbie, mein verträumter Bruder, blonde Locken, ein richtiges Engelsgesicht. Mit ihm habe ich das wenige geteilt, was wir hatten.

Dann kamen Menschen, die mich anschauten und die mich adoptieren wollten. Menschen, die ich sofort mochte, da sie die gleiche Hautfarbe hatten wie ich. Es hat nie eine Adoption geklappt, obwohl ich sehr begehrt war. Mein Vater verweigerte seine Zustimmung. Auch als seine besten Freunde ihm anboten, mich zu nehmen, lehnte er ab. Das habe ich nie verstanden, da er bis heute große Stücke auf sie hält, und meine Mutter hätte ganz bestimmt nichts dagegen gehabt, wenn Vater es gewollt hätte.

Dann kamen Kinder, die auch so aussahen wie ich. Vor deren Betten stand ich, starrte und dachte, die sind ja wie ich. Ich sah anders aus, das wusste ich, warum, wusste ich nicht.

Im Nachhinein erfuhr ich, dass es ein Privatheim war. Zuerst war ich in einem kleinen Heim, später zogen wir um in ein größeres. Als wir umzogen, waren wir alle sehr aufgeregt. Ich habe noch rege in Erinnerung, dass wir nicht mit dem neuen Spielzeugspielen durften, das sie uns zeigten. In der Nacht stiegen wir aus den Betten, um es uns im Spielzimmer anzuschauen. Dabei wurden wir erwischt und mussten der Reihe nach unter die kalte Dusche. Um der Strafe zu entgehen, versteckte ich mich im Korridor, wo kein Licht brannte. Das gelang mir glücklicherweise.

Um unser Heim war eine Mauer, und wir kamen nie raus und wussten nicht viel über unsere Außenwelt. In jedem Zimmer war ein älteres Heimkind, das auf uns aufpasste und für Ruhe sorgen musste.

Alles, was wir von Verwandten geschenkt bekamen, mussten wir mit den anderen Kindern teilen. Eines Tages bekam ich Stiefel für den Winter, und Blobbie hatte keine, nur Sandalen. Da wir gleich groß waren, schenkte ich ihm meine Stiefel für den ganzen Winter und lief selbst in seinen Sandalen herum. Dies geschah ohne Worte, da ich die meiste Zeit nicht sprach. Später erfuhr ich, dass ich mit fünf Jahren auf dem Stand einer Dreijährigen war, auch in meinem Sprachvermögen.

Unsere größte Freude war, auf das Bett des älteren Heimkindes zu steigen, um uns dort die vielen Postkarten anzusehen. Ich war ganz fasziniert von diesen Postkarten und bemühte mich, nie aufzufallen, um sie als Belohnung möglichst oft zu sehen zu kriegen. Noch öfter schlichen wir nachts in die Küche, um Obst zu klauen. Wir bekamen nie genug Obst. Unsere Ernährung bestand größtenteils aus Brei, und es kam öfter zu Rangeleien, da die größeren Kinder uns das Essen wegnahmen. Als ich zu meinen Eltern kam, brauchte ich ein ganzes Jahr, um feste Nahrung in mir zu halten. Ich war das einfach nicht gewöhnt.

Eines Tages durfte ich nicht mit den anderen Kindern spielen, ich sollte mich mit Blobbie in einem extra Raum aufhalten. Ich bekam Besuch. Nach einiger Zeit wurde ich geholt. Ich fühlte, dass etwas Besonderes los war. Wir gingen in die Wohnung der Heimleiterin, dort saß ein Pärchen – meine zukünftigen Eltern. Ich ging schnurstracks auf sie zu und setzte mich zu meiner Mutter. Sie fragte mich, ob ich sie Anna oder Mama nennen wollte. Ich sagte gleich Mama und rührte mich nicht mehr von ihrem Schoß weg. Meinen Vater beachtete ich nicht besonders. Später gingen sie mit mir spazieren und kauften mir in einem Restaurant eine Limonade. Dort machte ich zugleich die erste Bekanntschaft in meinem Leben mit einem Hund. Ich schrie und stieg auf einem Tisch, worauf der Hund noch mehr bellte, was mich noch mehr in Schrecken versetzte; man musste mich raustragen.

Dass eine Veränderung vorging, merkte ich an meinem Geburtstag.

Da durfte ich zum ersten Mal an einem runden Tisch im Speisesaal sitzen, und es gab Kuchen und eine rote Tasche von meinen Eltern. Es war für mich ein schönes Erlebnis, und meine rote Brottasche liebte ich abgöttisch. Zum ersten Mal gehörte etwas mir ganz allein, und niemand nahm es mir weg.

Es dauerte noch anderthalb Jahre, bis mein Vater und meine zweite Mutter geheiratet hatten, damit sie mich adoptieren konnten.

Aus dem Heim zu meiner Familie

Als ich mit sechseinhalb Jahren endlich zu meinen Eltern kam, war ich sehr auf meine Mutter fixiert und weniger auf meinen Vater. Vor ihm hatte ich die meiste Zeit Angst. Wir verstanden uns gut, wenn wir rauften. Von ihm spürte ich immer, dass er mich nie so nahm, wie ich war und dauernd Leistungen verlangte, die ich nicht erfüllen konnte. Es gab Streit zwischen meinen Eltern über Erziehungsmethoden – ob afrikanisch oder europäisch. Mein Vater war sehr eifersüchtig auf mich, wenn meine Mutter sich sehr um mich kümmerte. Da ich den ganzen Tag über im Kindergarten war, widmete mir Mutter die drei Stunden bis zum Schlafengehen ausführlich. Dabei kam mein Vater öfter hereingestürzt und schrie: »Mit wem bist du verheiratet, mit mir oder mit ihr?« So war meine Mutter dauernd zwischen uns hin- und hergerissen. Trotzdem spürte ich, sie war mehr auf seiner Seite, und so hatte ich zwei gegen mich, nicht immer, aber öfter.

Als ich acht oder neun Jahre alt war, sagte mir meine Mutter, dass sie nicht meine richtige Mutter sei. Ich weiß es noch wie heute, ich saß auf der elterlichen Couch, und ich war geschockt über die Neuigkeit. Die ganze Zeit war ich der Meinung gewesen, sie wäre meine richtige Mutter. Für mich war seitdem eine Barriere zwischen uns, ein Vertrauens- bruch. Von da an fragte ich in Zeitabständen, wer meine Mutter sei, und warum sie mich abgegeben hätte. Ich hatte auch nie das Gefühl, die volle Wahrheit zu hören, sondern eher, dass es mir sehr einseitig erzählt wurde.

Mit 25 Jahren setzte ich, unterstützt von meinem Mann, alle Hebel in Bewegung, um herauszufinden, wo sie lebte. Als wir sie mit

Hilfe eines Freundes entdeckt hatten, nahm ich Kontakt zu ihr auf. Sie stammt aus einer Mittelschichtsfamilie in einer Kleinstadt, wo man bedacht ist, nicht aufzufallen. Sie konnte sich nicht gegen ihren Vater durchsetzen, der wohl ein Tyrann war und kein farbiges Kind in der Familie wollte. Zwischen meinem Vater und ihr war anscheinend auch keine feste Beziehung, da er nach meiner Geburt nach England ging, um zu studieren. Ihre Geschwister wussten nichts von meiner Exi stenz. Ihre Schwangerschaft hatte sie in Stuttgart ausgetragen, um sie so in ihrer Heimatstadt verheimlichen zu können. Ihre Familie hatte dort ein bekanntes Geschäft.

Mein erster Schultag, mit sechseinhalb Jahren:

Ich saß in meiner Schulbank, ausnahmsweise still. Ich war ansonsten kein Kind, das auch nur fünf Minuten still saß. Da kam sie, die Lehrerin, grauhaarig, mitteldick, schnurstracks auf mich zu und gab mir eine Ohrfeige. »Ich saß still«, dachte ich, »ich saß doch still«.

»Das Kind ist nicht schulreif«, hieß es.

Nach diesem ersten Misserfolg wurde ich mit acht Jahren eingeschult. Diese Einschulung klappte – nur für mich nicht. Ich tat mich schwer. Ich war eine Einzelgängerin, aber die Klasse trug auch ihren Teil dazu bei. Ich war leider die einzige Farbige in der Klasse. Die anderen nutzten das natürlich aus und hänselten mich: »Stammst du von den Affen ab?« »Bist wohl in den Kakao gefallen?« oder »Darf ich mal anfassen? Mal sehen, ob du abfärbst.« Für mich als Kind war das furchtbar, und ich schlug auch immer gleich zu. Wie hätte ich mich denn auch gegen soviel Doofheit wehren sollen? Eines Tages passierte etwas Furchtbares, ich wurde auf dem Schulhof von Zwillingsbrüdern nur wegen meiner Hautfarbe zusammengeschlagen. Die Lehrer sahen zu, schritten aber nicht ein. Ich musste ins Krankenhaus und am Kopf genäht werden. Meine Meinung von Lehrern war endgültig auf dem Nullpunkt angelangt.

Mit diesen Problemen wurde es zum Glück besser, als wir von unserer Arbeitergegend Neukölln nach Friedenau umzogen. Die Hautfarbe rückte in den Hintergrund, und ich fand auch Anschluss in einer Klasse.

Mit acht Jahren löste ich mich innerlich von meinen Eltern, da ich mich mit ihnen nicht mehr wohlfühlte. Mit 10 oder 11 fing ich an, tagelang auf Trebe zu gehen. Zuerst einfach in den Wald Hütten bauen und davon träumen, ein Indianer zu sein. Später wollte ich nach Amerika und Brasilien, da dort viele farbige Menschen aller Hautschattierungen leben. Auf die naheliegende Idee, nach Äthiopien zu gehen, kam ich nicht, da ich in dieser Zeit meinen Vater strikt ablehnte.

Wenn es bloß nicht so kalt wäre heute nacht. Ich bin ja schon ganz klamm vor Kälte. Auf den nächsten Güterzug, der vorbeikommt, auf den springe ich ganz bestimmt auf. Ich werde mir 'ne Zigarette anstecken, nur nicht so tief einziehen, sonst wird einem schlecht. Komisch, man fühlt sich viel gemütlicher mit einer Zigarette, und wenn das rot Glühende ab und zu in der Dunkelheit aufleuchtet. Wie lange sitze ich denn schon hier? Bestimmt schon fast zwei Stunden. Ich sollte mich vielleicht bewegen, meine Beine sind ja schon Eisklumpen. Nein, lieber doch nicht, hier können Bahnwärter sein, die ihre Runde machen. Entdeckt werden möchte ich nicht, wo ich doch alles so gut vorbereitet habe. Wegen 'ner Sechs wegzulaufen, ist ja irgendwie idiotisch. Ich kann aber dieses Gemeckere meiner Eltern nicht ab. Kind, aus dir wird ja nichts, wenn du nicht gut in der Schule bist. Hast du Hausaufgaben zu machen? Als ob ich jeden Tag, wenn sie von der Arbeit kommen, fragen würde: Hat dich der Chef befördert?
Jetzt werden sie wohl mitgekriegt haben, dass ich auf Trebe bin, um 12 Uhr nachts. Ich kann mir richtig vorstellen, wie sie vor dem Telefon stehen und gar nicht kapieren, warum es nicht funktioniert. So schnell schnallen sie das nicht. Ich bin ja nicht doof, es war eine gute Idee, das Kabel in der Telefonbuchse durchzuschneiden und den Deckel wieder säuberlich aufzuschrauben. Na, die werden gucken, und sie müssen in die Telefonzelle, um Bullen und Freunde anzurufen, um zu sehen, wo ich bin. Geschieht ihnen recht. Dauert aber lange, bis der nächste Zug kommt, hätte es vielleicht lieber aufs nächste Jahr in den

Sommer verlegen sollen. Wenn es bloß nicht so kalt wäre. Es hilft auch nicht viel, die Hände aneinander zu reiben, die schmerzen dann nur vor Kälte. Sollte noch mal meine Ausrüstung durchsehen. 500 Mark bis nach Brasilien, das muss reichen. Mit viel Essen ist da nichts. Eine Decke, ein Fahrtenmesser, die Taschenlampe und mein kleines Notizbuch. Gut, dass ich das nicht zu Hause gelassen habe, die sollen nicht wissen, was ich so aufgeschrieben habe über sie. Jetzt sitze ich hier im Gebüsch neben den Gleisen, es kommt mir alles so beschissen vor. Vor zwei Jahren war ich auch mit einem Rucksack unterwegs, als Junge verkleidet wie jetzt. Als Junge soll es einfacher sein, denen geschieht nichts, das liest man auch in Abenteuerbüchem. Als ob Mädchen nicht auch genug Sorgen hätten und auf Trebe gingen. Junge müsste man sein. Laß es bloß nicht hochkommen, denk nicht dran, was vor zwei Jahren passiert ist! Gott, habe ich eine Angst ausgestanden … Dass man seine Gedanken nicht abschalten kann, die gehen einfach durch den Kopf.
Ich weiß noch genau, wie ich losgegangen bin, mit dickem Anorak, wollener Mütze und Rucksack. Mit einem Beil drin, um besser Holz hacken zu können für die Hütte im Wald. Es war schon Nacht, ich ging den erleuchteten Ku'damm entlang und blieb vor dem Buchladen stehen, wo Kinderbücher auslagen. Ich bemerkte einen Mann so im mittleren Alter an einem Auto stehen, er schaute dauernd zu mir her. Ich tat so, als sähe ich ihn nicht, hatte ja eine gute Position, ich konnte ihn durchs Schaufenster beobachten. Irgendetwas war, ich blieb so lange stehen, warum bloß. Und dann sagte ich mir, du musst gehen, es ist nicht gut, der starrt dauernd auf dich. Geh doch, Mensch, geh doch weg. Und dann ging ich, und plötz lieh stand er neben mir und quatschte mich an. Ich blieb stehen. Ich hätte ja weglaufen können, aber nein, ich blieb stehen. »Was machst du denn so spät auf der Straße?« – »Ich war bei der Oma und gehe nach Hause.« – »Wenn du willst, bringe ich dich nach Hause.« Ich schwieg. Mein Herz klopfte. Ich konnte gar nicht klar denken, nur eins war in meinem Kopf, du bist doch wie ein

Junge, du siehst aus wie ein Junge. Jungen passiert nichts, das weisst du doch, Jungen passiert nichts. Ich stieg in sein Auto ein. Was war es denn für eine Marke? Weiß ich nicht mehr. Wäre ich wirklich ein Junge, hätte ich mir die Automarken gemerkt, die merken sich ja immer die Automarken. Wir fuhren los, erst den Ku'damm entlang. »Wohin?« fragte er mich. »Funkturm«, sagte ich, »Ich muss zum Funkturm«, darauf bedacht, jungenhaft zu wirken. »Tolles Auto, wirklich, erste Klasse, hat ja 'ne Menge PS drauf.« »Ja, ja«, sagte er, »gutes Auto.« Und dann blieb mir die Sprache weg, als ich seine Frage hörte: »Bist du ein Junge oder ein Mädchen?« Wie aus einer Pistole geschossen: »Junge, na klar. Man ist doch Junge, Mann«, und verlegte meine Stimme etwas tiefer. Dann wurde es still. Ich starrte angestrengt nach vorne. Schau nicht zu ihm hin, offensichtlich hat er es mir abgenommen, dass ich ein Junge bin. Ich vergewisserte mich mit meinen Beinen, dass mein Rucksack noch da war. Meine Hand war am Türgriff – wenn wir am Funkturm sind, steig ich schnell aus. Wie erstarrt saß ich neben ihm, und die Angst wuchs und wuchs in mir, schnürte mir die Kehle zu. »Ist es noch weit?« fragte ich. »Ne,« sagte er, »noch die Straße lang, dann rechts.« Ich fing an zu schwitzen. Klaren Kopf behalten, wenn irgendetwas ist, spring raus. Wie komme ich bloß hier raus, bin ich ein Arsch, dass ich eingestiegen bin. Ich will hier raus, und zwar heil. Endlich sah ich den Funkturm. Eine Erleichterung kam auf, aber nein, er fuhr weiter. Ich voll Schreck: »Dort ist doch der Funkturm, dort muss ich hin!« Er hörte nicht auf mich und fuhr einfach weiter. In mir drehte sich alles, was mach' ich bloß, nie wieder lauf ich weg, alles will ich durchstehen, zu Hause, Schularbeiten, Nachhilfeunterricht, alles. Nur raus will ich, nur raus. Plötzlich fühlte ich seine Hand auf meinen Beinen. »Du bist wirklich ein Junge?« Ich sagte nichts, da mir die Sprache abhanden gekommen war. Vor Schreck und Angst saß ich wie ein Brett. Alle Körperteile waren angespannt, und ich registrierte, dass draußen keine Häuser mehr waren, nur Straße und Wald. Ich drückte mich an die Wagentür, um seinen Händen auszuweichen. Sie kamen

trotzdem an mich ran, sie wanderten nach oben, und dann fühlte er meine kleinen Brüste. Jetzt kam es mir wie ein Blitz durch den Kopf, jetzt weiß er, dass ich kein Junge bin. Er lachte: »Wohl auf Trebe, eh, Kleine?« Und dann hielt er plötzlich mitten im Wald. Alles ist aus, er bringt dich um, macht was Böses mit dir. Er kam näher, seine Hände auf mich, mein Herz raste wie wahnsinnig. Und dann, als ob eine andere Person in mir wäre, mit ganz normalem Ton, ganz ruhig, »Warte, ich muss pullem.« Ich öffnete die Tür, schmiss mich auf den Boden und kullerte einen Abhang hinunter. Unter einem Gebüsch lag ich und hörte angestrengt, ob er mir nachkam. Ich konnte die Geräusche nicht mehr unterscheiden. »Er kommt«, dachte ich mir, »er kommt mir nach, still, da war doch ein Geräusch.« Ich schnellte hoch wie ein Blitz und raste auf einen Schilfweg zu, lief und lief, immer das Gefühl, er liefe hinter mir her. Vollmond, registrierte ich beim Rennen, Scheiße, vielleicht sieht er mich. Die Lungen stachen furchtbar, die Angst trieb mich weiter, renne, renne. Mein Rucksack fiel mir ein, mein Rucksack ist noch im Auto. Im Kopf ging ich die Utensilien durch, die ich drin hatte. Nichts, was mich identifizieren könnte. Immer wieder blieb ich stehen, kauerte mich ins Schilf, um zu hören, ob ich verfolgt wurde. Angst hatte ich, furchtbare Angst. Ich konnte die Geräusche nicht identifizieren und rannte zur Sicherheit wieder los. Als der Morgen aufkam, beruhigte ich mich langsam. Ich wusste nicht, wo ich war. Es gefiel mir hier am Wasser mit dem hohen Schilf.
Jetzt bin ich hier und bin wieder auf Trebe.
Tief durchatmen, Mädchen, wird ja langsam langweilig, auf den Zug zu warten. Werde erstmal 'ne Zigarette rauchen und mit der Taschenlampe meine Notizen lesen. Wenn das die Alten lesen, komme ich in die Nervenheilanstalt. Vielleicht sollte ich das Notizbuch wegwerfen, am besten verbrennen. Nein, ich behalte es und knalle es ihnen auf den Tisch, wenn ich groß bin. Und stark. Auf nach Brasilien, dort werde ich fleißig arbeiten, bis ich genug Geld habe für Monaco, wo ich mich zum Jungen umoperieren lassen kann. Dann bin ich wirklich stark. Hab' ich erst kürzlich

in der Zeitung gelesen. Monaco, so ein kleiner Staat im Süden von Frankreich, da gehen Männer hin, um sich als Frauen umoperieren zu lassen. Freiwillig Frau zu werden, die haben ja den Arsch offen, sollen sie doch froh sein, Männer zu sein. Jungs haben doch viel mehr Freiheiten. Hab' mich genau informiert. Die schneiden bei denen alles ab und drehen es rein, sehen dann wirklich aus wie Frauen. Ist schon toll, mich kann man dort auch umwandeln, auch wenn meine Mutter sagt, bei Frauen geht es nicht. Ich weiß, dass es geht, ich bete doch nicht umsonst jeden Abend dafür. Ich glaube, ich höre einen Zug. Ja, da kommt er, fährt auch nicht so schnell. Den nächsten Waggon nehme ich, gut den nächsten. Ich glaube, der wird schneller, ich muss springen, sonst ist alles aus. Wieder nicht, der fährt so schnell, ich habe Angst. Scheiße. Hamburg ist hin, Brasilien ist auch hin. Herbst ist sowieso keine gute Jahreszeit zum Auswandem. Nächstes Jahr ganz bestimmt, im Sommer, da klaue ich Geld für die Fahrkarte nach Hamburg. Ich werde die Nacht hier verbringen, roll' mich einfach in die Decke und schlafe unterm Gebüsch. Morgen gehe ich zu P. Da bleibe ich eine Weile und gehe dann nach Hause. Muß ja leider. Beim dritten Versuch wird es klappen, nach Brasilien zu kommen – oder Amerika, denke ich beim Einschlafen und träume, wie ich mich im Urwald von Liane zu Liane schwinge. Vielleicht gehe ich auch nach Amerika und mache eine Revolution.

Junge oder Mädchen?

Mein größter Traum war damals, nach Monaco zu gehen und mich zum Jungen umoperieren zu lassen. Der Wert des Mannes wurde mir von meinem Vater dauernd vorgehalten, so fühlte ich mich nur als Junge vollkommen. Es wirkte sich so weit aus, dass ich nur Selbstvertrauen hatte, wenn ich Hosen trug. Falls ich gezwungenermaßen einen Rock tragen musste, steckte ich beim Weggehen in letzter Minute eine Hose in meine Schultasche, um im nächsten Hauseingang die Kleidung zu wechseln. Wegen meiner schlechten Schulleistungen spitzte sich die familiäre Lage zu. Sobald ich die Ansprüche meines Vaters befriedigte, hieß es gleich, ich sei ein richtiger Äthiopier, seine Tochter, sein Fleisch und Blut. In solchen Momenten war ich glücklich, vom Vater als Äthiopier anerkannt zu werden und wusste gleichzeitig, dass ich es nie erreichen würde, weil ich seine Muttersprache nicht beherrschte. Wie habe ich mich selbst dafür gehaßt, Mulatte zu sein, ein Ausländer für den eigenen Vater und ein Ausländer für seine deutsche Umgebung. Wegen der Hautfarbe, sonst unterschied man sich ja nicht.

Ab der Mittelschule traf ich außerhalb meines Elternhauses mit Farbigen zusammen, mit Mulatten wie ich. Das einzige, was uns verband, war unsere Hautfarbe, wir sprachen aber nie besonders darüber oder über unsere Schwierigkeiten. Es wurde nur abgecheckt – Vater Afrikaner oder Afro-Amerikaner? Die meisten kannten ihren Vater nicht. Wenn ich mit Afrikanern zusammen war, litt ich ab und zu darunter, Mulattin zu sein, hatte das Gefühl, zwischen zwei Stühlen zu sitzen. Ich konnte nie zu der einen und nie zu der anderen Seite gehören. Als was sollte ich mich fühlen, von keinem wurdest du für voll genommen? So wie die Deutschen einen bedauern, farbig zu sein, habe ich dies auch von Afrikanern erfahren. Das war ein noch größerer Schock für mich. Eine Zeitlang habe ich Mischehen gehaßt, da wir, die Kinder, unser ganzes Leben lang immer zwischen zwei Stühlen leben müssen. Jetzt bekenne ich mich zum Deutschsein, da ja die Kultur zählt, in der man aufgewachsen ist, und du weisst zwar vom anderen Teil, hast das Land besucht, kennst die Geschichte, das Essen, aber nicht mehr.

Vater
Ich bin nicht dein Spiegelbild
ich sitze zwischen zwei Stühlen
du bist nicht der Schrecken
nicht das Unbekannte
für dich bin ich ein

verwilderter Garten
du schaust ins Dunkle
suchst dein Spiegelbild
ich bin nicht dein Halt
will es nicht sein
ein Riss ist mein Gesicht
ein Spalt
ich sehe, bin noch eins
was bist du?
dein Gesicht ist zerkratzt
zersplittert
halt dich selbst

wie ein Baum neige ich
mich links, neige mich rechts
bleib stehen, biege mich
um nicht zu zerbrechen

was willst du spielen
in den dunklen Nächten
du bist umschlungen
von deinen düsteren Gedanken
an deinem Arsch wächst
der Teufelsschwanz
wie eine Schlange
kriechst du zu mir
willst schauen in deinen Spiegel
Splitter fallen dir entgegen
ich bin dahinter
dein Fleisch und Blut

Mein Vater erzählte mir viele Geschichten von zu Hause über Schlachten, Könige und die große Familie. Mein Vater hatte Probleme mit seiner Hautfarbe und fand sich in der deutschen Kultur nicht zurecht.

Das hatte ich auszubaden. Immer wieder musste ich mir anhören, dass ich bessere Schulleistungen bringen müsste als die Deutschen, da sie uns nur dadurch anerkennen würden. Für mich war das eine große Belastung, das kreiste in meinem Hinterkopf und lastete schwer auf mir.

Wie gesagt, lernte ich von meinem Vater, dass ein Junge mehr wert sei als ein Mädchen. Er behandelte mich auch größtenteils wie einen Jungen. Ich wurde wie ein Junge, um ihm zu gefallen. Bis das nicht mehr ging, als ich in die Pubertät kam. Meine Identität als Farbige zu finden, war dagegen nicht so schwer. Durch meinen Vater kam ich immer wieder mit Äthiopiern in Kontakt. Zudem arbeitete meine Mutter damals in einem französischen Institut, das Seminare für französische Afrikaner abhielt. Nach der Schule ging ich fast jeden Tag zu ihr und lernte so viele Afrikaner kennen. Ich wusste bald, wo die Länder lagen, und auch ihre Kultur wurde mir vertrauter.

Mein Vater und ich sind sehr verschieden. Mit der Zeit regte ich mich nicht mehr auf, wenn ich wegen meiner Hautfarbe angemacht wurde. Doofheit stinkt, sage ich immer. Auch in der Schule hatte ich später keine Probleme mehr. Dafür kamen andere, als ich zum Beispiel einen farbigen Freund hatte und wir zusammen auf Wohnungssuche gingen: auf einmal waren die Wohnungen schon weg, »Ausländer nehmen wir nicht«, hieß es, und unser »Wir sind doch Deutsche,« stieß auf taube Ohren. Wenn ich beim Schwarzfahren erwischt wurde, bekam ich rassistische Sprüche zu hören, obwohl sie meinen deutschen Pass in den Händen hielten. Ja, und dann das übliche »Woher«, Antwort »Berlin«, das Gegenüber starrt, man merkt, wie seine Gehirnzellen arbeiten, »Ja, woher denn?« Heute beantworte ich solche Fragen nicht mehr. Ich bin deutsch und auch nicht. Ich habe mich damit abgefunden. Ich hasse die Deutschen nicht. Für mich war es durch die Kindheit schwer, aber auch durch die Umstände und meinen Vater, der sich immer noch aufregt und auf die Deutschen schimpft und ihnen alle Schuld zuschiebt. Auf Idioten trifft man überall, deswegen sollte man nicht gleich denken, es läge an der Hautfarbe.

Äthiopien

Mit 17 Jahren fuhr ich mit meinem Vater nach Äthiopien. Es war toll, dass ich überhaupt nicht auffiel, ich sah aus wie alle anderen. Ich lernte seine Familie kennen und fuhr mit ihnen über das Land. Ich wurde angenommen und herumgezeigt.

Sechs Wochen war ich in Äthiopien und verfluchte öfter, dass ich mitgefahren war. Wir lebten bei einem Onkel meines Vaters, dem jüngsten Bruder seiner Mutter. Dieser war Richter unter Haile Selassie gewesen und hatte sich nach dem marxistischen Putsch geweigert, weiter in seinem Amt zu arbeiten. Nicht dumm, wie er war, verlegte er sich aufs Kühezüchten. Die Milch verkaufte er zweimal am Tag an seine Umgebung. Ich fühlte mich während des Äthiopienaufenthaltes die ganze Zeit nicht wohl. Ich wurde dauernd von meinem Vater gemaßregelt, weil ich mich nicht richtig benehmen würde. Wie auch, es kotzte mich an, die Leute ständig mit Küssen zu begrüßen und zweimal am Tag Verwandte und Bekannte zu besuchen, bei denen man richtig gemästet wurde. Mit der Zeit freundete ich mich mit den Dienern und Dienerinnen an, die unter schlimmsten Bedingungen hinterm Haus lebten. Gemessen an äthiopischen Verhältnissen aber wieder gut. Zwei Jungs und zwei Mädchen, das jüngste war 10 Jahre alt und musste 10 Stunden arbeiten. Sie wurden auch ab und zu von meiner Tante mit Schlägen gezüchtigt. Für mich war es unbegreiflich, Menschen in kalten, feuchten und kleinen Zimmern leben zu lassen, während man selbst einen Bungalow besaß und Geld. Wie ich herausfand, wurde das Mädchen von ihren Eltern als Dienerin verliehen, und das war dort gang und gäbe. Die Eltern waren nicht in der Lage, ihre Kinder zu ernähren. Auf das Wohl der Jungen wurde sehr geachtet, sie sollten in die Schule gehen und eine Ausbildung erhalten. Bei Mädchen war das Gegenteil der Fall.

Obwohl unsere Familie christlich ist, aßen Männer und Frauen getrennt, abgesehen von mir. Als Gast aus Deutschland durfte ich bei den Männern sitzen. Wir fuhren mit meinem Onkel in Äthiopien herum, denn einer meiner Onkel war Bankdirektor, und so bekam ich das Vergnügen, in den Provinzen Banken zu eröffnen..Das Land gefiel mir, von dem, was ich sah, nur mit den Verwandten und Bekannten hatte ich meine Schwierigkeiten. Ich sah so aus wie sie, dachte aber anders und sprach nicht ihre Sprache. Immer die gleiche vorwurfsvolle Frage; Scham und Schuldbewusstsein kamen bei mir auf, dass ich ihre Sprache nicht sprach, obwohl ich nichts dafür konnte. Ich habe mich ja nicht gemacht. Tebebe, meine Cousine, war schon über 20 Jahre alt und erzählte mir, sie möchte nie heiraten, da sie dann unfrei wäre. Das verstand ich vollkommen, ich habe ja gesehen, wie selbstverständlich Männer ihre Frauen betrogen. Da hilft auch der Kommunismus nicht – Frauen gehören an den Herd und zu den Kindern. Befreiung vom Elternhaus gewährleisten Heirat oder möglichst weit weg von Clan und Dogmen ins Ausland zu gehen. Im Nachhinein war ich froh, nicht in diesem konservativen, beengten System großgeworden zu sein.

New York

Jetzt lebe ich schon seit einem Jahr in New York, mein Mann hat dort ein Stipendium als Künstler erhalten. Der Traum, ins Ausland zu gehen, den ich seit meiner Kindheit hegte, hat sich erfüllt. Ich interessierte mich schon immer für schwarze Geschichte in Amerika und neigte dazu, was schwarz ist, zu idealisieren. Ich war fest davon überzeugt, Schwarze würden mir nie etwas antun und ich könnte z.B. in Harlem ein- und ausgehen. Doch ich kam davon ab, alles, was schwarz ist, auf den Sockel zu heben oder alles zu entschuldigen oder mich auch einzuschmeicheln. Ich will nicht nur die Hautfarbe sehen, sondern was einen Menschen ausmacht.

In New York wurde mir klar, dass meine Hautfarbe mich nicht vor allem schützt. Ich kann mich in Harlem nicht ganz frei bewegen, auch nicht in Süd-Bronx, da die Menschen riechen, dass ich da nicht herkomme. New York, das ist ein Schmelztiegel aller Nationen der Welt. Dieser Schmelztiegel und die Ungezwungenheit der Amerikaner gegenüber Neuem faszinieren mich. Das Gefühl, eine Fremde zu sein, verliert sich dort sehr schnell. Das Angestarre, die blöden Fragen »woher, wohin?«, fallen weg. Es ist lebensvoller, optimistischer als Deutschland, für's erste ein Land für mich.

Das alte Europa trifft sich woanders – in New York. Ich habe dort Menschen kennengelernt, die mich so selbstverständlich, so voller Interesse angenommen haben, wie ich es noch nie in Deutschland erlebt habe. In New York erst setze ich mich eingehend oder bewusster mit der deutschen Kultur auseinander durch meine Begegnungen mit jüdischen und deutschen nichtjüdischen Emigranten. Ich lese die deutschen Klassiker und gehe den noch nicht gelösten Fragen des Dritten Reichs nach. Erst durch einen längeren Auslandsaufenthalt wird mir vieles über die Kultur, in der ich aufgewachsen bin, klar.

New York
Du bist mein Tag, du bist meine Nacht
in Dir gehe ich spazieren mein Babylon
ist der Tod vorne, ist der Tod hinten
so werde ich lachen
meine Apokalypse
mein brennendes Schwarzes
kein Schrecken, keine Angst
und wenn einer fragt
so werde ich lachen
in Dir gehe ich spazieren mein Babylon
sollen sie die Köpfe schütteln
an Christo glaubt auch erst einer
wenn er Mozarts Requiem hört
ich brauche mein schwarzes Loch
mein brennendes Babylon
hoch sollen die Schluchten sein
noch schwärzer die Nächte
dazwischen die Menschen
das Messer an der Kehle
ist der Tod vorne, ist der Tod hinten
so werde ich lachen
jetzt weiß ich, dass ich lebe.

Angelika Eisenbrandt (33 J.)

Auf einmal wusste ich, was ich wollte

Meine Familie lebt in E., einer Kleinstadt bei Kassel. Dort bin ich zusammen mit meiner Schwester und meinem Bruder bei meinen Großeltern aufgewachsen. Der Vater von meinem Bruder und mir war ein amerikanischer Soldat, den wir nicht kennen. Meine Schwester hat einen weißen Vater. Wir sind alle drei unehelich. Mein Bruder hatte es am leichtesten, weil er die meiste Unterstützung bekam. Ich hatte am meisten damit zu kämpfen, was die Erwachsenen so gesagt haben. Bei einer meiner Freundinnen hieß es z.B. immer: »Angelika, du musst jetzt gehen, weil wir Besuch bekommen.«

Dass mein Bruder und ich anders aussahen, ist aber erst so ab der Schulzeit aufgefallen. Wenn wir mit anderen Kindern in unserem großen Garten spielten oder im Haus, fiel es nicht auf. Wenn Besuch kam, wurden wir rausgeputzt und die Haare zurechtgemacht. Wir sollten immer hübsch und niedlich aussehen.

Manchmal hat mein Bruder meine Schwester niedergemacht. Er sagte, sie sei anders als wir und wir wären zu zweit. Ich habe das nicht verstanden und habe geheult. Später habe ich immer mehr gespürt, dass ich anders aussehe, und meine Oma hat mir auch immer nur bestimmte Sachen angezogen. Ich trug nur helle Farben, weiß und gelb. »Rot«, sagte sie, »kannst du nicht tragen. Das passt nicht zu deiner Hautfarbe«. Gesagt habe ich nichts dagegen. Ich habe mich nur geärgert. Einmal hatte ich eine rotkarierte Hose. Die fand ich ganz toll und fand auch, dass sie mir steht. Meine Oma hat sie mir weggenommen.

Angelika Eisenbrandt mit Mutter

Meine Mutter hat sich in all das nicht eingemischt. Die war total fertig, wenn sie den ganzen Tag gearbeitet hatte. Ab morgens um vier putzte sie in einer Bäckerei, um sieben kam sie nach Hause, und ab acht arbeitete sie in einem Fotolabor.

Komisch, nachher, als ich selbständig war und während meiner Ehe habe ich mir nur rote Sachen gekauft. Ich habe da gar nicht weiter drüber nachgedacht. Die Farbe gefällt mir bis heute unheimlich gut.

Ich habe nie verstanden, dass meine Oma sagte, mein Bruder und ich dürften nicht geimpft werden. Sie sagte, wir hätten anderes Blut und es könnte gefährlich für uns werden. Nur meine Schwester wurde geimpft. Später wurde mein Bruder für eine Schiffsfahrt geimpft, und nichts ist passiert. Ich war völlig erstaunt darüber.

Ich glaube, unsere Oma liebte uns, hatte aber einfach Schwierigkeiten mit unserem Anderssein. Sie hatte immer Angst, dass die Leute über uns reden. Aber als meine Tochter S. geboren wurde, war sie richtig enttäuscht und sagte: »Die ist ja gar nicht dunkel«. Bei Kleinkindern konnte sie die Hautfarbe scheinbar akzeptieren, und mit dem Älterwerden war es ihr dann nicht mehr ganz geheuer.

In der Schulzeit bin ich nie mit anderen weggegangen, in Discos oder ähnliches. Ich hätte das schon gedurft, aber mir fehlte das Selbstvertrauen, alleine wegzugehen. Und meine Freundinnen waren nicht so toll. Meine Schwester hat mich manchmal mitgenommen, und bei ihr fand ich das ganz normal, dass sie rausging und zurechtkam. Am besten hat mir gefallen, wenn mich mein Bruder mitnahm. Den habe ich damals sehr angehimmelt. Ich fand ihn irre toll, weil er schon so viel machte und so einen großen Bekanntenkreis hatte. Ich fand ihn nur innerhalb der Familie ätzend. Er wurde von allen bewundert und verwöhnt. Das Ungerechte war: wenn er etwas anderes essen wollte, als gekocht wurde, dann bekam er es, aber wir nicht.

Meine Mutter war Fotolaborantin, und das wollte ich auch werden. Sie hat es in die Hand genommen und mir eine Lehrstelle außerhalb von E. besorgt. Nach vier Wochen hatte ich aber schon Heimweh. Ich kündigte und war dann arbeitslos. Als ich dann eine neue Stelle suchte, erst allein und dann mit meiner Mutter, war es total schlimm. Immer wieder sagten sie mir, die Stelle sei schon besetzt oder sie hätten es sich anders überlegt. Ich hatte das Gefühl, wegen meiner Hautfarbe nicht angenommen zu werden. Als Fotolaborantin habe ich mich dann gar nicht mehr beworben, weil es in E. keine Stelle dafür gab. Später habe ich dann eine Stelle als Verkäuferin gefunden. Allerdings erst, nachdem die Frau vom Arbeitsamt dorthin gegangen war. Alleine hätte ich die Stelle nicht gekriegt. Nachher habe ich gedacht: »Die mussten sich erst darauf vorbereiten, was da für eine kommt«. Das war schlimm für mich. Ich habe dort zwei Jahre gearbeitet. Eigentlich wollte ich drei Jahre bleiben, aber als ich meinen Mann kennenlernte, hörte ich auf. Das war auch eine schwere Zeit, weil ich mich nicht mit der Chefin verstanden habe.

Meinen Mann habe ich über meine Schwester kennengelernt. Er war ein Freund ihres Freundes. Als ich mich zum ersten Mal mit ihm unterhalten habe, hat er mir gleich gut gefallen. Vermutlich, weil er sechs Jahre älter war und erfahrener.

Viele haben ihm gesagt, dass er mich nicht heiraten kann, weil es überall Schwierigkeiten gibt, z.B. bei der Wohnungssuche. Da hat er gesagt: »Das stimmt doch gar nicht.« Das hat mir sehr imponiert.

Mit der Zeit dachte ich, dass mein Mann mich geheiratet hat, weil er etwas Besonderes sein wollte. Er wollte eine, die er vorzeigen konnte. So habe ich es mit der Zeit empfunden, vor allem, wenn er Sachen sagte wie: »Mach doch mal deine Haare anders. So, wie bei den Schwarzen, die so richtig Wolle haben.« Dabei fand ich kurze, glatte Haare toll. Er wollte, dass ich afrikanisch aussah, damit man sehen konnte, dass ich außergewöhnlich bin.

Ich hatte geheiratet, um von meiner Mutter wegzukommen. Seit sie und ich zusammengewohnt hatten, hatten wir starke Konflikte. Dabei hatte ich mich auf das Zusammenwohnen gefreut, weil ich ja vorher fast nur mit meiner Oma zusammen war. Ich dachte: »Nun bekomme ich endlich eine Beziehung zu meiner Mutter.« Am Anfang, als ich noch zur Schule ging, war es auch ganz gut. Da redeten wir viel miteinander und waren sehr vertraut. Aber als ich später von meinen Problemen mit der Arbeit sprechen wollte und mehr Forderungen an sie stellte, fing es an, schwierig zu werden. Obwohl ich arbeitete, musste ich ihr das Geld abgeben, und immer, wenn ich mir etwas kaufen wollte, musste ich sie erst fragen. Wir wohnten sechs Jahre zusammen. Am Anfang und später wieder hat auch meine Schwester bei uns gewohnt. Sie hatte kein so gutes Verhältnis zu unserer Mutter, aber sie durfte mehr als ich. Sie forderte einfach viel stärker und setzte durch, was sie wollte, während ich erst tausendmal nachfragte. Heute hat sie ein besseres Verhältnis zu meiner Mutter als ich.

Meine Mutter ist eine Frau, die ihre Gefühle nicht so zeigen kann. Als ich noch bei meiner Oma lebte, da wusste ich, dass ich geliebt werde, denn meine Oma und auch mein Opa waren lieb und zärtlich. Als ich mich dann direkt mit meiner Mutter auseinandersetzen musste, da dachte ich, sie liebt mich nicht. Ich habe meine Mutter trotz allem unheimlich gern und liebe sie.

Durch meine Tochter S. habe ich Kontakt zu anderen Frauen bekommen und gemerkt, dass ich so vieles noch nicht gemacht habe oder nicht verstehe.

Bei den Elternabenden im Kindergarten sind so viele Fremdwörter gefallen. Ich saß da und dachte immer: »Was habt ihr jetzt gesagt?« Wenn ich etwas einbringen wollte, dann konnte ich es nicht. Ich bin öfter allein in den Kindergarten gegangen, um mit der Kindergärtnerin zu reden. Die hat mich bestärkt und mir gezeigt, dass ich doch ganz schön was kann.

Als ich mich dann mit Anwohnern für die Verschönerung unserer Umgebung einsetzte, hatte ich ein großes Erfolgserlebnis: Ich musste beim Unterschriftensammeln zu einem Parteitypen, der sehr gut reden konnte. Ich dachte, der unterschreibt nie, aber ich habe mich nicht einschüchtern lassen und geredet. Auf einmal wusste ich, was ich wollte. Das war ein toller Erfolg! Später haben wir in unserer Gruppe gemeinsam eine Broschüre gemacht, und es ging sehr gut, obwohl ich immer Schwierigkeiten habe, mich schriftlich auszudrücken.

Auf dem zweiten Bildungsweg habe ich die Mittlere Reife gemacht. Das war schwer, weil sie dort alle sagten, dass berufstätige Frauen mit Kindern es nie schaffen. Aber ich habe es als Anreiz genommen, es doch zu schaffen.

Ich habe während der Schulzeit immer arbeiten müssen und wieder, seit S. in den Kindergarten ging. Mit meinem Mann habe ich mich oft gestritten, was wir neu anschaffen, aber da meine Kraft nicht reichte, hat er sich meistens durchgesetzt. Jetzt wohne ich mit meiner Tochter allein und fühle mich sehr gut dabei.

Die Schwierigkeiten mit meiner Hautfarbe habe ich noch nicht ganz abgelegt. Mir ist aufgefallen, dass es für manche immer halb spaßig ist, wenn ich etwas sage. Sie lachen, auch wenn es ernst gemeint ist.

Und in der Schule meiner Tochter bekomme ich immer wieder mit, dass es außergewöhnlich ist, wie ich aussehe. Die fragen dann S. ganz erstaunt: »Was, das ist deine Mutter? Die sieht aber ganz anders aus.« Mir fällt es ganz schön schwer, zu S. in die Schule zu gehen und über den Schulhof, wenn gerade Pause ist. S. hat nicht so viele Schwierigkeiten.

Julia Berger (17 J.)

Ich mache dieselben Sachen wie die anderen

Mein Vater ist Italiener, meine Mutter Afro-Deutsche. Ich habe, als meine Mutter ihre Ausbildung gemacht hat, drei oder vier Jahre bei meinen Großeltern in Italien gelebt. Na ja, ich bin immer sehr verwöhnt worden und habe alles gekriegt, was ich wollte.

Es ist zwar aufgefallen, dass ich anders aussehe, aber alle haben immer nur gesagt: »Ach, ist die süß!« Eines Tages hat mich meine Mutter einfach nach Berlin geholt. Mit fünf Jahren wurde ich eingeschult und hatte damals schon ein Schuljahr in Italien hinter mir. Erst habe ich noch Italienisch und Deutsch gesprochen, inzwischen kann ich das nicht mehr so gut. Wenn mir meine Mutter früher erzählt hat, dass ich einen afrikanischen Großvater habe, habe ich immer gesagt: »Ach, das stimmt doch gar nicht. Ich komme aus Italien.« Mittlerweile habe ich es begriffen, aber ich kannte eben nur meine Großeltern väterlicherseits.

Zu meinem Vater hatte ich wenig Kontakt, obwohl er hier in Berlin gelebt hat. Er hatte hier Restaurants. Früher habe ich mir immer gewünscht, dass meine Eltern sich toll verstehen und wir alle zusammenwohnen. Wir haben nie zusammengelebt, aber ich kann jetzt verstehen, warum sich meine Mutter von meinem Vater getrennt hat. Er hatte auch eine neue Freundin und mit ihr ein Kind. In Italien wollten sie mir immer verheimlichen, dass ich eine Halbschwester habe. Sie muss jetzt zehn Jahre alt sein. Ich würde sie schon gerne mal sehen, aber ich glaube, sie weiß gar nicht, dass es mich gibt. Meinen Vater sehe ich zur Zeit wieder öfter.

Inzwischen fühle ich mich nicht mehr so als Italienerin, sondern mehr als Deutsche. Ich mache dieselben Sachen wie die anderen und

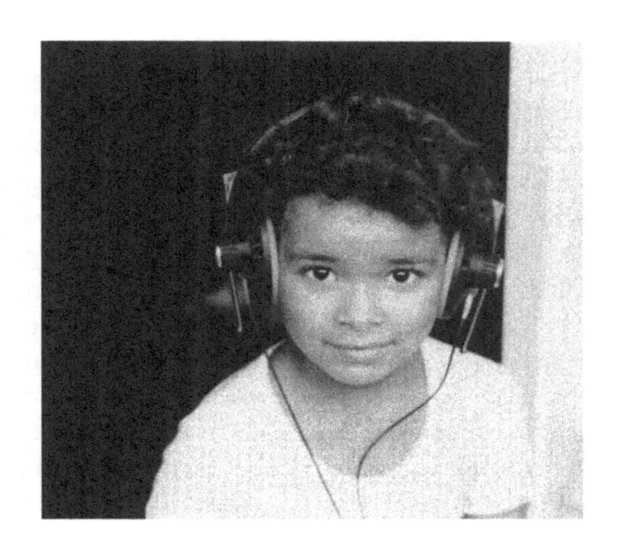

habe viele Freunde. Zu mir sagt ja auch niemand: »Mit dir wollen wir nichts zu tun haben, weil du braun bist.« In der Schule hatte ich auch nie Schwierigkeiten, bis auf einmal. Da hat ein Junge gesagt: »Was willst du eigentlich? Geh doch zurück, wo du herkommst.« Ein anderes Mal sagte ein Mädchen zu mir, das war noch in der Grundschule: »Mit dir spiele ich nicht. Du bist ja Mulattin.« Da habe ich zu ihr gesagt: »Na und? Und dein Vater ist Alkoholiker.« Ich weiß nicht, warum sie das zu mir gesagt hat. Vielleicht war sie so unglücklich und wollte jemanden treffen. Bei mir war sie aber an der falschen Stelle.

Die Lehrer und Lehrerinnen behandeln mich wie die anderen auch. Nachdem ich eine Reise nach Afrika gemacht hatte, sollte ich in der Schule ein Referat darüber machen. Das fanden auch alle ganz toll, und ich habe eine gute Note gekriegt. Wenn ich in eine Disco gehe, treffe ich sehr viele, die aussehen wie ich. Es ist ja auch keine Seltenheit in Berlin. Ich weiß nicht, ob deren Eltern Afrikaner oder Amerikaner sind. Ich spreche sie auch nicht darauf an. Bei mir an der Schule ist auch ein Mädchen, die würde ich auch ansprechen, ich habe da keine Hemmungen. Aber wenn meine Freunde sagen: »Ich habe deine Schwester gesehen«, weiß ich nicht, wie ich darauf reagieren soll, und antworte: »Ist ja schön. Zeig sie mir mal.« Es ist mir aber nicht unangenehm. Dass Kinder hinter mir herschreien, kenne ich überhaupt nicht. Aber manchmal fragen mich Fremde, ob ich deutsch spreche. Als ich gestern mit meiner Mutter im Café saß, fragte uns das auch jemand. Die Leute sind dann meistens sehr überrascht, dass ich so gut Deutsch kann. Wenn ich mit weißen Deutschen unterwegs bin, passiert mir das eigentlich fast gar nicht.

Meist werde ich für eine Halbamerikanerin gehalten, und wenn ich dann erzähle, dass mein Opa Afrikaner war, wundern sie sich sehr. Weiß zu sein, wünsche ich mir nicht. Ich bin halt so. Damit muss ich leben, und ich finde es auch nicht schlimm, damit zu leben.

Meine Freunde fragen zwar, woher ich komme, und dann muss ich zum x-tenmal meine Geschichte erzählen, aber ich werde nicht als Ausländerin angesehen, nicht in der Schule und auch nicht anderswo.

Einmal war ich beim Berufsberater und erzählte dem, dass ich Reise- verkehrskauffrau werden wollte. Er fragte mich, ob ich wüßte, dass ich bei der Bewerbung ein Bild mitschicken muss. Sicherlich, habe ich gesagt. Und da meinte er, ich könnte an Leute geraten, die mich nicht nehmen, weil ich braun bin oder vielmehr, die keine Ausländer nehmen. Da sagte ich: »Na hören Sie mal, ich bin keine Ausländerin.«

Ich dachte, es wird vielleicht schwierig wegen meinem Zeugnis. Ich glaube eher nicht, dass die Leute so reagieren. In Deutschland leben so viele Ausländer/innen, eigentlich ist es ja schon normal. Wir leben ja nicht wer-weiß-wann, das können die doch gar nicht machen, denen keine Arbeit mehr geben.

In Afrika war es schlimm für mich. Die Leute waren nett, und es hat mir auch gefallen. Aber ich glaube nicht, dass ich dort leben könnte, ich bin eben das Leben hier gewöhnt. Ich habe auch noch nie auf einem Dorf gewohnt.

Als ich dorthin gefahren bin, dachte ich zwar, dass die Menschen dort dunkler sind, aber dass sie »Weiße« hinter uns herrufen würden, darauf war ich nicht gefasst. Sie sagten: »Tuwabu«, das heisst Fremde, und es war freundlich gemeint, die Kinder lachten und winkten. Ich hatte geglaubt, sie würden mich für eine der Ihren halten.

Hier rufen sie manchmal Schwarze, und dort rufen sie Weiße … Wozu gehört man denn eigentlich?

Abenaa Adomako (23 J.)

Mutter: Afro-Deutsche Vater: Ghanaer

Meine Hautfarbe ist schwarz. Dadurch werde ich als Ausländerin – Afrikanerin oder Amerikanerin – wahrgenommen. Ich werde immer gefragt, warum ich so gut Deutsch spreche, woher ich komme usw. Diese Ausfragerei ist nervend. Ich antworte meist provozierend, dass ich Deutsche sei. Trotz meiner eindeutigen Antwort geht es weiter: wieso, weshalb, warum?

Ich bin Afrikanerin, und doch bin ich auch Deutsche. Afrikanerin durch meine Erscheinung, Deutsche durch mein Denken, Handeln und die Art, wie ich mich bewege, darin bin ich europäisch.

Afrikaner werden als lieb, dumm, treudoof, schmutzig beschrieben. Meine Mutter und Großmutter sind als Afro-Deutsche in Deutschland aufgewachsen.* Um Vorurteilen gegen Afrikaner zu entgehen, haben sie mich stets zu besonderer Reinlichkeit und Sauberkeit sowie zu besonderen Leistungen in der Schule und im Beruf erzogen. Ich sollte besser sein als andere oder zumindest zu den ersten gehören.

Wenn ich nach Ghana fahre, um meine Verwandten zu besuchen, ist das in der ersten Zeit eine Umstellung für mich. Dann gehe ich einfach unter zwischen den vielen Afrikanern, obwohl ich durch meine europäische Art doch auffalle. Ghana! Ich bin zu Hause, aber es ist nicht mein Zuhause, und trotzdem fühle ich mich wohl!

Sah ich früher hellere Mischlinge (Afro-Deutsche), war ich neidisch. Ich dachte, ihre Hautfarbe ist schöner, eben wie sonnengebräunt und dass sie es einfacher haben und in dieser Gesellschaft eher akzeptiert werden. Dass sie Probleme haben, gerade weil die

* Großmutter Anna G. erzählt in diesem Buch über ihr Leben, s. Kapitel *Unser Vater war Kameruner*

Abenaa Adomako mit Eltern

Doppelidentität schwarz/ weiß mit ihrer Hautfarbe gleich sichtbar ist, habe ich nicht erkannt.

In meiner Kindheit kannte ich nur wenige andere afro-deutsche Kinder. Da war ein Junge in meiner Klasse, zu dem hatte ich keine besondere Beziehung, aber es hätte mich schon interessiert, was er so denkt und fühlt. Unter den Kindern in unserer Nachbarschaft war noch ein Mädchen, als sie später mit einem guten Freund von mir ging, fing ich an, mir Gedanken zu machen. Bin ich zu dunkel, um die Freundin für jemanden zu sein? Ich kann nicht alles auf die Hautfarbe schieben. Vielleicht war ich einfach nicht der richtige Typ, aber es gibt mir bis heute zu denken.

Ich hatte in dem Alter überhaupt keine Möglichkeiten, mit Jungens zu gehen. Manche meiner Freundinnen hatten schon Freunde, aber ich konnte da nie mitreden und fühlte mich sehr ausgeschlossen. Eine sagte auch, ich könne ja keinen Freund haben, weil ich zu dunkel sei. Das hörte ich so lange, bis ich tatsächlich meinen ersten Freund hatte. Ich denke heute auch, dass ich zwar akzeptiert und gemocht wurde, dass die Jungen aber Angst hatten, zuviel Zuneigung zu mir zu entwickeln oder zu freundlich zu mir zu sein und sich dann daraus irgendwelche Verpflichtungen oder Komplikationen entwickeln könnten. Z.B. dass es dann doch zu schwierig ist, eine ganz schwarze Freundin mitzubringen.

Ich litt auch darunter, mich nicht an Streichen beteiligen zu können.

Unter 5 oder 10 Kindern »auf Tour«, bei Klingelstreichen u.ä., wäre ich immer wiedererkannt worden. Sei vorsichtig, benimm dich anständig, wurde mir von klein auf gesagt. So verhielt ich mich dann auch, bis ich ungefähr 17 war.

In allen Familien ist gutes Benehmen und Erziehung für die Kinder das Ziel, bei unseren Eltern kommt der Kampf gegen Vorurteile aber noch dazu. Nicht negativ auffallen, um jeden Preis. Immer höflich lieb und nett sein zu jedermann, das ist ein »anständiger« Afrikaner, eine »anständige« Afrikanerin. So ist man, und so wird es erwartet.

Als die Pubertät begann, als Flaschendrehen und Kennenlernenspiele zwischen Mädchen und Jungen anfingen, fühlte ich mein Ausgeschlossensein. Meist wurde ich zur Hüterin irgendwelcher Taschen und Mäntel gemacht. Noch heute reagiere ich empfindlich, wenn jemand mich zu solchen Diensten anstellen will.

1980 ging ich als *au pair* nach London. Dort hat sich das Bewusstsein von meiner Abstammung und meiner Hautfarbe verstärkt und entwickelt. Es ging mir sehr gut. Unter den vielen verschiedenen Nationalitäten fiel ich nicht weiter auf, die Last und der Stress, überlegen und cool wirken zu müssen, und das Gefühl, ständig beobachtet und angemacht zu werden, blieben aus. Frei auf der Straße, in der U-Bahn, unter den Menschen mich bewegen zu können, war ein erlösendes Gefühl. Die Frage, wer oder warum du das bist, was du nicht scheinst, das Problem afro-deutsch-sein, war einfach nicht da.

Meine eigene Hautfarbe lernte ich hier, ganz zu akzeptieren. Ich wollte nicht mehr heller sein. Ich bin schwarz. Abena und alles, was dazu gehört, das bin ich.

Wieder in Berlin, fingen die Zwangs- und Stresssituationen wieder von Neuem an, die Gafferei, die Heuchelei und das Minderwertigsein. Meine Umgebung verlangte nach der wohlerzogenen, braven Abena, die sie bisher gekannt hatte. War ich zuvor still und in mich gekehrt gewesen, war ich jetzt lebendig und herausfordernd und selbstbewusst. Ich redete wie ein Wasserfall und tauschte meine konservative Kleidung gegen Secondhandklamotten. Mein Verhalten ging gegen alle Erwartungen meiner Familie und Freunde.

Nach meiner Rückkehr aus England ging ich auf Arbeitssuche. Ich habe Fremdsprachensekretärin gelernt und bewarb mich nun schriftlich und telefonisch. Daten werden verlangt: Alter, Nationalität... In meinem Kopf fängt es an zu arbeiten. Kann ich dort erscheinen mit meinem Berliner Akzent und meiner Hautfarbe? Ist die Nachfrage nach der Nationalität durch meinen Nachnamen, Adomako, entstanden? Ich gehe zu einem der vielen Vorstellungsgespräche. Meisterhafte Inszenierungen finden statt, um Ausländerfeindlichkeit und Vorur teile gegen mich zu verbergen. So schreibe und telefoniere ich zighundertmal, um eine halbwegs neutrale Person zu finden, die bereit ist, mich einzustellen. Als ich endlich eingestellt bin, geht es weiter, ich spüre die Vorurteile der Kolleg/inn/en und Vorgesetzten. »Das haben Sie aber falsch geschrieben.« Zweifel an meinen Fähigkeiten. Afrikaner können das eben nicht. Ich habe diesen Beruf doch gelernt. Dann weiß ich nicht mehr, wer recht hat. Es ist ein Kreislauf, und ich kämpfe meinen Kampf immer weiter.

In den letzten Jahren hier in Deutschland habe ich wieder an Kraft und Selbstvertrauen verloren. Da entsteht die Idee und der Wunsch fortzugehen, an einen Ort, wo die Menschen frei von Vorurteilen sind und ich frei eine Straße überqueren kann, ohne als das fremde Objekt zu gelten. Es wird mir gesagt, »Geh erst mal fort, dann wirst du deine ›Heimat‹ vermissen«. Das kann sein, aber lieber etwas Heimweh, als in der »Heimat« unglücklich sein.

Es ist die Zeit der Discos, Kneipen und Beziehungen; sich zurechtmachen, ausgehen und tanzen gehen; für mich bedeutet das Stress von Anfang bis Ende.

1. Sich zurechtmachen: Ich habe den Zwang, gepflegt und sauber auszusehen. Warum? Da gibt es das Vorurteil gegen ärmliche und schmuddelige Afrikanerinnen oder das Gegenteil – schick, schick, die kann Mann bestimmt kaufen. Also was anziehen? Ich

wähle das neutrale, möglichst nicht zu aufreizende oder sexy wirkende Aussehen.

2. In der Disco: da sind die Blicke und das Getuschel von Männern und Frauen und der Stress meiner Begleiter, auch beobachtet zu werden, oder ist es sogar ein Genießen, im Mittelpunkt zu stehen?
3. Das Tanzen: allgemein wird behauptet, Menschen afrikanischer Abstammung könnten besser tanzen. Ich gehe auf die Tanzfläche mit der besonderen Aufmerksamkeit der Umstehenden für meine »Wenigkeit«. Egal, ob ich selbst denke, ich habe gut getanzt oder es geht mir heut nicht so gut, immer werde ich gelobt.
4. Anmacherei: alle Frauen werden angemacht, aber bei mir gibt es keine Zurückhaltung mehr. Ich empfinde die Art, wie es geschieht, als plump und erniedrigend. »Weiß doch jeder, was eine schwarze Frau einem Mann bieten kann.« Als erstes ist sie eine sexuell attraktive Frau, als zweites eine Frau mit Charakter. Gerne höre ich das Kompliment, dass ich gut aussehe, aber ist es in meinem Fall nicht eher eine Beleidigung?

Wo ich auch auftauche, sind die Reaktionen groß, aber es wäre mir lieber, nicht immer auffallen zu müssen. Ich bin nicht der Typ, eine Show zu machen, wie es so oft von mir erwartet wird.

Um mich vor unliebsamen Bewerbern zu schützen, war es für mich nötig, eine Mauer um mich herum aufzubauen. Denn von Zuhältern und geilen Böcken angemacht zu werden, so möchte ich bestimmt nicht leben! Misstrauen und Vorsicht auf der ganzen Linie, so wirke ich hart, abweisend, ruhig und versuche, jegliche Reize zu verstecken, dann habe ich meine Ruhe. Dieses Hartsein überträgt sich in den normalen Alltag. Für einen wirklich netten Typen ist es schwierig, mich zu erreichen, und ich kann seine Ehrlichkeit kaum erkennen. An diesem Punkt fange ich an, unbewusst Prüfungen aufzuerlegen. Ich kann nur schwer erklären, warum das so ist, vielleicht weil ich wissen möchte, ob er es schafft, trotz der Vorurteile und Widerstände von außen zu mir zu halten. Aber all das macht mich nur unglücklich.

Auch wenn meine Erfahrungen sich manchmal hart anhören, so habe ich doch gelernt, zu mir zu stehen und einen Weg zu mir zu finden und mich zu verwirklichen. Immer mehr finde ich den Mut aufzufallen, den Mut aufzutreten und den Mut, meinen Körper zu zeigen, ohne mich hinter hochgeschlossenen Blusen und weiten Hemden zu verstecken und mich dessen zu schämen. Das ist wichtig für mich.

Ich muss mich in einer Gesellschaft behaupten, die neutral scheint, es aber nicht ist. Ich kann auch selbstbewusst wirken, aber es ist dennoch nur eine Kraft, die sagt: »Sei es, du musst, sonst gehst du unter.« Warum kann ich nicht so sein, wie ich es gerne sein möchte, einfach ohne jegliche Kampfhaltung?

May Ayim/Opitz (25 J.)

Aufbruch

An dem Tag, als ich geboren wurde, kamen viele Geschichten meines Lebens zur Welt. Jede trägt ihre eigene Wahrheit und Weisheit. Diejenigen, die im Erleben von Kindheit in meiner Nähe waren, werden vielleicht mit einer völlig anderen Geschichte meiner Kindheit aufwarten als ich. Ich kann nur meine Geschichte erzählen, so wie sie sich mir eingeprägt hat, und wenn die negativen Ereignisse deutlicher in Erinnerung blieben als die positiven, bedarf es dafür keiner Entschuldigung. Es ist einfach so. Ich werde hier also etwas von mir preisgeben. Ohne Anklage oder Verzeihung, ohne Anspruch auf Wirklichkeit und im Erleben von Wahrheit. Und in der Gewissheit, dass jede/r, der oder die meine Geschichte liest, sie anders versteht.

Als ich geboren wurde, war ich nicht schwarz und nicht weiß. Vor allen Namen, die ich bekam, hieß ich »Mischlingskind«. Es ist schwer, ein Kind mit Liebe zu umgeben, wenn die Großeltern der Mutter sagen, dass das Kind fehl am Platze sei. Es ist schwer, wenn das Kind nicht in die Pläne der Mutter passt und wenn kein Geld da ist. Es wird alles noch schwerer, wenn die weiße Mutter nicht möchte, dass ihr Kind in eine schwarze Welt entführt wird. Auch die Gesetze erlauben nicht, dass der afrikanische Vater das deutsche Töchterchen zu einer afrikanischen Mutter bringt.

Es ist nicht leicht, ein Kind in ein Heim zu geben. Es bleibt dort ein Jahr und sechs Monate.

Über das Radio hörte irgendwo ein Ehepaar von Kindern wie mir: von denen, die keine Eltern finden, weil sie »Soldatenkinder« sind, weil sie behindert sind oder nicht blond genug oder im Gefängnis geboren werden. Ich wurde Wunschkind einer weißen deutschen Familie und vergaß die Heimmonate. Aus jener Zeit blieben nur die Erzählungen meiner Pflegeeltern: »Du konntest nicht einmal stehen. Wegen der einseitigen Ernährung hattest du Rachitis. Der Oberkörper war dick und überernährt, die Beinchen so krumm, dass jeder Arzt glaubte, sie würden niemals halbwegs gerade.«

Es gibt keine »süßen« Babyphotos aus dieser Zeit. Mir fällt eine immer wiederkehrende Warnung meiner Pflegeeltern ein: »Pass auf! Wer als Baby dick ist, wird auch später dick werden. Achte immer darauf, was und wieviel du isst!« Aus dieser Zeit behielt ich die Angst vor dem Alt- und Dickwerden; später noch verstärkt durch das Klischee der »schwarzen dicken Mammi«, die mir in manchen Spielfilmen als Mahnbild des Schreckens vorgeführt wurde.

Kindheit ist, wenn kind sich viele Gedanken macht, und die Wörter, die kind spricht, nicht verstanden werden. Kindheit ist, wenn kind ins Bett macht und die Eltern das Resultat mit Schlägen kommentieren. Kindisch ist, wenn kind alles falsch macht, ungezogen ist, nichts kapiert, zu lahm ist und immer wieder die gleichen Fehler macht.

Kindheit ist, wenn kind immer wieder ins Bett macht und keiner versteht, dass kind das nicht tut, um seine Eltern zu bestrafen. Kindheit ist, mit der Angst vor Schlägen zu leben und damit nicht fertig zu werden. Kindheit ist, jedes Jahr Bronchitis zu bekommen und immer wieder zur Kur geschickt zu werden.

Nach Jahren sagt mir ein Arzt über mein Erstaunen, dass meine chronische Bronchitis seit dem 15. Lebensjahr plötzlich verschwunden ist: »Wissen Sie nicht, dass das wie Bettnässen ein psychosomatisches Leiden ist?«

Angst, die sich beklemmend auf die Atemwege legt? Angst gab es genug. Wahrscheinlich Platzangst. Oder Angst zu platzen. Angst unter Schlägen und Beschimpfungen zu zergehen und sich nicht mehr wiederfinden zu können. Nicht aufmucken, lieber schlucken. Bis es nicht mehr geht und entweicht: ins Bett oder als brutaler Hustenkrampf, der jeden normal Hörenden zu schlaflosen Nächten und

Wutanfällen treibt. So ist das mit der Unterdrückung. Sobald du anfängst zu schlucken, kannst du darauf gefasst sein, dass das Maß irgendwann voll ist. Der Boden zerbricht, oder so einiges läuft oben über. Das ist dann ein »Sich-Wehren«, das leider völlig falsch verstanden bzw. überhaupt nicht verstanden wird. Ich höre meine Mutter stöhnen: »Diese ewige Husterei! Das ist ja zum Verrücktwerden!«

Kindheit ist auch Lachen! Im Sandkasten spielen, Rollschuh laufen, Roller fahren und Fahrrad fahren lernen. Tausend Strumpfhosen zerreißen und den mütterlichen Zorn als Preis für den wundervollen Tag in Kauf nehmen. Und Liebe!

Liebe ist, wenn die Mama was Leckeres kocht und kind in die Stadt mitgenommen wird. Wenn kind auf der Kirmes 'ne Zuckerstange bekommt, Weihnachten alles märchenhaft verzaubert wird, und kind mit ins Kino geht. Liebe ist, morgens ganz leise aufzustehen und den Tisch für Mama und Papa zu decken und sich hübsche Geschenke auszudenken. Liebe ist, wenn wir alle gutgelaunt in den Urlaub fahren.

Sehnsucht ist das Bedürfnis, zu spüren, wie jemand sagt: »Na Kleine, fühlst du dich wohl? Wir haben dich lieb. Ob du nun schwarz oder weiß, dick oder dünn, dumm oder schlau bist, ich liebe dich! Komm auf meine Arme!« Sehnsucht ist, zu wissen, was du hören möchtest, und vergeblich darauf zu warten, dass du es gesagt bekommst. Traurig ist dann, wenn kind sich zu schwarz und zu hässlich findet. Entsetzen, wenn die Mama kind nicht weiß waschen will. Warum nicht? Es wäre doch alles viel einfacher. Auch die anderen Kinder würden nicht »Neger« oder »Negerkuss« rufen. Kind brauchte sich nicht mehr zu schämen und besonders ordentlich oder artig zu benehmen. »Benimm dich immer schön anständig. Was man von dir denkt, denkt man von allen anderen Menschen mit deiner Hautfarbe!«

Das Leben ist mir zu schwierig.

1. Diese verfluchte Angst, alles falsch zu machen. Das nächtelange Heulen, wenn ich in der Schule was verloren habe.
   »Bitte lieber Gott mach, dass Mama und Papa mich nicht schlagen, wenn ich es ihnen sage.«
   Das ständige Zittern aus Angst, was falsch zu machen und dann vor lauter Zittern doppelt so viel herunterschmeißen wie die anderen Geschwister. »Kein Wunder, dass mich niemand mag.«
2. Die verfluchte Grundschule mit den verdammten Hausaufgaben. Mama überwacht alles mit dem Kochlöffel, besonders die Rechenaufgaben. Wenn kind nicht schnell genug rechnet, kriegt es Schläge auf den Kopf; wenn die Aufgaben nicht sauber genug niedergeschrieben werden, wird die Seite herausgerissen. Bis auf die Pausen und den Sportunterricht mag ich die Schule nicht besonders. Warum darf ich nie jemanden einladen oder besuchen?
   »Lieber Gott mach, dass Mama und Papa sterben und wir andere Eltern bekommen. Welche, die nur noch lieb sind.«
3. Meine Eltern sagen so oft, dass ich nichts kann, nichts bin und alles zu langsam mache. Ich nehme heimlich eine Rasierklinge von meinem Vater und verstecke sie unter meinem Kopfkissen. Die Angst und die Sehnsucht nach Selbstmord. –« Das Kind spielt mit Rasierklingen im Bett! Du bist wohl total verhaltensgestört. Weisst du denn nicht, wie gefährlich das ist? Dieses Kind treibt mich noch in den Wahnsinn!«
   Einmal beschließe ich, von zu Hause wegzulaufen. Ich sage es meinem kleinen Bruder und verabschiede mich von ihm. Ich bin vielleicht neun und er fünf Jahre alt. Er erkennt den Ernst der Lage, fängt an zu heulen und verpetzt mich bei meinen Eltern. Man ist wieder ein bisschen netter zu mir. – »Lieber Gott mach, dass ich einschlafe und nie mehr aufwache.«

4. Wer hat meinen Traum zerstört? Der Traum vom »Weißsein« ist am ungenügenden Willen meiner Eltern und der mangelhaften Waschkraft von Seife gescheitert. Selbst Seife essen hat überhaupt nichts bewirkt. Der Traum vom »Schwarzsein« ist an der leibhaftigen Erscheinung meines afrikanischen Vaters gescheitert. Zuvor mein Geheimnis: Wenn ich mal groß bin, gehe ich nach Afrika. Dort sehen alle aus wie ich. Wenn Mama, Papa und meine weißen Geschwister zu Besuch kommen, werden die Leute auf sie zeigen. Ich werde sie trösten und den Leuten sagen: »Tut das nicht!« Und meine Eltern werden verstehen, wie das für mich war in Deutschland.

Und siehe! Das ist mein Vater! Ganz schwarz. »Dagegen bist du weiß.«

»Sehen in Afrika alle Menschen so schwarz aus?« – »Na klar.« Ihr habt meinen Traum zerstört!

Einmal, als mein Vater zu Besuch kam, rannten alle Kinder weg. Dabei hatte er Bonbons für uns alle dabei. Vielleicht haben wir das Spiel »Wer hat Angst vor'm schwarzen Mann?« zu oft gespielt: »Wenn er aber kommt?« – »Dann laufen wir.« Vielleicht saß auch die Impfung gegen die schwarzen Lügen, die schwarzen Sünden und den schwarzen Buhmann zu tief. Mein Bruder und ich wären auch gerne weggerannt, aber wir wussten, dass wir das nicht dürfen. Außerdem gab's nette Geschenke.

Mein Vater war Onkel E. Er war Onkel E., weil er für meinen weißen Bruder Onkel E. war, und er war Onkel E., weil er für mich nicht mein »Vater« war. Er blieb für mich Onkel E., auch als ich in Briefen an ihn irgendwann anfing, »lieber Vater« zu schreiben. Mein Pflegevater wünschte es so. Er meinte, dass E. sich darüber freuen würde. Da ich wusste, dass er weit weg war und bis auf Alle-paar-Jahre-einmal-Besuche immer weit weg bleiben würde, tat ich den beiden den Gefallen und schrieb: »Lieber Vater!« Ich schrieb vom letzten Urlaub, vom nächsten Urlaub, von Zeugnisnoten und immer vom Wetter. Mein Pflegevater achtete einige Jahre darauf, dass ich es vollständig machte.

Ich habe mich nie gefragt, ob ich auf meinen Vater stolz sein oder ob ich ihn verachten müsse. In all den wenigen Berichterstattungen erschien er als der positive, studierte Mann, der aus irgendwelchen Gründen ein Kind hatte, das er nicht selbst aufziehen konnte. Ich bat einmal um eine Geschichte über die Frau, die mich zur Welt gebracht hat. »Eine Frau? Ein Flittchen war das.« Ich fragte nie wieder.

In dem Gefühl des Ausgeschlossenseins drehte ich mich im Kreis. Besonders die Angst meiner Pflegeeltern, dass ich auf die »schiefe Bahn« geraten könnte, hielt mich gefangen. Die Befürchtung, dass ich schwanger nach Hause kommen könnte, war die Begründung für jedes Ausgehverbot. Ihre Sorgen und Ängste schnürten mir die Kehle zu. Bevor ich von zu Hause wegging, verbrachte ich ein schweigendes Jahr in meiner Familie, das den Bruch besiegelte.

Im Nachhinein weiß ich: Meine Eltern liebten mich. Sie haben mich in Pflege genommen, um den Vorurteilen in dieser Gesellschaft etwas entgegenzusetzen. Um mir die Chance auf ein Familienleben zu geben, das ich im Heim niemals gehabt hätte. Meine Eltern haben mich aus Liebe, Verantwortung und Unwissenheit besonders streng erzo- gen, geschlagen und gefangengehalten. Im Wissen um die Vorurteile, die in der weißen deutschen Gesellschaft bestehen, passten sie ihre Erziehung unbeabsichtigt diesen Vorurteilen an. Ich wuchs in dem Gefühl auf, das in ihnen steckte: beweisen zu müssen, dass ein »Mischling«, ein »Neger«, ein »Heimkind«, ein vollwertiger Mensch ist. Daneben blieb kaum Zeit und Raum, mein »Ich« zu entdecken.

Es hat lange gebraucht, bis mir bewusst wurde, dass ich aus mir selbst heraus einen Wert habe. In dem Moment, als ich zu mir »ja« sagen konnte, ohne den geheimen Wunsch nach Verwandlung, war die Möglichkeit gegeben, die Brüche in mir und meiner Umgebung zu erkennen, zu verarbeiten und aus ihnen zu lernen. Ich bin nicht an meinen Erfahrungen zerbrochen, sondern habe aus ihnen Stärke und ein besonderes Wissen gewonnen. Der Umstand, nicht untertauchen zu können, hat mich zur aktiven Auseinandersetzung gezwungen, die ich nicht mehr als Belastung, sondern als besondere Herausforderung zur Ehrlichkeit empfinde. Das immer wieder meine Situation

Sichten- und Erklärenmüssen hat mir zu mehr Klarheit über mich selbst ver- holfen, bis zu der Erkenntnis, dass ich niemandem eine Erklärung schuldig bin. Ich hege keinen Groll gegen die, deren Macht und Ohnmacht ich ausgesetzt war und denen ich mich zeitweise unterordnete oder unterordnen musste. Ich habe oft etwas aus mir machen lassen, es liegt nun an mir, etwas aus dem zu machen, was man/frau aus mir gemacht hat.

Ich habe mich auf den Weg begeben.

gewitterstille
für meinen Bruder

manchmal
leuchten die schönen momente bis heute und
umstreichelte wunden flüstern
schmerzen
in sanfte träume

im sandkasten
seh ich uns am liebsten
erde und wasser zu mutkematke verrührend
die häuser die wir bauten waren schön und
zerbrechlich

wie blitze die schläge
auf köpf und gerippe
wenn wir gegen SIE lachten und weinten wuchs
unsere nähe
ich lachte so gerne mit dir!

manchmal leuchten
die schönen momente bis heute
dann rühre ich mutkematke
und male unsre gesichter

vatersuche

als ich dich brauchte
hielt ich das bild an der wand
für wahr
das schönste was ich von dir hatte und das einzige

du warst
wie ich dich wünschte
ernst und klug und zart, unendlich zart.

von angesicht zu angesicht
traf mich dein augenblick:
ernst und klug und kalt, bitterkalt.

wortlos hab ich das bild
erhängt
das den träum vom vater mir
träumte
zartbitter der abschied

ich gehe und staune

überhaupt fast gar nicht

ich kannte dich immer überhaupt nicht
und nachdem wir uns
vor jahren
fünf minuten sahen
fast gar nicht

fünf minuten braunes haar braune augen ängstlicher mund
fünf minuten und damals neun monate
zwangskindmutterschaft
wir kannten uns immer überhaupt nicht
und nunmehr fast gar nicht

berührung

ich ahnte immer dass es dich gibt
auch wenn ich auf ästen der einsamkeit
tränen rollte
und gerade dann –
ich ahnte es
ich weiß es

Katharina Oguntoye (27 J.)

Was ich dir schon immer sagen wollte

träume ich von einer gemeinsamen spräche, während mein herz unverdrossen schlägt, poch. poch. poch, und die angst meinen auf- bruch verhindert. 1984

»Heimat mal drei«

Also am besten fange ich am Anfang an. Ich wurde im Januar 1959 in der Frauenklinik in Zwickau, kaum hatten die Glocken begonnen den Mittag einzuläuten, geboren. Es war ein schöner Tag. (Und soviel ich weiß, haben sich eine Menge Leute über meine Ankunft gefreut.) Jedenfalls, was mich betrifft, ich fühlte mich pudelwohl. Nun, Zwickau, wo liegt das denn, werden Sie mich fragen. Das ist eine Industriestadt an den Ausläufern des Erzgebirges gelegen und eine knappe Zugstunde von Leipzig entfernt, wohin ich drei Wochen später übersiedelte und die nächsten sieben Jahre verbrachte.

Leipzig ist die erste Station für die meisten afrikanischen Studenten, die in der DDR studieren wollen. Dort lernen sie die deutsche Sprache, bevor sie an den verschiedenen Universitäten des Landes ihr jeweiliges Fachstudium beginnen. Aus diesem Grund gibt es in Leipzig eine recht große afrikanische Studentengemeinde. Mein Vater und einige seiner Verwandten studierten in Leipzig. Bei uns zu Hause wurde oft afrikanisch gekocht, zu vielen gegessen und bis spät in die Nacht hinein diskutiert. Ich und mein zwei Jahre jüngerer Bruder wuchsen also mit weißen und schwarzen Menschen in unserem Umfeld auf. Trotzdem habe ich mich selbst wohl nicht als schwarz empfunden, denn als ich einmal von der ratternden Straßenbahn aus einen Afrikaner die Straße entlanglaufen sah, ich war kaum drei Jahre alt, rief ich ganz aufgeregt: »Mutti, schau mal! Ein Neger.« Diese Episode, die meine Mutter oft erzählte, lässt mich vermuten, dass ich meine Hautfarbe und die meines Vaters nicht mit dem Ausdruck »Neger« in Verbindung brachte.

Leipzig, von dem ich jetzt weiß, dass es eines der kulturellen Zentren der DDR ist, ist für mich ein von Erinnerungen und Gefühlen umwo- bener Ort meiner Kindheit. Und ich bedauere, dass die Bilder, die für lange Zeit meine Tages- und Nachtträume durchzogen, nun nur schwer für mich greifbar sind. Ich erinnere die Schreberstraße, in der wir wohnten, und den Weg zum Kindergarten vorbei an der Metzgerei, und gegenüber den Bäcker. Gespielt haben wir im nahegelegenen Stadtpark mit dem großen See, den eine alte Holzbrücke überspannte und die zu überqueren ich mich fürchtete. Später dann wagte ich es, durch ihre breiten Ritzen das im Sonnenlicht glänzende Wasser zu beobachten. Leipzig ist für mich ein Ort, an dem ich Liebe erfahren habe und selbst lernte zu lieben. Mutter hat viel gearbeitet, und doch waren sie und Vater für mich und meinen Bruder da. Ich fühlte mich geborgen.

Mit meinem Bruder und meiner Mutter fuhr ich nach Nigeria, in das Land meines Vaters. Ich war sieben Jahre alt und mein Bruder fünf, für uns war die dreiwöchige Reise auf einem Frachtdampfer ein einziges Abenteuer, das uns fürs erste den Abschied vergessen ließ.

Als wir vor jetzt 20 Jahren in Lagos ankamen, vor dem Bürgerkrieg und Öldollar-Boom, war das Leben dort ganz anders als heute – von jeglicher Hektik weit entfernt, pulste es in bunter Geschäftigkeit und Wohlsein.

Wir wohnten im komfortablen Wohnbereich der Universität, der damals noch im Aufbau begriffen war. Da waren genug Kinder in unserem Alter und verschiedener Nationalitäten, mit denen wir spielen konnten. Für uns Stadtkinder ein Paradies der Freiheit. Wir genossen es, in dem hinter unserem Haus liegenden dichten Wald oder dem schon gerodeten, aber noch unbebauten Gelände herumzustreunen. Unsere Spiele hießen »Expedition vorbereiten«, »Lehmhütte bauen« oder ähnlich.

Im Gegensatz zu den Erwachsenen hatten wir Kinder kaum Anpassungsschwierigkeiten an unsere neuen Lebensumstände. Die vielen Eindrücke verarbeiteten wir, indem wir sie in unseren Spielen nachahmten. Zum Beispiel machte es uns großen Spaß, unserer Mutter den Nerv zu töten, indem wir sie, Verrenkungen machend, verfolgten und in eintönigem Singsang den Ruf der Bettler wiederholten: »Please Madam! Give me change! Please Madam! Give me change!«

Einmal sollte ich in meiner neuen Schule ein deutsches Gedicht aufsagen. Ich war ganz in der englischen Sprache drin und musste lange überlegen. Dann fiel mir doch eines ein, das ich im Kindergarten gelernt hatte und sehr mochte. Das ging so:

> Meine Katz heisst Mohrle
> hat ein schwarzes Ohrle
> hat ein schwarzes Fell
> und wenn es was zu schleckern gibt,
> dann ist sie gleich zur Stell.

Als ich es aber übersetzen sollte, konnte ich das nicht, und ich hatte ein ganz peinliches Gefühl. Irgendetwas war falsch an dem kleinen von mir so sehr geliebten Vers. Auch wenn ich mit meinen sieben Jahren nicht klar herausfinden konnte, woran das lag.

Zwei Jahre später verließ ich zusammen mit meiner Mutter diese mir immer vertrauter werdende Welt Afrikas, um wieder in meine erste Heimat zurückzukehren. Wir lebten in Heidelberg. Aber das war nicht mein Deutschland, in das ich zurückgekehrt war. Es *war Deutschland.* Und zunächst konnte ich auch kaum einen Unterschied feststellen, denn dieses Land glich meiner ersten Heimat wie ein Ei dem anderen. Doch ein heimtückisches Verständigungsproblem in der gleichen Sprache machte den Unterschied unübersehbar. Nach und nach merkte ich, dass es eine Art gab, mit Menschen zu sein, nach der ich mich sehnte und die für mich verloren war, wie es unmöglich ist, die Zeit anzuhalten oder gar zurückzudrehen.

Ich bin froh über die Vielseitigkeit meiner frühen Erfahrungen, so wie ich auch nicht mit meinem Leben als Afro-Deutsche hadere. Mit der Mitarbeit an diesem Buch hat für mich ein Prozess begonnen, in dem ich lerne, bewusst die Möglichkeiten zu nutzen, die sich aus meiner Herkunft und meinem Leben ergeben.

toksi

ich hatte drei jahre in westdeutschland getrennt von meinem bruder gelebt, in dieser zeit war ich die einzige afro-deutsche. ich erinnere mich gut, dass ich die füße meines bruders am meisten liebte, als er endlich da war. ich hatte mich die ganze zeit sehr nach ihm gesehnt, aber jetzt war da eine ganz neue faszination. ich war sehr überrascht, und ich guckte und guckte, ich konnte nicht genug davon kriegen, sein feines jungengesicht, seine figur und die hände, aber meine liebe gehörte seinen füßen, es war einfach unglaublich, da kam er von weit her und hatte (nein, das kann nicht wahr sein) die gleichen füße wie ich.

in den vorangegangenen drei jahren hatte ich nach und nach festgestellt, dass alles bei mir anders aussieht, jetzt wusste ich, was ich vermisst hatte, dass da jemand war, der mir ähnlich sah. mein bruder. es tat gut, dass die formen seiner hände und füße den meinen so ähnlich sahen, ich liebte ihn dafür, dass er mir das gefühl gab, nicht die einzige zu sein, nicht eine zufällige ausnahme. *1984*

Spiegel

allein mit meiner verzweiflung, schaue ich dir in die augen, meine braune, ach so deutsche schwester, finde keinen frieden, bist *du* mein Spiegel? ist es die einsamkeit, vereinzelung, die ich wieder erkenne? der weg zu dir ist weit und ungekannt. ich gehe unsicher.

erinnerst du dich, meine deutsche, ach so weiße schwester, an das gefühl der verzweiflung als du noch nicht wusstest, dass es andere frauen gibt, die wie du nicht nur dienerinnen ihrer herren sein wollten, frauen, die trotzdem ihren weg gehen, als sie dann für dich sichtbar wurden, gaben sie dir mut für deinen eigenen weg. aber wie lange hattest du trotz wachsender frauengemeinsamkeit das gefühl, nicht ausatmen zu können, bis du entdecktest, dass du nicht die einzige bist, die frauen liebt, dass es andere lesben gibt, die sich nicht länger gegen andere frauen ausspielen lassen wollten.

jetzt sage ich dir, deine afro-deutsche schwester, dass du, indem du mich wahlweise als frau ohne hautfarbe und ohne eigene vergangenheit oder als fremdes rätsel-wesen bzw. exotik-objekt halb/nicht wahrnimmst, bereit bist, mich in einer ähnlichen verzweiflung zu belassen, und es ist zynisch, wenn du sagst, dies ist nicht mein problem. das geht nur afro-deutsche frauen etwas an. *1984*

trennungs-schmerz

manchmal bin ich müde, dann denke ich, der kampf ist zu schwer, und die schmerzen sind zu viele, aber noch während ich das denke, weiß ich, dass sich die anstrengung lohnt, die freude, meinem ziel näher zu kommen, ist so wunderbar, oft schon bin ich für mein überleben belohnt worden, und diese wärme, die ich dadurch in mir habe, kann mir nicht mehr genommen werden, es gibt den schrecken und die trauer des weggehens, aber gerade eben, weil da etwas war, was der utopie nahe kam.

ich würde nicht aufgeben wollen, weil ich sie spüren will, diese freude. ich möchte eintauchen in die wogen des meeres. ja, es ist ein ganzes meer von liebe, das ich kenne, vielleicht die ahnung der ganzheit in mir, das, wie es sein könnte in dir, was ich da fühle.

verlassen ist nicht weggehen für immer, sich trennen heisst nicht alleine bleiben, nicht heute, nicht für uns. sind die herzen verbunden, verhindern die kilometer nicht den fluss der gefühle. und ein geistiges band unterstützt uns auf unseren verschiedenen wegen. *1984*

wahr-sein

die art wahrzunehmen, wenn mir bewusst wird, ich werde wieder weggehen. wie ich dann anfange, alles in mich aufzusaugen, färben, formen, licht, wie hier alles zusammenpasst, wie der rhythmus fließt, und ich weiß, so sollte ich immer leben, jedes ding, jede geste zu schätzen, wissen und aufsammeln für die zeit danach, wenn meine wirklichkeit eine andere ist und ich mich daran erinnere, dass ich glaubte, es könne niemals anders sein, als in eben diesem moment, nur weil ich ihn so stark empfand, aber die bilder verändern sich, sie werden nicht mehr wirklich, wenn die bilder dann ganz vergangen sind, merke ich erst, was ich mit ihnen eingefangen habe.... und wenn ich es will, kann ich über die gerüche, die bäume oder den fluss von damals zurückfinden zu meinem gefühl, als ich sie in mich aufzunehmen versuchte, jeden ort nehme ich auf diese weise wahr, durch meine abschiede habe ich diese art des wahrnehmens gelernt, es ist schwerer, wenn ich einfach nur da sein will, manchmal ist eine illusion so perfekt, dass ich selbst an sie glauben könnte. *1985*

Frauenbeziehungen und Rassismus
Freundinnen oder worüber ich immer so gerne mit dir gesprochen hätte.
bis jetzt war rassismus in meinen beziehungen zu frauen kein thema für mich, ich akzeptierte stillschweigend das tabu, das zwischen mir und meinen freundinnen bestand, manchmal fühlte ich mich sicher in dieser schattenzone des unausgesprochenen, konnte doch so jede von der anderen nur das beste annehmen, keine peinlichen gespräche brachten die freundlichen frau-zu-frau-schwingungen zwischen den freundinnen in disharmonie. doch manchmal, und das mit den jahren immer dringlicher, spürte ich eine bedrohung, die von diesem totschweigen ausgeht, mir wird bewusst, dass das nichtwissen um die ängste der anderen, diese ängste noch anwachsen lässt, auf beiden seiten werden sie übergroß und der versuch, sich darüber noch irgendwie zu verständigen bzw. sich diese ängste gegenseitig mitzuteilen, muss fehlschlagen. es wird schwieriger, umso enger, länger und näher eine bezie- hung ist, denn keine schafft mehr den sprung über den gedankenhaufen;

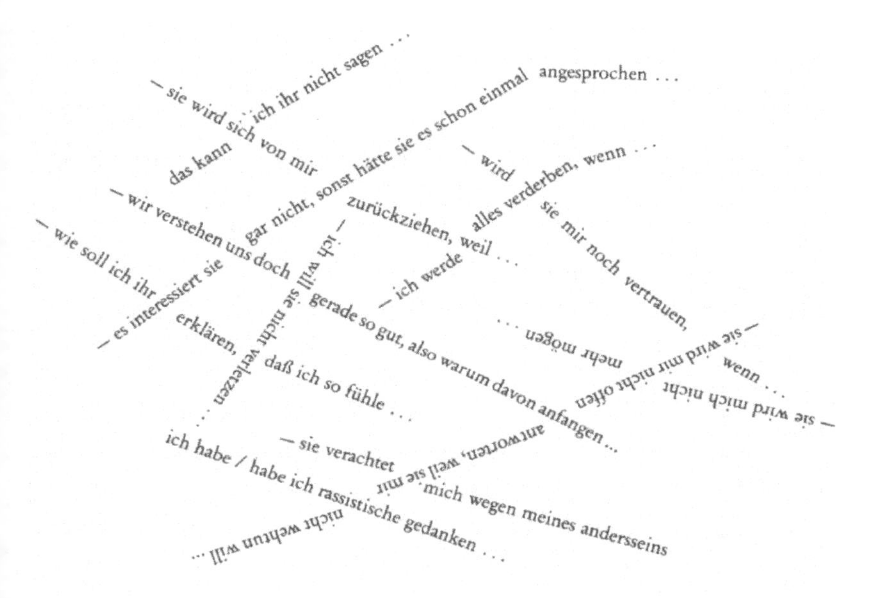

aber diese unausgesprochenen gedanken hinterlassen ihre wirkung und die kann der freundinnenschaft ganz schön zusetzen.
für mich war es am schlimmsten zuzusehen, wie meine freundinnenschaften am mangel an offenheit langsam austrockneten. das ist wie mitten in einer oase verdursten, weil wir sie für eine fatamorgana halten.

1984

Gespräch mit Katherina Birkenwald (23 Jahre) DDR (Raja Lubinetzki)

Ich wollte nie schreiben, ich konnte nie anders.

Wie bist du dazu gekommen, Gedichte zu schreiben?
In der Schulzeit, als ich ungefähr 14 Jahre alt war, habe ich immer afro-amerikanische Literatur gelesen, die ich in Bibliotheken entdeckt habe. Richard Wright, »Sohn Dieses Landes«, z.B. und James Baldwin – das war der Anfang der Bewegung »Black is beautiful«. Ich lebte nur von dieser Literatur. In der Zeit schrieb ich einmal etwas über meine Gefühle und Gedanken, und es kam in Form eines Gedichtes heraus. Dann hab' ich einen Haufen Gedichte geschrieben und sie meiner Deutschlehrerin gegeben. Sie sagte: »Du bist eine Begabung«, und wollte mich an das FDJ* -Poetenseminar empfehlen, machte dann aber nichts – ich war unheimlich enttäuscht, hab' nie herausgefunden, warum sie nicht mehr auf mich zugekommen ist.

In der 10. Klasse habe ich für meine Abschlussarbeit all meine Gedanken zu der afro-amerikanischen Literatur zusammengefasst, die ich gelesen hatte. Dann hab' ich irgendeinen Buchtitel draufgesetzt, und als ich gefragt wurde, wo das Buch sei, gesagt, ich könnte es nicht finden. Sie haben mir eine Eins für die Arbeit gegeben.

Hast du dich selber für zum Schreiben begabt gehalten ?
Nein, ich konnte mich nur so ausdrücken, weil es niemanden gab, mit dem ich reden konnte, weil ich mich unverstanden fühlte. Ein Lehrer sagte z.B. zu einem Gedicht, das ich über meine Mutter geschrieben hatte: »Warum so etwas Ernsthaftes?«

Damals habe ich auch afrikanische Literatur gelesen. Ich habe immer viel gelesen, und meine Mutter unterbrach mich oft, um mir irgendeine Hausarbeit zu geben. Ich hatte dann immer ein schlechtes Gewissen. Alle meine Verwandten waren so eingestellt, dass sie sagten, Schreiben ist eine brotlose Kunst.

Die Lehrer wollten mich nicht zum Abitur zulassen, ich hatte schlechte Disziplinnoten. So bin ich nach der 10. Klasse abgegangen und habe eine Schriftsetzerlehre angefangen. Verwandte hatten mir erzählt, man könne mit dem Beruf unabhängiger sein, und ich dachte, auf die Weise könnte ich alles vom Schreiben bis zum Drucken selber machen. Später wollte ich das Abitur nachmachen, wurde aber wieder nicht angenommen.

Die Lehre war enttäuschend: im zweiten Jahr wurde man schon für die Produktion eingespannt und ausgebeutet und lernte eigentlich nichts mehr dazu. Ich brauchte dann drei Jahre, weil ich es lustlos gemacht habe. Nach zwei Jahren fiel ich durch die Hausarbeit. Sie gaben mir daraufhin einen dreimonatigen Hilfsarbeitervertrag, der sich auf ein Jahr hinauszog. Dann haben sie mich rausgeschmissen. Die anderen haben sie für eine Umschulung übernommen, die Schriftsatzmaschinen, an denen wir gelernt hatten, waren nämlich zu diesem Zeitpunkt schon wieder veraltet.

Ich zog von einem kleinen Nest nach X ins Internat. Dort wurde ich »Rädelsführer« genannt. Ich sagte den Leuten, die da arbeiteten: »Ich bin nicht euer schwarzes Schaf«, da ich ihr Verhalten schon als rassistisch empfand. Ihre Reaktion war: »Wir sind keine Rassisten«. Das Thema Hautfarbe war im Internat ebenso tabu wie in der Schule und während der Lehrzeit. Im Internat sagten sie mir einfach: »Wir diskriminieren dich nicht, wenn du von Hautfarbe redest, ist das dein Problem.«

In der Zeit habe ich weiter geschrieben, wie es so rauskam. Das Schreiben war lebensnotwendig für mich. Wenn ich etwas schreiben *muss,* ist es, als wenn ich etwas von mir wegschneiden muss.

Durch die afro-amerikanische und afrikanische Literatur konnte ich mich wenigstens definieren. Meine Mutter sagte mir jedoch immer: »Das kannst du nicht machen. Die sind ganz woanders aufgewachsen, haben andere Probleme. Die werden wirklich diskriminiert.«

Beim Schreiben hab' ich immer alles so aus mir rausgeholt, es hat mir ja nie jemand Kritik gegeben.

Während der Lehrzeit hatte ich überlegt, dass ich Schauspielerin werden wollte. Da haben sie mir gesagt, ich würde mit meiner Hautfarbe nicht genommen. Es gab eine schwarze Schauspielerin, die hat keine Rollen bekommen, bis auf eine in einem Film. Sie hat nur regelmäßig ihr Gehalt erhalten und ist schließlich nach USA gegangen.

Bei der Arbeit habe ich einem Redakteur meine Mappe mit Gedichten gezeigt. Er fand sie gut und veröffentlichte eins. Er empfahl mir, einem Literaturzirkel beizutreten. Dort sagte mir dann ein Schriftsteller, das seien keine Gedichte, ich müsste über mein Schwarzsein schreiben. Wir trafen uns einmal in der Woche, und dann wurden die Sachen gelesen und mit seiner Kritik zerfetzt. Aber es war für mich eine Möglichkeit, aus meinem Milieu rauszukommen. Wir machten auch Fahrten zusammen, und ich lernte andere Menschen kennen.

Ich bin dann aus dem Literaturzirkel ausgetreten, und es war erstmal Sense mit dem Schreiben. Ich bewarb mich an der Bildhauerschule und nahm dort Abendkurse. Die Schule war nicht die beste, und ich hab' die Regelmäßigkeit zusammen mit der Arbeit, die ich haßte, nicht vertragen.

Ich bin dann nach Y gezogen.

Die Polizei holte mich wegen angeblichem »asozialem Verhalten« von der Arbeit ab. Ich verbrachte eine Woche im Gefängnis und fing dort wieder an, zu schreiben. Die Wärterin sagte, ich könnte die Sachen mitnehmen, dann nahm sie sie mir ab, als ich entlassen wurde.

Dann hatte ich eine Stelle in einem Fotolabor. Ich habe dort ein halbes Jahr gearbeitet und dann gekündigt. Es kam eine Zeit, in der ich viel mit anderen, die auch arbeitslos waren, zusammen war. Auf der Suche nach Arbeit landete ich in einer Gärtnerei. Ich wollte die Stelle unbedingt kriegen und brachte die Frau dazu, mich anzustellen. Sie sah mich und sagte sofort: »Nein«. An dem Punkt fing ich an zu heulen, und dann nahm sie mich doch. Dort rannte ich immer mit einem Schubkarren rum, es kam mir vor wie Sklavenarbeit auf dem Feld. Sie kritisierte häufig meine Lebensart mit Sätzen wie: »Du musst zurück in den Busch«. Ich nickte immer dazu. Irgendwann reichte es mir, und ich ging. Danach hing ich wieder zwei Monate rum. Jetzt arbeite ich als Haushaltshelferin. Die Frau, bei der ich angestellt bin, muss sich schon vieles von Bekannten anhören, wie z.B.: »Na, was macht dein Neger zu Hause?« Das sind häufig Intellektuelle. Kürzlich veranstalteten wir eine Lesung, bei der ich auch meine Sachen vortrug und wo einige andere Afro-Deutsche anwesend waren. Es waren Intellektuelle, die von der Lesung mit den Worten weggingen: »So eine Scheiß-Nigger-Lesung, Nigger und Schwule.«

Kannst du etwas über deine Kindheit erzählen?
Meine Mutter war nicht mit meinem Vater verheiratet. Sie ließ mich im Krankenhaus liegen. Mein Vater versuchte dann, die Staatsbürgerschaft von seinem Heimatland Kamerun für mich zu kriegen, aber das wurde nicht genehmigt. Er brachte mich zu einer Bekannten, die wirklich gut zu mir war. Die Leute wussten nicht, dass ich nicht ihr Kind war. Sie wurde von Verwandten und Leuten im Dorf als »Negerhure« beschimpft.

Meine Pflegemutter hat mich immer ungeheuer verteidigt. Auch gegen Kinder, die von ihren Eltern aufgehetzt wurden, weil ich diese Hautfarbe hatte und meine Mutter eine Nutte sei. Die Leute im Haus gingen zur Jugendhilfe und sagten dort, meine Mutter könnte mich nicht erziehen. Man fragte mich dann, ob ich nicht lieber ins Heim wollte. Ich hatte viele Prügeleien mit anderen Kindern, einmal wurde ich so zusammengeschlagen, dass ich operiert werden musste. Als Kleinkind hatten mir die Leute noch ständig Bonbons gegeben mit den Worten: »Wie süß, die Kleine.« Meine Mutter sagte ihnen, sie sollten das lassen. Später lehnten mich Erwachsene immer ab. Sie lächelten mir freundlich ins Gesicht, aber hinter meinem Rücken redeten sie. Die einzige, die anders war, war eine Lehrerin. Sie hat mich unterstützt, hat mich im Unterricht mit Strenge gefördert und sich dafür eingesetzt, dass ich Gelder von der Jugendhilfe bekam. Ich bin oft nach der Schule nach Hause gegangen und habe stundenlang gemalt. Oder ich habe mich zur Führerin von Gruppen gemacht, so dass alle vor mir gezittert haben.

Geld war ein Problem. Meine Mutter wurde aufgrund einer Herzerkrankung zur Invalidin. Mein Vater zahlte erst nach einem Gerichtsverfahren für mich, meine richtige Mutter hat nie etwas gezahlt. Meine Pflegemutter hatte mich nicht adoptiert. Später, als die Jugendhilfe mich ihr wegnehmen wollte, konnte sie mich nicht mehr adoptieren, weil sie ihr dann die Gelder gestrichen hätten. Sie bekam 270,- Mark für sich und 90,- für mich.

Als ich 14 Jahre alt war, erzählte mir meine Pflegemutter, dass sie nicht meine Mutter sei. Mein Vater, der weiter in Deutschland lebte, meinte, ich müsste meine richtige Mutter kennenlernen. Sie wohnte in der Nähe, und ich besuchte sie. Sie wurde fast ohnmächtig, als sie mich sah. Das war ein ungeheures Erlebnis. Ich blieb zwei Tage da. Sie versuchte, sich zu rechtfertigen und schob die Schuld auf meinen Vater. Nach meiner Geburt hatte sie noch zwei Mädchen von ihm. Eine hat sie behalten, die andere zur Adoption abgegeben. Sie ist jetzt in den USA. Mein Großvater war faschistoid, er behandelte meine Schwester schlecht. Meine Mutter hatte keinen Mut, mich zu behalten. Meine Schwester hat viel Diskriminierung erfahren. Sie brach ihr Studium ab und heiratete.

Meine afrikanischen Onkel besuchten mich manchmal. Sie regten sich auf, dass mein Vater mich so hängenließ. Mit 10 oder 12 Jahren habe ich ihn dann zum ersten Mal gesehen. Er hatte ein schlechtes Gewissen. Ich habe nicht viel mit ihm über mein Leben geredet. Er wusste, dass es hier Diskriminierung gibt, aber die einzige Alternative war, nach Afrika zu gehen. Er hatte Kinder mit seiner neuen Frau. Die wollte nichts von mir wissen und mochte mich nicht. Ich fuhr dann öfter nach Y zu Besuch zu ihm. Er ging mit mir zu Verwandten, wo wir Sekt tranken. Ich kehrte immer mit einem Haufen Komplexe in die Provinz zurück.

Graue Tragik

Du fühlst, sagst du, Mama, weil du denkst.
Papa, du sagst, du denkst, weil du fühlst.
Schrecklicher Zerreiß der Kindheit, einzig klares Auge.

Zerfluss aller Begierden, Vergessbeding aller Schmerzen.
Kindheit: sonnige Flügel flattern, unhörig dem Brand
dem so heißen Brand der Umweltstrahlen.

Schnaps auf den fahrenden Zug von Flüchtelein.
So jeder leidet unter seinen Gewohnheiten.
Festhalt. Leben spüren.

Und ich dazwischen, mama und papas ausgesprochene
gesten, standhaft wie mauern, ich platzangstleidene.

Oh mein Wüstensehn. Die weiten Wüsten ohn Denk, ohn
Fühl-Spaltung.
Nur Anpassen, ohn Sohlverbrenn.
Aha, ich versteh. Ich versteh ohn weinen, ohn Lächeln,
ohn Begehr, denn gar mehr.
Mehr war Meer Mehr.

Und ich dazwischen all den feststehenden Winden in
Wüsten. Abhängig von Analysen des Gestern, Vorgestern,
Vorgeburten, Nachgacken.

Leere, die keine ist.
Grau, meine Anerkennung. Und Verbot hier Sein zu dürfen.
Ohn Klag.

geburt

Spiegel barsten, gewohnheitshäute platzen
pigmente entsetzt übergestrichen
mittelmäßige äugen lynchen, böshassende spräche reißen
Stempel geprobte worte bäume, blutschlingende gräser reißen
mulatte ist geboren
mulatte ist da
krausgewellte haare brechen
negroeuro rhythmen sich schämen
notenverlassne lieder schweigen
mulatte ist geboren
mulatte ist da

klage

etwas in mir so unerreichbar
selbst lippen ruhn im weinen
etwas in mir das ich nicht weiß
denn ablehnende blicke spür und
tritte in seel und körper auch
etwas in mir dass ich mich nicht
lieben mehr kann
was in mir lechzt nach liebe
doch werd ihrer ich verbannt

ruf

junger mulatte du dich ruf ich
hoffnungsgesalbten nach schmerzensbade
dich ausgestoßener unter ausgestoßenen
deinem zagen deinem bangen gesellt sich mein ruf
du kein fleckchen erd dein nennen kannst ruhn
doch deiner ahnen traditionen fern einander
dich der du gingst den langen weg allein
abfallaufsammler heimatloser klagender blick
ruf ich verlassenere stark zu einen das
unvereinbar galt widerspruch dessen was war und ist
wahnsinnsgespaltener zwischen
fühl und denken wo vermocht denken
allein trommel wecken wo fühln
allein ein satz etwas schreiben
wirst du kaum verstandner wirst
lernen dich zu verstehn in deinem
denken und fühln und dirigieren
den tausendgewaltigen chor deiner träume

lied

ich bin
reißer europäischen bewusstseins
wiederkehr der trommel
pfeifen des jaguars morgens
im aufbrechen hunger erbrechend
ich bin
geweitete hoffnung irrender
in zimmern geschlossner gerüche
haltloses drängen nach mehr
und neuem

bin ich suchendes auf altem entwunden
stau künftigen wissens ein hallendes buch
der pflanze dürstende wurzel in windesarmen
keim hin fruchtgen böden
der vögel flug im frühjahr
nester baum aus saftgen blättern

Dass ich Neger ward mir lang eingebläut.
Helles Erstaunen. Graues Sein. Und etwa (nicht doch)
Tränen, katastrophaler Tränensturz, ungehindert der
Jahreszeiten. Der allmächtigen. Die Liebe latscht
in vier Winden.

Ich werd sie doch nicht herauskatapultieren aus
den Kaffeeängsten der Isolation.
Bitte? Bitte? Ich verstehe nicht, was ich erzähl.
Seit ich Dich suche, rundherum Häute, Mägen schrump-
fen, soll mir alles recht sein. Außer fremdarbeiten
in diesen sich überfressenden Gedärmen hilfloser
Begierden.
Ich sitze da, draußen Vögel trällern.
Und weine stumm.
Entschuldigung.
Mehr vermag ich nicht und »keinen» trifft Schuld.

Todmärtyrer. Die Zeiten haben sich still geruht im
grauen Gehirngewäsch.
Identifizieren ...
Ach, stille! Trau mir mich zu. Trotz schändlicher
Urteile. Alle Welt wagt urteilen. Nur sich selbst
vergisst sie drinne.
Ich hab Dich im Suff geküsst. Mutiges Sein, wo man
nicht Sein wagt, ohn Scheiß-Fingerzeig-Ängste.
Ich verabscheue Anarchie. Lieblingsfarbe grau.
Wenn sie nicht sein muss, die Anarchie.

Beschäftigung: einerseits – mich sammeln in Zerstreuungs-
bestimmungen.
Und du?

wollen wir Liebe nicht etwa suchen,
ich bin Dir ausgeliefert. Dein Neger.
Darf ich Dein Neger sein…

Ansonsten fühl ich mich heute frei. Dein Neger sein,
dein allein, für alles andre hab ich den Sinn verloren.
Diese schrecklichen Spiegel der Antisentimentalität.
Anarchie und Müttertatsche wechseln sich ab, steigen
und fallen, zerreißen mich. Lass mich mich versammeln.

Warum bin ich Dir Verloren? Schreiben, allein sein,
ohn widersinnig, unfertges Gewäsch von einsam sein
oder nicht.
Ich brauch das Getriebe der Deutsch-Mentalität-
Maschinengeschrubbe, ausgefranste Münder, die Glauben
lauschen, ohn Skrupel vergewaltigten Ohren.
Die Kunst und all Einbildung der Besserwisser leckt
mich am Arsch. Ich werd mich in Wüsten begraben oder
ekstasisch tanzend umfallen, Häute bändigen, Innenschrei.

deutsch mutterland
negride züge reißen
Straßenlächeln beißen

kalte äugen weisen
tanz traumige erinnrungen
umreißen sinnlos bedauern
züchtger kunft

wer liebte dich mehr
wars innre verstoßen
meine liebe kennt
nicht maß mauern

sinnlos fußbegierde
winterschweiß perlen
tropfen wie seele
körperlos verdammt

deutsch mutterland
Verzeihung bittet nicht liebe

meine mama sagt
gräm dich nicht in
bösen stunden
ewiglich

nicht wahr mama
unser ist die kindheit
ruhige im garten wo du
sangst die

Schäfchenherden
wolken drohen
blaue dächer der
liebe

so warte mama
du hast mich blind
gestoßen aus deiner
liebe leib in kalte weiten

so warte mama
ich hör deine äugen
allein aus kalten beten
starrend wie sterbend
verurteilt nein
das will ich nicht

so warte mama
meine hände halten dich
ohn dich ward ich nicht
ohn mich wirst verlassen
du nicht in gräber ziehn

ach arm is me beudel
un me briefkasten is leer
e olt fetzen in der tasch
drof e stückel liebesmähr

und klopp ich off me och
regnets überoll neen
freunde soofen alleen
un ich sitz hier un ween

ach arm is me beudel
un me herze tut weh
als sei ich ne oll greisin
alleen lieche offn kanapee

ich bin ja ne deudsch
un exotika bin ich och nich
ich weeß nich wohin un
zurück kann ich och nich

ach arm is me beudel
un me briefkasten is leer
e olt fetzen in der tasch
drof a stückel liebesmähr

wo aber soll ich sterben mutter
in des Zufalls heimen dunkel
irrenden pfaden des tarn tams
verhöhnten klängen neugieriger
sensationsblätter in lautren
pflastergeplärrs berlins

wo aber soll ich sterben mutter
ob berlin etwa paris nirgends
ein baum deiner hände freude deutet
in trüben sommern Schweißperlen
gerillen unter fremden dächern

wo aber soll ich sterben mutter
wie judas irr ich umher und starb
tausendmal in farbigen lüften
des einen stroms der liebe speit
und ich wurd verlacht in meiner
ohnmacht die Spiegel auch ward
ihrer menschengeschwister
versteckte tränen in einsamen nächten

Gloria Wekker

»Überlieferinnen: Porträt der Gruppe Sister Outsider«

Die schwarze lesbische Frauengruppe Sister Outsider in Amsterdam besteht aus vier Frauen: Tania Leon, Ex-Sportlehrerin, Ex-Gemeindepflegerin, schult sich jetzt um zur Finanzberaterin so manchen Frauenbetriebs und ist Schatzmeisterin des ersten kürzlich eröffneten Informationszentrums für schwarze Frauen und Migrantinnen in Amsterdam; Tieneke Sumter, Sozialarbeiterin, macht Tai-Chi, ist Vorsitzende von SUHO, der Stiftung surinamischer Homosexueller in den Niederlanden, und spielt Conga in einer schwarzen Frauen-Percussionsgruppe; Joice Spies, Lehrerin für allgemeine musikalische Bildung in einer Grundschule, studiert Klassischen Gesang am Konservatorium, gibt Gesangsstunden und tritt regelmäßig mit eigenen Liedern auf, wobei sie sich selbst auf der Gitarre begleitet; und Gloria Wekker, Anthropologin, Beamtin im Amt für Minderheitenangelegenheiten bei der Stadt Amsterdam, schreibt Poesie und Prosa und ist eine Schönwetter-Radrennfahrerin.

Gemeinsam ist uns, dass wir schwarz, lesbisch und streitbar sind; ansonsten sind da vor allem Unterschiede, die manchmal für Gewitterwolken am Gruppenhimmel sorgen, die meistens aber auch sehr spannend sind. Sister Outsider hat zum Ziel, schwarze Frauenkultur im allgemeinen und schwarze lesbische Kultur im besonderen sichtbar zu machen und zu verbreiten.

Da wir aus drei Kontinenten, Afrika, Asien und Latein-Amerika, kommen, haben wir schon mal überlegt, dass uns, würden wir das »Quartettspiel der ethnischen Gruppen« spielen, nicht so schnell die

Karten ausgehen würden: Jüdische Oma, indischer Vater, afro- javanische Mutter, chinesischer Opa, indianisch-kreolische Mutter, Farbige vom Kap; das haben wir alles in der Familie.

Vier schwarze lesbische Frauen, deren Anwesenheit in den Niederlanden, in Amsterdam und schließlich in der Gruppe Sister Outsider mehr als reiner Zufall ist: Die koloniale Vergangenheit, sei es die ferne oder die nahe, hat damit sehr viel zu tun. Der oft zitierte Satz »Wir sind hier, weil ihr dort wart« hat noch nichts von seiner Aussagekraft eingebüßt. Aber es ist noch mehr. Unsere eigenen Geschichten, mögen sie auch noch so individuell gefärbt sein, sind auch soziale Dokumente. Sie erzählen von mehr als nur von uns selbst; sie erzählen auch etwas darüber, wie die Gruppen, zu denen wir gehören, in die Niederlande gekommen sind. Sie beleuchten die Sozialgeschichte der Migration und das Schicksal dieser Gruppen in den Niederlanden. Natürlich repräsentieren die Sister Outsider-Frauen nicht alle Migrantengruppen, »internationalen Pendler« oder welcher andere euphemistische Begriff auch immer für uns gefunden wird: Wir sind ein Teil der Gruppierungen, die sich selbst mit dem politischen Begriff »schwarz« bezeichnen und haben miteinander gemeinam, dass wir aus Ländern stammen, zu denen die Niederlande ein koloniales Band haben oder hatten. Zusammen machen die Gruppen, zu denen wir gehören, 50% der ungefähr 700.000 »Neuankömmlinge« aus, die sich nach 1950 in den Niederlanden niedergelassen haben.*

* In unserer Gruppe sind (noch) keine Frauen aus den Ländern rund um das Mittelmeer, aus den sogenannten Werbungsländern, aus denen die Niederlande seit Anfang der 60er Jahre Arbeitskräfte für die expandierende Wirtschaft geworben haben. Die Menschen aus der Türkei, Marokko, Italien, Spanien, Jugoslawien bilden die übrigen 50 % der »Neuankömmlinge«. Zu bedenken ist, dass die Zahl 700.000 nur die Menschen umfasst, die zu den sogenannten Minderheiten gezählt werden. Amerikaner, Japaner, Engländer, Deutsche usw., die sich ja auch in großer Zahl nach 1950 in den Niederlanden niedergelassen haben, werden hier nicht mitgezählt.

Koloniale Vergangenheit
Überfliegt man die Geschichte der »niederen Lande am Meer«, so kann man feststellen, dass die sehr unternehmungsfreudige Bevölkerung seit dem 15. Jahrhundert in alle Himmelsrichtungen ausschwärmte, um Absatzgebiete für den Handel ausfindig zu machen, Sklaven aus Westafrika in die Neue Welt zu verschiffen, Reichtümer andernorts zu plündern und davon die Grachtengebäude, die Amsterdam heute noch zieren, bauen zu lassen. Kaffee, Kakao, Gummi, Diamanten, Zucker, Baumwolle, Pfeffer, Holz, Gewürze: Vermögen hat dies alles eingebracht auf den Amsterdamer Märkten. Im 17. Jahrhundert erreichte die Republik der Sieben Vereinigten Niederlande ein Wohlstandsniveau, das es zum reichsten Land der Welt machte, und noch heute gehören die Niederlande zu den reichsten Ländern der Welt.

Eine entscheidende Rolle hat dabei die Handelsflotte gespielt. Die Vereinigte Ostindische Kompanie herrschte über die Weltmeere, vom Kap der Guten Hoffnung bis nach Japan, und ihr Schwesterunternehmen, die Westindische Kompanie, hatte das Sagen über das Gebiet, welches später als »The Middle Passage« bezeichnet wurde. Die Handelsflotte und die Einwanderer bemächtigten sich im Rahmen der Expansion des niederländischen Reiches der Überseegebiete als billige Produzenten wichtiger Rohstoffe und als Absatzgebiete für in Europa produzierte Waren. Südafrika, Indonesien – »der Gürtel von Smaragden« – und der Westen (Surinam und die Niederländischen Antillen) haben ihren Beitrag zum niederländischen Wohlstand geleistet. Südafrika ist den Niederlanden in einem sehr frühen Stadium formal verloren gegangen, doch die wirtschaftlichen Beziehungen, die die Niederlande bis heute zu Südafrika unterhalten, und die familiären Bande zu Südafrikanern sorgen dafür, dass Südafrika im Herzen vieler Niederländer immer noch seinen Platz hat. Indonesien wurde 1949 nach heftigem Kampf unabhängig. Surinam ist 1975, nach vier Jahrhunderten Kolonial-Status, zwar politisch unabhängig geworden, aber die faktisch unveränderten Verhältnisse werden deutlich in der Tatsache, dass die Niederlande es sich erlauben können, die vertraglich festgelegten Entwicklungsgelder zu blockieren, weil in Surinam 1982 Entwicklungen stattfanden, die ihnen nicht passten.

Die Niederländischen Antillen – »sechs Perlen in der Karibik« – schießlich sind noch immer in einem Königreichsverbund mit den Niederlanden vereinigt.

Wir sind hier, weil ihr dort wart

Die niederländische Geschichte zieht ihre Linien bis in die Gegenwart, beeinflusst Frauenleben hier und jetzt. Zuerst die Geschichte von Tania, der einzigen von uns, die, als sie 27 war, selbst den Entschluss fasste, ihr Land zu verlassen, und jetzt als »freiwillige« Verbannte in den Niederlanden zu Hause ist.

Tania erzählt:

»Ich bin aus verschiedenen Gründen aus Südafrika weggegangen. Als ich fortging, war für mich noch alles völlig verworren. Erst später habe ich die Dinge auf die Reihe bekommen und übersehen können. Da war der Unfrieden, das Gefühl, dass der Ort, in dem ich lebte, zu klein war.

Ich fühlte mich ganz bedrückt: die Frustration, unter einem solchen Regime zu leben, dazu die Beklemmung und Unsicherheit, weil ich lesbisch bin. Ich hatte drei Jahre ein heimliches Verhältnis mit einer Frau. Wir mussten den Schein, gewöhnliche Freundinnen zu sein, aufrechterhalten und konnten mit niemandem Probleme oder Freude teilen. Ich ging weg und habe Abschied genommen, aber ich habe meine Geliebte zurückgelassen. Bei dem Entschluss wegzugehen, haben drei Gründe eine Rolle gespielt: das Schwarz-sein, das Frau-sein und das Lesbisch-sein. Sie sind so fest miteinander verwoben, dass ich sie nicht auseinanderreißen kann. Es war wirklich eine Wahl, auch mein Lesbisch-sein nicht länger zu verstecken; ich wollte so nicht mehr leben, ich wollte zum tiefsten Kern meines Mensch-seins kommen, und dazu mussten alle Barrieren eingerissen werden. Zuerst bin ich nach Dänemark gegangen, wo ich Freundinnen hatte. Dort arbeitete ich in einem Restaurant, ich machte in der Küche sauber; aber das war nichts. Ich wollte weiter lernen, denn meine südafrikanischen Zeugnisse wurden in Dänemark nicht anerkannt. Die Ausbildung von Schwarzen in Südafrika ist noch immer von schlechter Qualität. Ich fand es sehr schwer, Dänisch zu lernen. Außerdem brauchte ich Geld, denn für ein Stipendium kam ich nicht in Betracht. Dann traf ich im Dänisch-Unterricht eine Holländerin, und durch sie entstand die Idee, in die Niederlande zu gehen. Bei dieser Entscheidung hat auch eine wichtige Rolle gespielt, dass ich von Haus aus Afrikaans spreche, was dem Niederländischen sehr ähnlich ist. Wenn du die Sprache des Landes, in dem du lebst, nicht sprichst, bis du isoliert und abhängig; es ist nicht gut für dein Selbstwert- und Sicherheitsgefühl. Ich wohne jetzt 13 Jahre hier.«

Anders ist die Geschichte von Joice, die von dem »Gürtel von Smaragden« stammt: »Die Entscheidung, in die Niederlande zu gehen, habe ich nicht selbst getroffen. Ich war neun Jahre, als meine Mutter, die Witwe war, mit meinen beiden Brüdern, meiner Schwester und mir in den Niederlanden ankam. Es war kurz nach der Überschwemmungskatastrophe in Zeeland, 1953, daran kann ich mich noch erinnern. Meine Mutter war mit einem niederländischen Soldaten verheiratet.

Nachdem Indonesien unabhängig geworden war, hatte sie die Wahl zwischen der indonesischen und der niederländischen Nationalität. Sie wählte die niederländische, und das bedeutete, dass wir hierher kommen mussten. Meine Mutter selbst war eine afro-javanische Frau, aus Salatiga stammend, wo auch ich geboren bin. Über diese Bevölkerungsgruppe, die Afro-Javaner, ist sehr wenig bekannt, aber es ist so: Zur Zeit König Willems III. (1849-1889) haben die Niederländer afrikanische Junggesellen, u.a. Ashanti, nach Indonesien gebracht, damit sie in der Königlich-Niederländisch-Indischen Armee Dienst leisten. Nach einem kurzen Zwischenaufenthalt in den Niederlanden, wo sie christianisiert und zu Soldaten gedrillt wurden, mussten sie als Vorhut der Armee den Atjeh-Aufstand niederschlagen. Die Atjeher waren ein Volk in Sumatra, die sich der niederländischen Herrschaft nicht beugen wollten und revoltierten. Wenn man im nachhinein überlegt, wie erfinderisch das koloniale System arbeitete, wie schwarze Menschen gegen andere schwarze Menschen eingesetzt wurden, dann wird einem ganz schlecht. Aber gut, die afrikanischen Junggesellen heirateten javanische Frauen, und über einige Generationen heirateten die Afro-Javaner nur untereinander. Die Gruppe wurde Item-Blanda genannt: die schwarzen Niederländer. Erst die Generation meiner Mutter fing an, Niederländer zu heiraten. Mein eigener Vater aber war ein Inder, ein Sikh, wodurch ich afro-javanisch und indisch bin. Ich habe ihn selbst nie kennengelernt und erst als ich schon älter war, erfahren, dass ich nicht denselben Vater habe wie meine Brüder und meine kleine Schwester. Das ist in unserer Familie übrigens nie ein Problem gewesen, aber ich fühlte mich doch immer anders, ganz »östlich«. Mir gefielen auch andere Dinge, Essen oder Farben z.B., als den anderen. Als meine Mutter sich mit einem Niederländer wiederverheiratete, veränderte sich viel für mich. Mein niederländischer Vater ist sehr wichtig für mich gewesen, weil er meine Art zu leben und zu denken stark beeinflusst hat. Durch ihn fiel eine Last von mir ab. Er war mein Schild vor der Außenwelt, er legitimierte meine Anwesenheit in den Niederlanden.«

Die Geschichte von Tieneke und Gloria, die beide in Surinam geboren sind, zeigt Übereinstimmungen, aber es gibt auch Unterschiede, seien es auch nur die verschiedenen Zeitpunkte, zu denen sie in den Niederlanden eingetroffen sind, 1969 und 1951.

Tieneke sagt darüber:

»Ich bin hierher gekommen, als ich sechs war. Mein Opa und meine Oma mütterlicherseits wohnten schon hier, also zogen wir erst einmal zu ihnen. Einer der Gründe, warum wir hierher kamen, war, dass die Brüder meiner Mutter in Surinam nicht mit der Art und Weise einverstanden waren, wie meine Mutter lebte und mich erzog. Meine Mutter ist nämlich auch lesbisch, und ihre Brüder haben sie verstoßen und gedroht, mich ihr wegzunehmen, wenn sie ihr Leben nicht ändern würde. Außerdem wollte meine Mutter, dass ich mehr Chancen zu studieren habe als sie. Sie war die jüngste von elf Kindern und ist nie zur Schule gegangen, Lesen und Schreiben hat sie sich selbst beigebracht. Du kannst dir also vorstellen, wie meine Mutter sich gefühlt hat, als ich letztes Jahr mein Examen an der Sozialen Akademie bestand. Dieses Examen war für *sie;* ich war froh, dass ich nun endlich getan hatte, was sie von mir erwartete, nämlich das Studium abzuschließen, und dass ich nun anfangen konnte, für mich selbst zu leben. Es war für meine Mutter der Tag, an dem ihre Arbeit getan war, auch hinsichtlich der Verwandtschaft, die doch immer mit Argusaugen beobachtet hat, was aus mir wohl wird. Es wird in meiner Familie nicht wirklich offen über mein Lesbisch-sein gesprochen; sie werden es jedoch wissen, da ich Vorsitzende von SUHO, der Stiftung surinamischer Homosexueller bin und aus diesem Grund manchmal im Licht der Öffentlichkeit stehe. Noch nie hat jemand aus der Familie ein Wort darüber verloren, aber »Gott hört sie brummen«. Jetzt, wo ich mit meinem Studium fertig bin, ist meine Mutter wieder nach Surinam zurückgegangen, zu ihrer Geliebten, die sie schon 30 Jahre kennt. Sie hatte sie dort zurückgelassen, als wir in die Niederlande zogen. Ich kann mich noch aus meiner Jugend erinnern, dass ich mehrere Mütter hatte, Freundinnen meiner Mutter, die auch Kinder hatten, bei denen wir dann ab und zu für einige Wochen zu Besuch waren. Auch in den Niederlanden setzte sich dieses Muster fort. Ich bin tatsächlich in einer surinamischen Frauengemeinschaft aufgewachsen, aber Mama Tine, die große Liebe meiner Mutter in Surinam, war die wichtigste, sie ist wirklich meine zweite Mutter. Ich bin froh, dass die beiden jetzt wieder zusammen sind, obwohl ich meine Mutter auch vermisse.«

Und Gloria:

»Wir kamen 1951 in den Niederlanden an. Vater, Mutter und fünf Kinder, von denen ich die jüngste war. Als unwissendes Kind wurde ich auf einmal aus dem tropischen Paradies Surinam gerissen. Es war die Zeit des Wiederaufbaus nach dem Krieg, und ich weiß noch, dass wir zu siebt in einer Zwei-Zimmer-Wohnung irgendwo in der Amsterdamer Innenstadt lebten. Wir kamen hierher, weil mein Vater studieren wollte. Er war 28 und ehrgeizig, und in Surinam hatte er die Spitze schon erreicht, Leiter der Kriminalpolizei in Paramaribo. Mehr war nicht drin, sofern er nicht weiterstudieren würde. Das höchste Ausbildungsniveau in der Kolonie war zu jener Zeit MULO*. Der sozialen Infrastruktur von Surinam wurde seitens der Kolonisatoren nie sonderlich viel Interesse entgegengebracht. Sie gingen davon aus, dass diejenigen, die studieren konnten, schon ins »Mutterland« kommen würden. Natürlich war das nur einer Elite vorbehalten.

Es gab damals die Möglichkeit, mit der ganzen Familie ein Jahr Urlaub im »Mutterland« zu machen, wenn man eine bestimmte Zeit lang als Beamter gearbeitet hatte. Wir bekamen diesen Urlaub auch und sind dann eben für immer geblieben, auch deshalb, weil meine Eltern wollten, dass ihre Kinder die Möglichkeit haben zu studieren. Das hat auch ganz gut geklappt, aber wie es in einer Mittelschichtfamilie dann so geht: Für die Jungen war das Studieren doch wichtiger als für die Mädchen. Ich als jüngstes Mädchen bin dem Haushalt gerade noch entkommen. Ich habe *die* Schule vieler wohlerzogener lesbischer Frauen absolviert: Nonnenschulen im Süden des Landes.

Zu der Zeit, als wir gerade hier wohnten, gab es nur wenige Ausländer, geschweige denn ganze ausländische Familien. Auf der Straße wurden wir voller Rührung angestarrt und angefasst; sie wollten wissen, ob unsere Locken auch echt waren: »Wir schienen wie Puppen«. Zu uns nach Hause kamen, so arm wir zu Anfang auch waren, immer surina- mische Studenten, die hier ohne Verwandtschaft waren, zum Essen. Wir waren in den 50er Jahren eine sehr kleine Gemeinschaft, in der jeder jeden kannte.«

Entwicklung einer Identität

Trotz unserer unterschiedlichen Hintergründe gibt es eine Reihe gemeinsamer Erfahrungen zu entdecken, die schließlich dazu führten, dass wir in Sister Outsider zusammenfanden. Für Joice, Tieneke und Gloria, die ihre Jugend in den Niederlanden verbrachten, war eine rassistische Erfahrung, die sie so ungefähr im 18. Lebensjahr machten, eine wichtige und schmerzhafte Konfrontation. Zufall vielleicht, dieses 18. Lebensjahr, aber eine Tatsache ist, dass es für eine Schwarze, die in den Niederlanden mit ihrer dominanten liberalen Gleichheitsideologie, ihrer Vereinheitlichung unterschiedlicher gesellschaftlicher Lebensanschauungen und ihrer sprichwörtlichen Toleranz – die dir bei passender und häufiger bei unpassender Gelegenheit vorgehalten wird – aufgewachsen ist, sehr schwierig ist, die Einsicht und die Begrifflichkeiten zu entwickeln, Erfahrungen als rassistisch zu benennen. Es kostet Zeit, es erfordert Mühe, und es steht im Gegensatz zu allem, was man gelernt hat, sich vor Augen zu führen, dass es Rassismus auch in den Niederlanden gibt. Ja, in Südafrika, in Amerika, sogar in England und Deutschland, aber in »unserem eigenen« Land kommt Rassismus doch nicht vor. Das ist nun wieder typisch für eure Überempfindlichkeit. Wie oft haben wir das gehört und wie oft werden wir es noch hören müssen?

Blicken wir zurück auf unsere Jugend, gilt für uns drei, dass es schon früher Erfahrungen gab, die zumindest unangenehm waren und die, durch eine schärfere Brille gesehen, rassistisch genannt werden können. Beschimpft werden als dreckiger Nigger und mit ähnlichen Nettigkeiten; deine Aussprache als Quelle großer Heiterkeit, auch unter den Lehrern. Dass du zu spät zur Schule kamst und dass du deine Hausaufgaben mal nicht gemacht hattest, von den Sachverständigen in der Schule als zusammenhängend mit deiner surinamischen Herkunft erklärt bekommen; keine Erfahrungen, die fröhlich stimmen. Auch war es nicht besonders schön, immer die einzige Schwarze in der Klasse zu sein, weil es dir das Gefühl gab, dass du nicht abgucken und andere unerlaubte Sachen anstellen durftest.

Aber die wirklich erdrückenden Erfahrungen kamen später. Tieneke wurde der Zugang zum Haus ihrer ersten Geliebten verboten, als der Vater von L. sie bei einer Liebkosung erwischte. Nicht die Tatsache, dass seine Tochter lesbisch war, lag dem Mann im Magen, sondern dass es nun unbedingt eine Schwarze sein musste. Joice erinnert sich, dass sie sich in der Familie von Zwillingsschwestern, die sie aus der Schule und der reformierten Kirche kannte, sehr wohl gefühlt

Von links nach rechts: Tania León, Gloria Wekker, Joice Spies, Tieneke Sumter

hatte. Sie besuchten sich häufig, blieben zum Schlafen, teilten Liebe und Leid. Groß war dann auch Joices Verwirrung, als die Mutter der Schwestern ihren Töchtern sagte, dass sie es sich nicht einfallen lassen sollten, jemals mit einem indonesischen Freund nach Hause zu kommen; die taugten ja doch nichts, diese Mischlinge! Gloria ging, als sie 18 war, für ein Jahr zum Studieren in die USA. Gegen Ende des Jahres verbrachte sie ein paar Tage bei einer Familie in New Jersey, die sich irgendwie sonderbar verhielt, sehr desinteressiert. Plötzlich hörte sie die Mutter der Familie am Telefon sehr ausführlich erzählen, dass sie damit gerechnet hatte, eine Studentin aus den Niederlanden ins Haus zu bekommen und nicht, dass ihnen eine Schwarze aufgehalst werden würde, die nun von ihren Tellern essen und in ihrem Bett schlafen müsste.

Vor allem für Joice und Gloria, die seit Anfang der 50er Jahre in den Niederlanden sind, ist die Entwicklung eines Bewusstseins über Rassismus nicht nur durch die Tatsache erschwert worden, dass es wenig schwarze Menschen gab, sondern auch dadurch, dass bei diesem Strom Migranten Anpassung als Überlebensstrategie hoch im Kurs stand. Wir wurden wirklich mit doppelten Botschaften erzogen: wenn du in der Gesellschaft vorankommen willst, musst du dich so niederländisch wie möglich verhalten, nicht zu sehr nach Knoblauch stinken, nicht allzu freigiebig und gastfreundlich sein, denn dann würdest du für verrückt gehalten werden, und in deinem Verhalten, deiner Kleidung und deiner Aussprache so weiß wie möglich scheinen. Auf der anderen Seite klang aber auch ganz deutlich die Botschaft durch, dass wir ja doch besser seien als die Niederländer, sie würden sich nicht waschen, seien ganz einfach Schmutzfinken, seien geizig und zur Essenszeit dürftest du nie bei ihnen auftauchen.

Migranten sind erfinderisch, wenn es darum geht, ihre Ideologie den Umständen anzupassen. Doch ist sicher, dass jede Überlebensstrategie ihren Preis hat.

Auch Tieneke, die wie gesagt Ende der 60er Jahre hierher kam und noch eher in einer surinamischen Gemeinschaft aufgewachsen ist, kann da mitreden. Bei ihr zu Hause wurde surinamisch gesprochen, oft surinamische Musik gehört und die eigene Kultur gepflegt – und das in einer fremden, feindlichen Gesellschaft. In dieser Gruppe Migranten war die Auffassung, dass man irgendwann nach Hause zurückkehren würde, dass der Aufenthalt in den Niederlanden nur zeitlich begrenzt sei, sehr viel mehr verbreitet. In Tienekes Fall scheint sich dies auch tatsächlich zu verwirklichen, sie hat Pläne, nach Surinam zurückzugehen. Aber auch sie hat von ihrem 13. bis zum 19. Lebensjahr einen klassischen Zyklus durchlaufen: sich abgrenzen gegenüber der surinamischen Kultur, »platt Amsterdams« reden, nicht wissen, zu welcher Gruppe sie gehört, sich nirgends sicher und beschützt fühlen, ihrer Mutter weinend vorwerfen, dass sie jemals aus Surinam weggegangen ist.

Tanias Erfahrungen sind natürlich anderer Art. Mit eigenen Worten: »Weil ich unter dem Apartheidsystem geboren und erzogen worden bin, war mein ganzes Leben vom Rassismus durchtränkt. Ich kann keine spezifische Erfahrung nennen, die mir den Rassismus bewusst gemacht hat, er war einfach da, immer und überall. Aber erst in den Niederlanden ist mir der Rassismus richtig bewusst geworden. Bestimmte Sachen werde ich mein Leben lang nicht mehr los. Apartheid hat mich verstümmelt; ich gehe z.B. nie an den Strand, und ich gehe nur in Kneipen, die ich kenne und in denen ich mich sicher fühle. Der offene Rassismus, der hier in den letzten Jahren immer deutlicher zu sehen ist, ruft bei mir große Angst wach. Das war auch einer der Gründe, warum ich mit der Gemeindearbeit aufgehört habe. Ich konnte es nicht mehr ertragen, Menschen zu pflegen und zu versorgen, die in einer rassistischen Sprache über Ausländer reden. Ich fühle mich nicht besonders sicher in der großen niederländischen Gesellschaft, ich schwimme eher darin. Ich habe Glück gehabt, dass ich in der feministischen Welt gelandet bin; in ihr ist mein Bewusstsein an allen politischen Fronten gewachsen. Als ich mit dem Feminismus in Berührung kam, tat sich mir eine neue Welt auf; es war, als wäre ich in einen Zug eingestiegen, der mit mir durch die Landschaft raste. Durch den Feminismus wurde ich gezwungen nachzudenken. Ich fing an, viel zu lesen, weiter zu studieren, nahm an Demonstrationen und Aktionen teil, bekannte mich zum Lesbischsein und hatte eine Beziehung, und ich wurde aktiv in der Anti-Apartheidbewegung und im ANC. Ich wurde mir des Zusammenhangs aller Formen von Unterdrückung und der Notwendigkeit, an verschiedenen Fronten zu kämpfen, bewusst.«

Für alle Sister Outsider-Frauen trifft zu, dass die Frauenbewegung ein Impuls war, dem Schwarz-sein Bedeutung beizumessen. Die Frauenbewegung brachte uns dazu, alle Elemente unseres Selbst zu schätzen, und vermittelte uns die Einsicht, dass verschiedene Formen von Unterdrückung Zusammenhängen und nicht unter den Tisch gekehrt werden dürften. Letztendlich führte das auch dazu, dass schwarze Frauen in der Mitte der siebziger Jahre anfingen, sich unabhängig von weißen Frauen zu organisieren. In einem bestimmten Moment haben wir die warme, wollene Decke, die über der Bewegung lag, von uns geworfen, weil wir doch nur ein Eckchen dieser Decke bekamen. Wieder und wieder zu merken, dass du eine ganze Reihe fundamentaler Erfahrungen bei weißen Frauen nicht loswerden kannst, dass sie diese Erfahrungen, im Vergleich zu unserer gemeinsamen Unterdrückung als Frauen und Lesben, sogar als unwichtig oder subversiv zur Seite schieben, brachte schwarze Frauen dazu, ihre Wirklichkeit selbst zu definieren.

Sister Outsider

Die Gruppe ist 1984 durch die Einladung an die schwarze lesbische Dichterin Audre Lorde, von Berlin aus (wo sie zu der Zeit eine Gastprofessur hatte) in die Niederlande zu kommen, entstanden. Einige von uns waren ganz begeistert von ihrem Buch ZAMI und wollten sie, wenn sie schon in der Nähe war, gern treffen. Es wurde ein Brief nach New York geschrieben, und Lorde erzählte später, dass sie, als sie den Brief bekam, alle ihre Freundinnen anrief, um ihnen zu erzählen, dass selbst in Holland schwarze Lesben wohnen. Das Wochenende mit Audre Lorde, das wir im Juli ’84 organisierten, wurde ein großer Erfolg.

Sister Outsider ist nicht in erster Linie eine Selbsthilfegruppe; diesem Stadium sind wir allmählich entwachsen. Wir wollen vor allem schwarze lesbische Kultur sichtbar machen und kulturelle Aktivitäten unter schwarzen Lesben anregen.

Ein paarmal im Jahr veranstalten wir einen »literarischen Salon«, wo schwarze Frauen aus eigenen Arbeiten oder denen anderer Frauen vorlesen, sich Geschichten erzählen und Musik machen können.

Außerdem organisieren wir regelmäßig multi-kulturelle Feste, auf denen Frauen sich mit Hilfe von Theater, Gesang und Tanz ihre kulturellen Eigenheiten zeigen. Diese Abende sind auch für weiße Frauen offen. Durch unser Zutun ist Lordes Prosa jetzt ins Niederländische übersetzt worden, und demnächst wird auch eine ihrer Gedicht-Anthologien, »The Black Unicom«, im feministischen Verlag SARA erscheinen.

Unsere Aktivitäten scheinen gut anzukommen, und seit es das Zentrum für schwarze Frauen und Migrantinnen gibt, sieht es so aus, als würde der Zulauf noch größer werden.

Für den kommenden Sommer haben wir schon eine Reihe von Plänen im Kopf, so z.B. einen Schreib-Workshop für schwarze lesbische Frauen unter der Leitung von schwarzen lesbischen Frauen aus dem In- und Ausland.

Wie unsere Aktivitäten zeigen, ist Sister Outsider hauptsächlich für schwarze lesbische Frauen und in zweiter Linie für andere schwarze Frauen da. Wir scheuen aber auch den Dialog mit weißen Frauen nicht. Wir haben keine Lust mehr auf die Opferrolle, machtlos zu sein oder nur zu schimpfen und zu schreien. Wir meinen, dass wir als schwarze Frauen eine ganze Menge zu bieten haben, dass unsere Kultur aber noch einem »unterbelichteten Foto« gleicht. Es ist an der Zeit, dass die Unsichtbarkeit schwarzer Frauenkultur und besonders schwarzer Lesbenkultur ein Ende hat.

Wenn es nach Sister Outsider geht, kommen jetzt, in guter Gesellschaft von Brecht, »die ändern« auch »ins Licht«.

Amsterdam, 1986

Ayim, May, Oguntoye, Katharina, Schultz, Dagmar – Farbe bekennen

Bibliografische Information der Deutschen Nationalbibliothek
Die Deutsche Nationalbibliothek verzeichnet diese Publikation
in der Deutschen Nationalbibliografie; detaillierte bibliografische
Daten sind im Internet über http://dnb.d-nb.de abrufbar.

ISBN 978-3-944666-20-4

Originalausgabe

2. Auflage 2020

Lektorat: Claudia Koppert
Umschlaggestaltung: Reinhard Binder, Moritz Michael, Berlin
Umschlagfoto: Dagmar Schultz
Satz & Layout: Marc Berger, Gransee
Druck: Schaltungsdienst Lange, Berlin
Printed in Germany